C0-AUX-388

INFLUENCE
THE PSYCHOLOGY OF PERSUASION

影响力 经典版

［美］罗伯特·西奥迪尼（Robert B. Cialdini） 著　闾佳 译

北方联合出版传媒(集团)股份有限公司

万卷出版公司

Robert B. Cialdini, Ph.D.

Influence: The Psychology of Persuasion

Copyright © 1984，1993 by Robert B. Cialdini.

Published by arrangement with William Morrow, an imprint of HarperCollins Publishers.

Simplified Chinese Translation Copyright © 2010 by Cheers Publishing Company.

All rights reserved.

本书中文简体字版由 William Morrow, an imprint of HarperCollins Publishers 授权万卷出版公司在中华人民共和国境内独家出版发行。未经出版者书面许可，不得以任何方式抄袭、复制或节录本书中的任何部分。

版权所有，侵权必究。

著作权合同登记号：06—2010年第356号

图书在版编目（CIP）数据

影响力：经典版 /（美）西奥迪尼著；闾佳译 . —
沈阳：万卷出版公司，2010.9
ISBN 978-7-5470-1212-3

Ⅰ . ①影… Ⅱ . ①西… ②闾… Ⅲ . ①心理影响–研
究 Ⅳ . ①B84

中国版本图书馆 CIP 数据核字（2010）第 171775 号

出版发行：北方联合出版传媒（集团）股份有限公司
　　　　　万卷出版公司
　　　　　（地址：沈阳市和平区十一纬路 29 号 邮编：110003）
印 刷 者：北京中印联印务有限公司
经 销 者：全国新华书店
幅面尺寸：170mm×230mm
字　　数：270 千字
印　　张：18.75
出版时间：2010 年 9 月第 1 版
印刷时间：2016 年 1 月第 22 次印刷
责任编辑：张旭
特约编辑：唐菁　魏艳艳
装帧设计：湛庐文化 付楠
内版设计：梁庆博
ISBN 978-7-5470-1212-3
定　　价：45.00 元

联系电话：024-23284090
邮购热线：024-23284050　23284627
传　　真：024-23284448
E - m a i l：vpc_tougao@163.com
网　　址：http://www.chinavpc.com

现在我可以坦白承认了，我这一辈子，一直是个容易上当的家伙。在记忆所及的岁月里，我总是容易被小贩、筹款人、这样那样的运营商当成好捏的柿子。是的，这些人里只有一部分动机不大光彩，其他人——比如慈善机构的代表——都有着崇高的目的。我发现自己老是会订些根本不想要的杂志，或是买下环卫工人舞会的门票——这种事情出现的频率之高，让我自己都感到吃惊。兴许，我这种一贯的傻瓜蛋状态，解释了我为什么会对研究顺从性感兴趣：到底是什么因素让一个人向另一个人说了"行"？哪些技术能最有效地利用这些因素，带来这样的顺从性？我想搞清楚，为什么相同的请求，按某种方式说出来会遭到拒绝，稍微换种方式说却会一帆风顺呢？

所以，我干上了实验社会心理学这一行，开始研究顺从心理学。起初，研究大多以实验的形式开展，基本上在我的实验室进行，受试的则是大学生，我想找出是哪些心理原则影响了人们顺从一个要求的倾向性。现在，对于这些原则有哪些，它们如何发挥作用，心理学家已经有了很多认识。我认为这些原则是影响力武器的特点，并将在本书中讨论其中最重要的一些。

不过，过了一段时间，我逐渐意识到：实验工作，尽管必要，但还不够。一旦走出心理学大楼，走出我研究它们的校园，我就没办法靠实验来判断这些原则在真实世界里有多重要了。很明显，要想彻底了解顺从心理，我得放宽自己的调查范围。我需要去观察专门利用顺从心理的职业老手——也就是套用这些原则左右了我一辈子的那些人。他们知道哪些原则可行，哪些不可行，优胜劣汰的生存法则保证了这一点。他们的生计就是让我们顺从，他们是靠这一套吃饭的。不知道怎么才能让别人顺从的人很快就会消失，而做得到的人，则能留下来，把买卖搞得风生水起。

当然了，了解并利用这些原则帮助自己的人，不光只有上述那些专业人士。在跟邻居、朋友、爱人和其他家人进行日常交往的过程中，我们或多或少地都会用到它们，或是成了它们的受害者。但哪些原则最管用，我们普通人只有些模模糊糊、不上道的认识，以要求他人顺从为业的专家们却懂得更多。我仔细想了想，要了解哪些顺从原则对我适用，他们是最丰富的信息源了。于是，近三年来，我把自己的实验研究跟一个更有趣的项目结合起来：我系统化地让自己深入顺从专家——销售员、筹款家、广告商等的世界。

我的目的是从内部观察诸多顺从业者最常使用且效果最好的技术和策略。在这一观察项目的实施过程中，我有时是访问从业者本人，有时则是调访某些从业者的天敌（例如警方的反诈骗调查人员、消费者权益保护机构等），还有些时候，是对一代代传承顺从技术的书面资料——如销售手册等——进行大范围的检验。

不过我们最常采用的形式还是参与式观察（participant observation）。参与式观察是一种由研究人员充当各种间谍的调研方法，调查员利用一个伪装的身份，捏造一套意图，渗入感兴趣的环境，成为所调查群体的地道成员。所以，要是我想了解百科全书（或是真空吸尘器、肖像摄影、舞蹈课）销售组织的顺从手法，我会应征报纸上招募销售实习生的广告，直接让他们教给我方法。通过这些类似但不尽相同的办法,我得以渗透到广告、公共关系和筹款机构内部去考察其技术。故此,这本书里列举的许多证据,都来自我的亲身体验:在各类致力于让你点头称是的组织里假冒顺从专家,或是心怀远大抱负的专业人士。

我在这三年参与式观察时期掌握的一些信息最有启发意义。尽管顺从执业者使用上千种不同的策略让人顺从,可绝大部分的策略都可分为6个基本类型。每一类型都是从一种能指导人们行为的基本心理原则衍生出来的,正因为如此,这些策略就具有了左右人们行为的力量。本书内容围绕这六大原则展开,我从每一原则(分别是互惠、承诺和一致、社会认同、喜好、权威和稀缺)的社会功能来讨论它们,看看顺从专家们如何将之整合到购买、捐赠、让步、选举或赞成等请求之中,使之发挥出巨大的力量。

最后,每一原则均能使人产生出不同的自动、无意识的顺从(即一种不先思考就答应的意愿),我会从这个角度来检验它们。有证据表明,现代社会日益加速的步伐和大量信息带来的冲击,会使这一特殊形式的无意识顺从在将来变得愈发普遍。故此,理解无意识影响是怎么一回事,为什么会这样,对当今社会来说也日益重要了。

距《影响力》的上一次出版已经有些时日了,在此期间发生的一些事情,有必要补充在这个新版本当中。我们现在对影响过程比从前有了更为深入的认识,对说服、顺从和改变的研究有了新进展,相关内容亦依此作了更新。除了对素材做整体上的更新之外,我还特别注意升级了对流行文化和新技术的涵盖,同时收录了有关跨文化社会影响力的研究——即在不同的人类文化中,影响过程如何以类似或不同的方式运作。

我还扩充了一个环节,它是先前读者的反馈让我想到的。这个环节的内容来自于之前读了《影响力》的读者,他们意识到某个原则在特定的情况下怎样对(或为)自己发挥了作用,并写信告诉我具体情况。他们的描述（也即每一章的"读者报告"）说明，在日常生活里，我们是多么容易、又多么频繁地成为影响过程的"受害者"。

我想感谢为之前版本的"读者报告"作出贡献的人——他们有些是直接跟我联系的，有些是通过自己的课程导师跟我联系的：帕特·鲍勃斯（Pat Bobbs）、马克·黑斯廷斯（Mark Hastings）、詹姆斯·迈克尔斯（James Michaels）、保罗·内尔（Paul R. Nail）、艾伦·雷斯尼克（Alan J. Resnik）、达里尔·雷茨拉夫（Daryl Retzlaff）、丹·斯威夫特（Dan Swift）和卡拉·瓦斯克斯（Karla Vasks）。

我还想邀请新读者提供类似的"报告"，说不定下一次再版时用得着。信件可以寄到：Department of Psychology, Arizona State University, Tempe, AZ 85287-1104。

第3章 承诺和一致 / 65

承诺和一致原理认为，一旦作出了一个选择或采取了某种立场，我们就会立刻碰到来自内心和外部的压力迫使我们的言行与它保持一致。在这样的压力之下，我们会想法设法地以行动证明自己先前的决定是正确的。

案例呈现
- 为什么像宝洁和通用食品这样的大公司，经常发起有奖征文比赛，参赛者无需购买该公司任何产品，却有机会获得大奖？
- 为什么一些二手车经销商在收购旧车时，会故意高估旧车的价格？

第4章 社会认同 / 119

社会认同原理认为，在判断何为正确时，我们会根据别人的意见行事，尤其是当我们在特定情形下判断某一行为是否正确时。如果看到别人在某种场合做某件事，我们就会断定这样做是有道理的。

案例呈现
- 在遇到紧急情况时，什么才是最有效的求救方式？
- 为什么当自杀事件广为报道时，报道所覆盖地区的自杀事件反而增多了？
- 为什么圭亚那琼斯城的910名教徒会集体自杀？

第5章 喜好 / 171

我们大多数人总是更容易答应自己认识和喜爱的人所提出的要求，对于这一点，恐怕不会有人感到吃惊。令人吃惊的是，有些我们完全不认识的人却想出了上百种方法利用这条简单的原理，让我们顺从他们的要求。

案例呈现
- 为什么特百惠公司的家庭聚会能让每天的销售额超过250万美元？
- 在审讯嫌疑犯的过程中，为什么"好警察"、"坏警察"搭档的方法能够奏效？
- 为什么狂怒的球迷会在比赛输掉以后杀死运动员和裁判员？

权威所具有的强大力量会影响我们的行为，即使是具有独立思考能力的成年人也会为了服从权威的命令作出一些完全丧失理智的事情来。

案例呈现
- 为什么受过正规培训的护理人员会毫不犹豫地执行来自医生的明明漏洞百出的指示？
- 为什么行骗高手们总是以换装作为一种行骗手段？

"机会越少见，价值似乎就越高"的稀缺原理会对我们行为的方方面面造成影响，对失去某种东西的恐惧似乎要比对获得同一物品的渴望，更能激发人们的行动力。

案例呈现
- 为什么面值一元的错版纸币，其价值远远超过了面值的几百倍？
- 为什么在拍卖场里，人们会不由自主地不停举牌？
- 青少年反叛的根源在哪里？

正常情况下，促使我们作出顺从决策的几个最常用的信息，都可以引导我们作出正确的决策，这就是为什么我们在决策时频繁、机械地使用互惠、言行一致、社会认同、喜好、权威以及稀缺原理的原因。每个原理本身都能够极为可靠地提示我们，什么时候说"是"比说"不"更加有利。但现实中，大量的、极易伪造的信息被人利用，他们借此引诱我们作出机械的反应并从中获利，我们不得不防。

世界上最远的距离，是"我们"与"他们"。
扫描二维码，
与同地、同城、同类、同好的庐客们相遇。

凡事都应当尽可能地简单，
而不是较为简单。

——阿尔伯特·爱因斯坦

第1章

Influence 影响力的武器

The Psychology of Persuasion

|武装自己|

一天，我接到一个朋友打来的电话，她新近在亚利桑那州开了一家印度珠宝店。她有点前言不搭后语地向我汇报了她碰到的一件不可思议的事情，她认为，我这个心理学家或许能够为她解释清楚。故事是这样的：她手里有一批绿宝石首饰，一直不大好卖。当时正是旅游高峰期，商店里挤满了客人，绿宝石首饰的质量着实对得住她开的价钱，可就是卖不出去。为了卖掉它们，我的朋友尝试了若干标准的销售技巧：把它们放到更显眼的展示区，以唤起人们的注意 ——没用；她甚至让销售人员使劲"推售"——也没有成功。

最后，她要出城采购新的商品。出发前一晚，她给负责的售货员潦草地写了一张破罐破摔的字条："本柜的所有物品，价格乘个1/2。"本意是哪怕亏本也得把这批倒霉的货给弄出去。几天后，她回来了，发现所有的东西都销售一空。当然了，本来她并不吃惊，可随即她发现，由于自己的字迹太过潦草，雇员把"1/2"误当成了"2"，所有首饰都是按原价的两倍卖出去的！这下子，她是彻底惊讶了。

就这样，她给我打来了电话。我想我知道是为什么，但我告诉她，要解释清楚这件事，她也得听听我的一个故事。其实，这不是关于我的故事，而是关于雌火鸡的，它属于相对较新的动物行为科学，就是在自然环境下研究动物。

雌火鸡是很合格的母亲——充满关爱，警惕性高，全心保护小宝宝。它们会花很多时间照料小火鸡，做好保暖和清洁工作，又把孩子们收拢在身子底下。可这里有个很奇怪的地方，上述一切母爱行为几乎都是靠一样东西触发的：小火鸡的"叽叽"声。在照料过程中，鸡宝宝的其他特点，比如气味、感觉和相貌等，却扮演着极其次要的角色。要是一只小鸡发出"叽叽"声，火鸡妈妈就会照料它，要是不出声，火鸡妈妈就根本注意不到它，有时甚至会误杀了它。

动物学家 M. W. 福克斯（M. W. Fox）曾作过一个实验，生动地演示了雌火鸡对"叽叽"声的极度依赖性。实验用到了一只雌火鸡和一个臭鼬充气玩具。对雌火鸡来说，臭鼬是天敌，只要它一出现，雌火鸡就会嘎嘎大叫，用喙啄它，用爪子抓它。事实上，实验发现，哪怕只是一个臭鼬充气玩具，用绳子拉到雌火鸡面前，它也会立刻遭到猛烈的攻击。然而，要是相同的充气玩具里装有一台小型录音机，播放火鸡宝宝发出的"叽叽"声，雌火鸡不光会接受臭鼬，还会把它收拢到自己的翅膀底下。录音机一关掉，臭鼬玩具就又会立刻遭到猛烈的攻击。

按一下就播放

雌火鸡在这种环境下的举动看起来是何等荒谬啊：它热烈地拥抱天敌，仅仅因为对方发出了"叽叽"的声音；它虐待甚至害死了自己的宝宝，仅仅因为小鸡没有叽叽叫。它的行为像一台机器，母性本能全受一种声音的自动控制。动物行为学家告诉我们，这种事情并不是火鸡独有的，他们已经确认了大量物种盲目而机械的规律性行为模式。

这就是所谓的**固定行为模式**，其中甚至包括极为复杂的行为序列。这些模式的一个基本特点是：每一次，构成模式的所有行为几乎都是按相同的方式、相同的顺序发生的。比如在一个完整的求偶或交配过程中，它们就好像是记录在了动物身体里内置的磁带上，每当出现适合求偶的环境，求偶磁带就播放；每当出现抚养生育的环境，母爱磁带就播放。只要按个键，相应的磁带就激活了，哗啦啦，标准的行为顺序依次展开。

所有这一切最有意思的一点，在于磁带的激活方式。举例来说，当一种动物采取行动保护自己领地的时候，是同一物种另一动物的侵入启动了前者的捍卫领地磁带，触发了它严阵以待、威胁甚至战斗（如有必要）的行为。然而，这套系统里有个很怪的地方，**触发者并不是对手这个整体，而是对手具备的一些特征**。通常，触发特征只是来犯者整体上微不足道的一小方面。有时，颜色就是触发特征。比如，动物行为学家的实验指出，雄性知更鸟只要看到一丛红色的知更鸟胸羽，就会作出有敌人侵犯自己领地的样子，凶猛地攻击它。可只要你取掉那丛红色的羽毛，哪怕是摆上一只惟妙惟肖的雄知更鸟玩具，前者也会对它不理不睬。研究人员在蓝喉鸟身上也观察到了类似的结果，只不过，触发它捍卫领地行为的是一种特殊的蓝色胸羽。

看到触发特征轻而易举就能骗得低等动物作出不恰当的反应，我们难免会有点自鸣得意。且慢，有两件事我们千万要搞清楚。第一，这些动物的自动化固定行为模式在大部分时间都运作良好。例如，因为只有正常、健康的雏鸟才能发出小火鸡特殊的"叽叽"声，所以雌火鸡根据这种声音作出照料行为是合乎情理的。只对这一种刺激产生反应，普通的雌火鸡基本上总能作出正确的行为。只有在像科学家这样的人故意捉弄它的时候，它那磁带式的反应才会显得傻乎乎的。第二，我们也有着自己预设好程序的磁带，尽管它们一般是对我们有好处的，可激活它们的触发特征也有可能愚弄我们，让我们在错误的时候播放磁带。①

哈佛社会心理学家艾伦·兰格（Ellen Langer）通过一个实验，巧妙地揭示了人类与动物相似的自动反应模式。一个众所周知的人类行为原则认为，**我们在要别人帮忙的时候，要是能给一个理由，成功的概率会更大。**因为人就是单纯地喜欢做事有个理由。兰格这样来证明这点事实（虽说这点事实真没什么好大惊小怪的）：

> 人们排队在图书馆里用复印机，她请别人帮个小忙，说："真不好意思，我有 5 页纸要印。因为时间有点赶，我可以先用复印机么？"提出要求并说明理由真是太管用啦：94% 的人答应让她排在自己前面。她也试过只提要求："真不好意思，我有 5 页纸要印。我可以先用复印机吗？"这么说的效果就差多了。在这种情况下，只有 60% 的人同意了她的请求。

乍看起来，两次请求之间的关键区别似乎在于，前一次的请求里给出了额外的信息"时间有点赶"。然而，兰格又尝试了第三种请求，证明发挥作用的地方不在这儿。奥妙并非是说明什么原因的整句话，而在开头的那个"因为"上。

兰格的第三轮请求里并没有包含一个让人顺从的真正原因，只是用了"因为"，接着便把明显的事实又重复了一遍。她是这么说的："不好意思，我有 5 页纸要印。我能先用复印机吗？因为我必须

---

① 人类和低等动物的这种自动性，尽管存在若干重要的相似之处，但也有着明显的区别。人类的自动行为模式大多不是天生的，而是后天习得的，它比低等动物连执行步骤都是固定的模式更为灵活，并可对大量触发情境作出反应。——作者注

印点儿东西。"结果，差不多所有人都同意了（93%）——虽说这个请求里并没有真正的原因，它没有补充什么新的信息能说明他们照着兰格的话去做是合理的。

正如火鸡雏鸟的"叽叽"声触发了雌火鸡的自动哺育反应，哪怕它是从充气臭鼬玩具里发出来的也照样管用；"因为"这个词则触发了兰格实验里受试者们的自动顺从反应，哪怕兰格根本没有给他们一个说得通的理由。按下按钮，磁带就哗啦啦地播放了。[①]

兰格做的另一些调查结果显示，在颇多环境下，人类的行为并不按机械化的磁带激活方式展开，但她和其他许多专家也相信：大多数时候，人类行为真的跟机械播放的磁带没什么两样。就拿本文开头举的例子来说吧：绿宝石起初总也卖不掉，售货员在误会中把它的价格抬高了一倍，顾客们却一拥而上买了个干净。为什么他们的行为这么古怪呢？这么说吧，除非你从"一按按键就自动播放"的角度来看这个问题，不然还真没法理解这种行为。

顾客大多是生活富裕的度假客，对绿宝石认识不多，他们用一套标准原则（也即"范式"）来指导自己买东西：**一分钱一分货，价格贵就等于东西好**。许多研究表明，要是人们对物品的质量拿不准，经常会使用这一范式。因此，想买"好"珠宝的度假客，一看到绿宝石价格涨了上去，就觉得它们更贵重了，更值得拥有了。价格本身成了质量的触发特征，绿宝石在渴望质量的买家中销量激增，这完全是由价格暴涨这一点带来的。

挑剔游客们的愚蠢购买决定很容易，但要是靠近了仔细看看，我们的

---

① 家长要小孩子解释自己的行为，小孩子最常用的回答是"因为……就是因为"。说不定，孩子们已经敏锐地察觉出，这个词在成年人的世界里有着不同寻常的分量。——作者注

看法却会变得更为宽容。人都是在"一分钱一分货"的教导中长大的，更何况，这条规则在他们的生活中一次又一次地应验过。过不了多久，他们就把这条规则提炼成了**"价格贵＝东西好"**（如图1—1所示）。以往，"贵＝好"的公式向来是管用的，因为一般而言，物品价值高，价格也会涨；较高的价格通常反映了较好的质量。因此，当他们发现自己想要质量好的绿宝石首饰，但却对绿宝石懂得不多的时候，便很自然地用上了价格这个一贯的准绳。

图1—1 鱼子酱和手艺
这则广告要传递的信息是：昂贵当然就等于好。

尽管买家本人可能并没有意识到，但光对绿宝石的价格作出反应，实际上是抄了条捷径，打赌压胜算。他们并不是煞费苦心地了解每一点能暗示绿宝石首饰价值的特点，力争稳操胜券，相反，他们只把宝压在一点上——因为他们知道，在通常情况下，这一点是跟物品的质量相关的。他们下注打了赌：光凭价格这一点就能告诉他们需要知道的一切。可这一回，由于售货员把"1/2"误当成了"2"，他们赌错了。而就长期而言，综合他们过去、未来整整一辈子遇到的所有情境，把赌注压在抄捷径上却可能代表着最为理性的方法。

事实上，模式化的自动行为在大部分人类活动中是相当普遍的，因为很多时候，它是最有效的行为方式；另一些时候，它则是必要的。你我生活在一个极端复杂的环境中——说不定是地球有史以来变化最为迅速的了，为了对付它，我们需要捷径。哪怕就是短短的一天当中遇到的每一个人、每一件事，我们也不可能把相关的方方面面都辨识出来，分析出来。我们做不到，因为我们没有足够的时间、精力和能力。相反，我们必须频繁地利用我们的范式、我们的首选经验，根据少数关键特征把事情分类，一碰到这样那样的触发特征，就不假思索地作出反应。

有时候，人的行为并不适合所处的情境，因为即便是最准确的范式和触发特征都不可能回回管用。我们容忍这样的不完美，实在是因为并没有其他的选择。没有了这些特征，我们只能傻站着——慢慢分类、鉴别和校准——本该采取行动的时机飞逝而过。种种迹象表明，将来我们会更严重地依赖这些典型范式。充斥在我们生活里的刺激会更为复杂、变数更大，我们必然要越来越多地依赖捷径来应对、解决它们。

英国著名哲学家阿尔弗雷德·诺思·怀特黑德（Alfred North Whitehead）就认为这是现代生活不可避免的一个特点，他断言："**文明的进步，就是人们在不假思索中可以做的事情越来越多。**"

优惠券就是文明带给我们的进步。消费者认为,只要出示优惠券,就可以按优惠价买到商品。我们在多大程度上会机械地按照这种认识去做呢?一家汽车轮胎公司的经历向我们作了阐释。该公司邮寄出优惠券之后,发现上面有一处印刷错误,收到优惠券的消费者并不能照往常那样享受打折待遇,省下一大笔钱来。可大多数消费者都跟从前一样,依旧照老样子使用它们。

这件事情蕴含的道理一目了然,也极具启发意义。我们希望优惠券能完成双重使命:我们不光希望它省钱,还希望它帮我们节省思考如何去做的时间和精力。当今世界,我们需要优惠券的第一点优势去解决荷包吃紧的问题;同时,又需要它的第二点优势解决更为重要的脑力吃紧问题。

渔利的奸商

奇怪的是,尽管自动行为模式用处十分广泛,将来还会变得越来越重要,可我们大多数人却对它知之甚少,或许这正是因为它们总是以机械化不假思索的方式发生和出现的。不管怎么说,它有一点特性,我们务必要清晰地意识到:要是碰到晓得它们奥妙的人,我们可就门户大开、任其摆布了。

为了充分理解我们的脆弱本性,让我们再来看一看动物行为学家的工作好了。原来,不光只有这些录下雏鸟"叽叽"声、拿鲜艳胸羽做伪装的学者通晓如何激活各物种的行为磁带呢。有一种通常叫做"拟态体"的生物会模仿其他动物的触发特征,企图诱骗后者在不恰当的时间错误地播放原本是正确的行为磁带,此时,拟态体便抓住机会,利用对方的错误行为,达到自己的目的。

有一种雌萤火虫（Photuris 属）会对不同类（Photinus 属）的另一种雄萤火虫设下致命的陷阱。出于可以理解的原因，这种雄萤火虫从来都小心翼翼地不去接触嗜血的雌萤火虫。然而，通过数百年的进化，雌性猎人锁定了猎物的一个弱点——受害物种的雌性成员在到了交配期的时候，会发出特殊的闪光求偶代码来通知同类，靠着模仿这一闪光求偶信号，雌性杀手触发了猎物们的交配磁带，诱得这些可怜的家伙不由自主地飞过来，投身死亡的怀抱，成了雌性杀手的一顿美餐。

昆虫似乎是最善于利用猎物的这种自动反应的，猎物被愚弄至死的事情多得很，但有些动物采取的利用方式没这么血腥。

有两种鱼存在一种不同寻常的合作关系，其一是体型较大的石斑鱼，另一种则是体型较小的鱼，小鱼是大鱼的清洁工。大鱼允许清洁工靠近自己，甚至让它进入自己的嘴巴剔除附在牙齿或鱼鳃上的真菌和其他寄生虫。这种安排真是妙不可言：大个头石斑鱼清除掉了身上的害虫，小个头清洁工则得到了一顿毫不费力的美餐。但还有一种小鱼，一种长着尖利牙齿的鲇鱼，却占起了这种合作关系的便宜。通常，大鱼会吃掉其他呆呆傻傻靠近自己的小鱼。可等清洁工小鱼上下起伏地摆动着靠过来，大鱼会突然停下所有动作，张开嘴巴浮在水里，几乎完全静止。原来，小鱼上下起伏的游动方式，激活了大鱼被动的机械反应。这同时也就给了尖牙鲇鱼利用这对合作伙伴清洁过程的可乘之机。鲇鱼模仿清洁工小鱼上下起伏的游动方式靠近大鱼，等大鱼自动停下来，摆出一动不动的姿势，鲇鱼就猛冲上去，咬下大鱼的一块肉，趁着可怜的受害者还没回过神来，飞快地逃得远远的。[1]

不足为奇，人类世界也有着极其相似的事情。我们也有些逐利的奸商模仿触发特征，激起我们的自动响应机能。不过，人类之外的生物大多都是本能的响应序列，人类却不同，我们的自动磁带通常来自通过经验习得的心理原则或范式。尽管效力各有高下，但有些原则也能够极为强烈地左右人的行动。我们从小就接触到这些原则，它们对我们的影响也十分普遍，所以，寻常人很少察觉它们的力量。可有些别有用心的人却看穿了这些原则，把它们当成了触手可及的武器——也就是自动影响力武器。

有些人很清楚自动影响的武器藏在哪儿，他们娴熟老练地使用它们，借此达成自己的意图。他们出没于各种社交场合，要求别人顺从自己的愿望，成功的概率令人目瞪口呆。他们之所以能屡战屡胜，其奥妙就在于他们对所提要求的结构体系作了设计，他们利用社交环境中这样那样的自动影响力武器把自己武装了起来。要实现目的，有时候只需要选择一个恰当的字眼，就足以调用某条强大的心理原则，按下我们自动行为磁带的播放键，就能让我们机械化地响应这些原则。他们如何从中得利呢？这一点你不用担心，他们学得可快了。

还记得我那个开珠宝店的朋友吗？虽说第一次是意外捡了便宜，可没过多久，她就开始有意识地定期利用"价格贵＝东西好"的公式了。如今，每逢旅游旺季，碰到有什么东西不好卖，她就先来上一轮大加价，以此加

[1] 这些生物看起来都挺厉害，可跟一种叫隐翅虫（rove beetle）的甲壳虫比起来，就是小巫见大巫了。隐翅虫利用包含气味和触觉在内的多种触发器，吸引了两种蚂蚁保护、清理并饲养其幼虫，成年以后，又在冬天藏到蚂蚁的洞穴里去。蚂蚁对隐翅虫的模拟触发特征完全是机械地加以响应，把它们当成同类。在蚂蚁的巢穴里，面对主人的热情好客，隐翅虫恩将仇报，大吃蚂蚁卵和小蚂蚁，可它们从来也没受到过伤害。——作者注

快销售速度。她说，这一手操作成本低，效果又大大地好。不知情的游客频频中招，给她带来了极为可观的利润。就算最初的提价不成功，她还可以祭出"特价"的大旗，按原先的标价卖给那些喜欢买打折货的人——面对虚高的标价，消费者仍然会产生"贵＝好"的反应，于是又被她暗中宰了一刀。

"价格贵＝东西好"原则的后一种用法（吸引淘便宜货的买家），并非我朋友的原创。教育家兼作家利奥·勒斯滕（Leo Rosten）讲过一个例子。

20世纪30年代，德瑞贝克兄弟西德和哈里在勒斯滕所住的街区开了一家男装裁缝店。每当西德有新客户对着店里的三开大镜子试衣服，他就会告诉对方，自己听力有些问题，并反复让客户说话时提高音量。只要客户喜欢上了哪套衣服，问起价格，西德就会大声叫他兄弟。哈里是首席裁缝，在店堂后面。"哈里，这套衣服要多少钱？"哈里抬头看看自己做的衣服——并大大地抬高真实价格——高喊着回答说："那件漂亮的纯羊毛西服，要42美元。"西德假装没听见，用手在耳边做个敞口杯子的形状，再问上一遍。哈里再次回答："42美元。"此时，西德转过身，对客户说："他说要22美元。"好多人都会急急忙忙地付了钱，抢在可怜的西德发现自己"搞错了"之前，抓着西服狂奔出店，满心以为自己捡了天大的便宜呢。

以柔克刚

本书中描写的大部分影响力武器都具备若干相同的要素，我们已经探讨了其中的两点，**一是**这类武器有能力激活一种近乎机械化的过程；**二是**只要掌握了触发这种过程的能力，人们就能从中渔利。而**第三点**则是，使用者能借助这些自动影响力武器的威力，这种武器就好像一根沉甸甸的大棒，只要用了它，就能让另一个人乖乖就范。

这个过程既复杂又巧妙，倘若运用得当，使用者连绷紧肌肉都用不着。他要做的是，激发出环境中业已存在的强大影响力，并将它指向特定的目标。从这个意义上来说，这种方法和日本柔道术极为相像。学过日本柔道术的女性在抗击对手时，自己的力量用得很少，相反，她会尽可能地利用重力、杠杆作用、动量和惯性等物理原理中天然蕴含的力量。要是她知道怎样调动这些原理，从哪儿去调动，便能轻轻松松击败体格比自己壮硕的对手。倘若有人掌握了我们周边世界天然存在的自动影响力武器，事情也是一样。奸商利用这些武器的威力对付他们的靶子，不费吹灰之力。这个过程的后一特点，给这些蓄意牟利的人带来了莫大的好处——一点儿不显得像是在刻意操纵，却实实在在地操纵了对方。就算是受害者本人也大多认为自己的顺从是自然而然的，并不是对方贪图好处而刻意设计的。

举个现成的例子。人类在认知方面有个原理，叫"对比原理"。两样东西一前一后地展示出来，我们怎样看待其间的区别，对比原理是有影响的。简单地说，要是第二样东西跟第一样东西有着相当的不同，那么，我们往往会认为两者的区别比实际上更大。这样一来，如果我们先搬一种轻的东西，再拿一件重的东西，我们会觉得第二件东西比实际上更沉；而要是我们一开始直接就搬这件重东西，反倒不会觉得有这么沉。对比原理是心理物理学领域确立的，它不光适用于重量，还适用于其他各种感官知觉。聚会时，要是我们先跟一个非常有魅力的人聊天，接着插进来一个相貌平平的家伙，我们会觉得第二个人简直没劲透了——而他（她）其实没有那么索然寡味啦。[①]

[①] 一些研究人员警告说，大众媒体里抛头露面的往往是些好看得超乎实际的人（男女演员、模特等），看惯了他们，我们对身边有可能发生段浪漫关系的异性的样貌就不怎么满意了。例如，有研究证明，经常看《花花公子》《花花公主》这类杂志上的超性感裸体照片的人对目前配偶或同居伙伴的性魅力会变得不怎么满意。——作者注

事实上，亚利桑那州立大学和蒙大拿州立大学所做的对比原理实验表明，由于大众媒体总是用美得超乎现实的模特向我们狂轰滥炸，我们说不定会因此觉得自己的伴侣欠缺身体上的吸引力。有一项研究是让大学生给一张照片上相貌平平的异性打分，要是他们事先浏览了几本时尚杂志上的广告，打的分就低得多；还有一项研究是让住校的大学男生给约会对象的照片打分，一组学生边看《霹雳娇娃》系列剧边打分，另一组学生看的是不同的节目。两相比较，前一组学生觉得约会对象魅力欠佳。

为了向学生们介绍该原理，心理物理学实验室里有时会用到知觉对比的另一个例子。

> 每名学生依次坐在三桶水跟前：一桶水冷，一桶水常温，一桶水热。学生把一只手放进冷水里，另一只手放进热水里，之后，教授会要他们把两只手同时放进常温的水桶里。学生脸上立刻会露出好笑的困惑表情：尽管两只手放在同一桶水中，可刚刚放在冷水里的手觉得它是热水，刚刚放在热水里的手又觉得它是冷水。

实验想要说明的要点是，基于先前所发生事件的性质，相同的东西（也即常温的水）会显得极为不同。

请放心，这个由对比原理带来的小小影响力武器，早就有人利用过了（如图1—2所示）。这一原理带来的巨大好处，在于它不光管用，还几乎叫人无法察觉。利用它的人吃够了甜头，可你根本察觉不到整个环境是他们早就布置好的。服装零售商就是一个很典型的例子。

"我希望今晚你们每个人在回家的路上停下来,仰起头看看天空,仔细想想——我们比赛第二节的失利,算得了什么呢。"

图1—2　一流的想法
对比原理的应用范围大如宇宙。

　　假设有人走进一家时尚男装店,说自己想买三件套的西服和一件毛衣。如果你是售货员,你该先给他看哪样东西,好让他花最多的钱呢?服装店指点销售人员,要先给顾客看贵的东西。依照人们的常识,顺序应该反过来才对:要是人们买西服时就花了大把的钱,他恐怕不愿再多花钱买毛衣了。但服装商们是心知肚明的。他们完全依着对比原理来设计销售策略:先卖西服,因为顾客接下来买毛衣的时候,哪怕它再贵,价格跟西服一比,也显得不怎么高了。要是这顾客还想给自己的新西装买些配件(衬衣、皮鞋和皮带),同样的原理也适用。尽管对比原理的预测违背常识,证据却支持它。

　　正如销售动机分析师惠特尼(Whitney)、胡宾(Hubin)和墨菲(Murphy)所说:"有趣的是,就算顾客走进服装店的目的只是想买一套西装，但只要他是在买了西装之后——而非之前——买配饰，他在配饰上花的钱就总是会更多。"

售货员先展示昂贵的物件更有利可图。不这么做，不光是白白放弃了对比原理造成的影响，还会使这一原理调转枪口，对他们不利。先拿出便宜的东西，再拿出昂贵的东西，会叫昂贵的东西显得更加贵，从而给大多数销售组织造成不良后果。故此，正如同一桶水会因为之前手接触的水温高低而显得冷一些或热一些，卖东西的人也可以让同一样东西的价格显得高一些或低一些——它完全取决于最先展示的物品的价格。

对知觉对比的巧妙应用，绝不仅限于服装商。我在卧底调查房地产公司运用的顺从手法时，就碰到一种采用了对比原理的技术。

为掌握窍门，一个周末，我陪同销售员跟有意买房的主顾去看房子。销售员（就叫他菲尔吧）负责指点我，帮我完成实习期。我很快注意到一件事，每当菲尔带顾客去看他们想买的房子时，总是先给他们看几套不甚合意的房子。我问他为什么，他笑了。这些房子是所谓的"垫底货"，公司手里总会留着一两套破房子，还标上虚高的价格。这些房子并不打算卖给客户，只是给他们看看的，有了破烂房子作比较，公司手上真正要卖的房子就显得更加合适了。不是所有销售员都采用"垫底"法，但菲尔会用。他说，他带着顾客看了处破烂货，再给他们看真正想卖的地方，对方总会"眼睛一亮"。他喜欢看到他们的那种表情，"等他们先看了几处垃圾房，我给他们找的房子就显得当真妙不可言了。"

汽车经销商也会用对比原则，他们等到跟客户谈妥了一辆车的价格，再一一报上备选配件。几万美元的生意马上就成交了，再多花个几百美元升级 CD 播放器这样的小玩意儿，似乎太微不足道了。车商随后建议给车窗贴膜、换用更好的轮胎，或是做些特别的车内装饰，道理也是一样的。总之，诀窍在于，要单独地提出各个选项，这样每一项的小价目跟已经确定的大数目比起来简直不值一提。买过车的人都可以作证，把这些看起来没什么大不了的配件价格加起来一算，整车价格就好像注水猪肉一般涨了上去。顾客目瞪口呆，手里拿着签好的合同，不知道是怎么回事，好不容易才琢磨出是自己上了当，谁也怪罪不得；经销商却站在一边窃窃私笑，他们的柔道功夫又精进了。

读者报告

来自一位女大学生的家长

亲爱的爸爸妈妈：

打从我上了大学，一直疏于写信回家，真是不好意思。我要向你们报告我的近况啦，但在你们读下去之前，请先坐好了。没坐好之前千万别往后面读，好吗？

啊，我如今一切都好好的。我的颅骨骨折和脑震荡差不多已经好了——那是我才到这里不久，因为宿舍失火跳出窗外摔伤的。我在医院里只待了两个星期，现在基本上恢复了正常，烦人的头痛每天也只来上一次。幸好，宿舍着火后我跳出去时，隔壁加油站的伙计看见了，他马上打电话找了消防队，叫来救护车，他还到医院看望我。由于火灾之后我无处可住，他好心地邀我去他公寓住。其实那就是一个地下室啦，不过是很可爱的那种。他是个非常好的小伙子，我们深深地坠入了爱河，还打算结婚呢。我们还没有订好具体的日子，但肯定是在别人看得出我怀孕之前吧。

是的，爸爸妈妈，我怀孕了。我知道你们有多想升级当外公外婆，也知道你们会欢迎我的宝宝，给他无私的爱护与关怀，就像我小时候那样。我们婚期延后的原因是，他有点小小的感染，我们通不过婚前血检，因为我也不小心从他那儿传染了。我知道你们会张开双臂欢迎他加入咱们家。他很好，虽说没受过什么良好的教育，但挺有上进心的。

好啦好啦，我要给你们带上我真正的近况啦。我想说的是，我的宿舍没有着火，我没有摔成脑震荡，也没有摔断了骨头，我没有住院，没有怀孕，没有订婚，没有感染，连男朋友也没有哦。不过，我的美国历史得了个"D"，化学得了个"F"，我希望你们能从正确的角度看待这些分数。

深爱你们的，

雪伦

作者点评：雪伦的化学可能学得不怎么样，但她的心理学能得个"A"。

影响力水平测试

1.在哪种情况下，人们更有可能被缺乏说服力而不是更具有说服力的证据所说服：（ d ）

a.赶时间

b.对该话题根本不感兴趣

c.对该话题的兴趣一般

d.a 和 b

2.假设你正试着将拥有三种不同价位的同一种商品（经济型、普通型、豪华型）推销给顾客。研究表明在哪种情况下，你的销售额会更高：（ b ）

a.从价格最便宜的商品开始，然后向上销售

b.从价格最贵的商品开始，然后向下销售

c.从价格适中的商品开始，然后让顾客自己决定需要买哪一种

3.人们对政治竞选进行了多年的跟踪调查，结果表明，最有可能赢得胜利的候选人是：（ b ）a.

a.外表最有吸引力的候选人

b.制造大量负面的或带有攻击性的新闻来防御竞争对手的候选人

c.拥有最有活力、最卖力的志愿者的候选人

4.研究表明，通常情况下，自尊与被说服之间的关系是：（ a ）b

a.自尊心不强的人，最容易被说服

b.自尊心一般的人，最容易被说服

c.自尊心强的人，最容易被说服

5.假设有一位政治候选人最近刚刚失去民众的信任。不幸的是，你是这位候选人竞选班子的负责人。如果这位候选人欲借严厉打击犯罪重树他的声望，你认为在他开始下一站宣传时，哪一个选项是最好的方式：（ a ）

a. 我的对手在打击犯罪方面做得很不够……

b. 很多民众支持我打击犯罪的意愿，而且他们相信我有这个能力……

c. 虽然我的对手在打击犯罪方面有着不俗的表现……

6. 假设你是一位理财顾问，你认为一位客户在投资方面太过保守。为了说服他投资风险较高、回报也较高的项目，你应该注重讲述：（ C ）

a. 与他相似的人是如何犯同样的错误的

b. 如果他在那些风险更大的项目上投资，他会得到什么

c. 如果他没有在那些风险较大的项目上投资，他会失去什么

7. 研究表明，陪审员最有可能被以下哪种人说服：（ a ） C

a. 讲话简明易懂的证人

b. 讲述时使用令人难以理解的术语的证人

c. 讲述的内容有说服力的证人

8. 如果你有一则新消息，你会在什么时候说出它是新消息：（ a ）

a. 在讲述这则消息之前

b. 在讲述这则消息当中

c. 在讲完这则消息之后

d. 你不会提到这是一则新消息的

9. 假设你正在介绍你的方案，而且你马上就要讲到关键内容了，这一部分包括那些极具说服力的用以支持你观点的论据。请问，讲到这一部分时，你的语速会有多快：（ a ） d

a. 特别快　　　b. 稍微快一点　　　c. 适中　　　d. 很慢

10. 社会心理学的研究表明，6个最基本的影响他人的原理是：（ C ）

a. 热情、愉悦、不和谐、回忆、关注、正面联想

b. 参与、调整、催眠、反射、原型、潜意识的说服

c. 一致、权威、互惠、喜好、社会认同、稀缺

你做得如何？

想了解你的影响力水平究竟有多高？扫码关注"庐客汇"，回复"影响力"，答案立即揭晓！

1. 如果你答对了 8~10 个问题，你绝对是一个让人顺从的天才。我没有什么可以教给你的了，所以你不要再在这里浪费时间了，赶快去写一本说服力方面的书吧！别忘了写好以后送我一本。

2. 如果你答对了 6~8 个问题，说明你的说服力令人印象深刻。你会很愿意阅读我们在网页上的文章（http://www.influenceatwork.com/），以补充你现有的知识库。

3. 如果你答对了 4~6 个问题，说明你很擅长说服他人，但你需要浏览网页上的文章以提高你的技巧。

4. 如果你答对 2~4 个问题，说明你需要采取一些改进措施。

5. 如果你答对的问题少于 3 个，我想说的是，如果我有一些房产，我很愿意向你推销……

每一笔债都还得干干净净，
就好像上帝他老人家是债主。

——拉尔夫·沃尔多·爱默生

第 2 章

Influence 互惠

The Psychology of Persuasion

|给予，索取，再索取|

几年前，一个大学教授作了个小实验。他给随机抽选的陌生人寄圣诞卡，虽说他料到会掀起些波澜，但所得的回应还是让他吃了一惊：节日卡从四面八方涌了过来，全是从没见过、也没听说过他的人寄的。这些回寄了贺卡的人，绝大多数根本没打听过这位不知名教授的身份。他们收到他的贺卡，便一下子启动了自动反应，给他回寄了贺卡。

尽管这是一项小范围研究，但却指出了我们身边最有效的影响力武器之一——**互惠原理**——发挥着什么样的作用。这条原理说，要是人家给了我们什么好处，我们应当尽量回报。假设有位女性帮了我们的忙，我们应当也帮她一回；倘若有个男的送给我们一份生日礼物，我们应当记得在他生日时献上小小心意；要是有对夫妇邀请我们参加聚会，我们下次务必要记得邀请他们参加我们的。故此，依照互惠原理，我们有义务在将来回报别人的好意、礼物、邀请等。由于接受这类东西伴随着回报的义务，"承蒙美意"（much obliged）一类的短语几乎成了"谢谢你"的同义词——不光英语是这样，其他不少语言也是如此。

互惠及其伴随而来的亏欠还债感，在人类文化中十分普遍。阿尔文·古德纳（Alvin Gouldner）和其他社会学家在作了深入研究之后报告说，

25

所有的人类社会都认同这一原理。① 在单个的社会里面，它同样无处不在，已经渗透到了每一种交换形式当中。说起来，源自互惠原理的成熟的礼尚往来系统，甚至有可能是人类文化的一个独有特征呢。著名考古学家理查德·李基（Richard Leakey）认为：<u>正是因为有了互惠体系，人类才成为人类</u>。他说："由于我们的祖先学会了在'有债必还的信誉网'里分享食物和技巧，我们才变成了人。"文化人类学家泰格和福克斯认为这种"欠债网"是人类的一种独特适应机制，有了它，人类才得以实现劳动分工，交换不同形式的商品和服务，让个体相互依赖、凝结成高效率的单位。

对泰格和福克斯描述的那种社会进步来说，将来的还债义务感是关键。这种普遍认同的强烈感觉，给人类社会的进化带来了巨大的影响，因为它意味着<u>一个人给了另一个人某种东西（如食物、精力和照料等），却不用担心它会变成损失</u>。人可以把各种资源给予他人，却又不是当真给了出去，这在进化史上还是头一遭。由此而来的结果是<u>降低了一对一资源交换的天然门槛</u>。救助、送礼、防卫和贸易等复杂而协调的体系有了实现的基础，并为具备这些体系的社会带来了莫大的好处。既然互惠原理对文化有着这么明显的适应性结果，那么靠着人人都经历过的社会化过程，它根植到了我们每一个人的大脑深处就不足为奇了。

要说明互惠义务会给将来造成多么深远的影响，用墨西哥和埃塞俄比亚之间发生的一件怪事来解释再恰当不过了。这个故事，跟一笔5 000美元的救灾款有关系。

---

① 有些社会已经把这一原理变成了正式的仪式和典礼。在巴基斯坦和印度的部分地区，有一种交换礼物的常见风俗，叫"瓦尔坦班吉"（Vartan Bhanji）。古德纳对"瓦尔坦班吉"评论道：

值得我们注意的是……这套制度煞费苦心地把所有人情债都结清。比方说，举办婚礼的时候，宾客离场，女主人会送他们糖果当礼物。她一边送客，一边说："这5颗是你的。"意思是"这是偿还你从前给我的"，接着她又额外添了一些东西，并说："这些是我的。"等到了下一次婚礼，她会拿回这些礼物，此外又收到一些以后要还的新礼物，如此周而复始。——作者注

1985 年的埃塞俄比亚，说是饿殍遍地、贫困潦倒绝不为过。经济完全破产，连年的干旱和内战彻底摧毁了食物供应，成千上万的国民因疾病、饥饿而死。在这样的困境下，要是墨西哥向它捐出 5 000 美元的救灾款，我肯定不会感到惊讶。可报上的一条简讯居然说，捐赠的方向刚好反了过来，我不免大吃了一惊。埃塞俄比亚红十字会的官员决定向墨西哥捐赠 5 000 美元，帮助当年墨西哥城地震的灾民。

每当人类行为的某个方面让我摸不着头脑，我就总有冲动去一探究竟。这个嗜好虽说常给我个人惹麻烦，但对我从事的职业却颇有好处。对上面这件事，我找到了更为详细的资料。真巧，有个记者跟我一样，被埃塞俄比亚人的举动搞得全无头绪，刨根问底地想知道为什么。他得到的回答对互惠原理作了雄辩的证明：尽管埃塞俄比亚当前急需援助，可送到墨西哥的这些钱，是因为 1935 年意大利入侵埃塞俄比亚时，墨西哥向后者提供了援助。听了这样的说法，我虽说还是免不了惊讶，但却不再困惑了。巨大的文化差异、千山万水的阻隔、严重的饥荒、几十年的岁月、眼前的私利……这么多的不利因素，都没能阻止埃塞俄比亚人报恩的需求——偿还人情债的义务感战胜了一切。

互惠原理如何起作用

没错，人类社会从互惠原理中得到了一项重大的竞争优势，由此，他们必须要保证社会成员全都被同化，遵守并信任这一原理。我们每个人从小听人教导，不能辜负了它，我们每个人也都知道，凡是有人敢违背它，必然要受到社会的制裁和嘲笑。由于普通人大多讨厌一味索取、从不回报的家伙，我们往往会想方设法地避免被别人看成是揩油鬼、忘恩负义的王八蛋，或是不劳而获的懒虫。但这样一来，我们的煞费苦心又容易遭到那些一开始就想从这种知恩图报的做法中谋取好处的人利用。

为了理解互惠原理如何受把它当成是影响力武器（它的确也是）的人利用，我们或许可以仔细来看看心理学家丹尼斯·里根（Dennis Regan）做的一项实验。

> 实验人员告诉受试者他参加的是所谓的"艺术鉴赏"实验，要跟别人一起为几幅画作的质量打分。另一名打分的人，我们就叫他"乔"吧，他只是假装成受试者的同伴，其实是里根教授的助手。为了达成实验的目的，研究人员采用了两种不同的环境来进行。有几回，乔主动帮了真正的受试者一个小忙。在短暂的休息时间，乔离开了房间几分钟，回来时带了两罐可口可乐，一罐给受试者，一罐给自己，他说："我问他（实验员）能不能弄瓶可乐喝喝，他说没问题，我就给你也带了一罐来。"另外几回，乔没有帮受试者这个小忙，他到房间外休息了两分钟，两手空空地就回来了。除此以外的各个方面，乔的表现都是相同的。稍后，等所有的画作都评分完毕，实验员暂时离开了房间，乔请受试者帮他一个忙。他表示，他正帮一款新车卖抽奖彩票，要是他卖掉的彩票最多，就能得 50 美元的奖金。乔请受试者以每张 25 美分的价格买些彩票："帮帮忙，买一张也行，可越多越好。"

实验的主要目的之一，就是研究上述两种情况下受试者从乔手里买的彩票数量。毫无疑问，先前接受了乔好意的受试者，买起彩票来更慷慨。显然，他们觉得自己欠了乔点儿人情，所买彩票数量比另一种情况下多一倍。尽管里根的研究只对互惠原理的运作作了很简单的阐释，但它勾勒出了该原理的若干重要特点。这里，我们不妨来仔细地分析一下它们，看看互惠原理会怎样被人当成牟利的手段。

互惠原理所向披靡

互惠原理能用作获取他人顺从的有效策略，原因之一在于它的效力实在是太强了。有些要求，要是没有亏欠感，本来是一定会遭到拒绝的；可靠着互惠原理，你很容易让别人点头答应。里根实验的第二项结果中可以看到一些证据，说明互惠原理的力量有多么大：一些通常情况下决定了当事人是否顺从的因素，碰到它也只有认输的份儿。里根除了对互惠原理的说服作用感兴趣，还调查了个人好感对顺从他人要求有什么样的影响。为了衡量受试者对乔的好感跟买他的彩票之间有什么样的关系，里根让他们填写了几份评分表，从这些评分便可以看出受试者对乔的感觉如何。之后，他将好感指数与购买彩票的张数作比较。人们表现出了明显的倾向性：对乔越是喜欢，买他彩票的数量也就越多。光是这一点，倒算不上什么大发现，毕竟，我们大多数人都更乐意帮助自己喜欢的人。

然而，里根实验发现的有趣地方是，一旦受试者接受了乔的可乐，好感和顺从之间的关系就完全退居二线了。对那些欠了乔人情的受试者来说，不管他们喜不喜欢乔，事情都没了区别；他们觉得有义务报答他，而且也正是这么做的。说自己不喜欢乔的人，买的彩票和说自己喜欢乔的人一样多。互惠原理效力之强，压倒了通常会影响顺从决策的另一个因素（也即是否喜欢提出要求的人）。

想想这意味着什么吧。我们通常都不怎么喜欢的人，比方说不请自来的讨厌推销员，不愿交往的熟人，名字都没听说过的奇怪组织的代表，只要在向我们提出请求之前，先对我们施个小小的恩惠，就能极大地提高我们依其言行其事的概率。举个最近几十年发生的例子吧。

克利须那协会（Hare Krishna Society）是一个古老的东方教派，数百年前发源于印度的加尔各答。20世纪70年代，这个教派蓬勃发展起来，信徒大增，财富和资产也随之膨胀。它在经济上的突飞猛进，靠的是搞各种各样的活动，其中最主要也最引人注意的一种，是协会成员在公众场合向路人提出募捐请求。最初成立的时候，这个协会的募捐活动，凡看到过的人都会留下深刻的印象。克利须那的募捐小组通常是一群光头佬，穿着不合身的长袍，裹着绑腿，挂着念珠，摇着铃铛，在城市的大街上走来走去，齐声吟唱、行礼，请路人给他们捐款。

这种手法用来引人眼球倒是管用，可用来筹款不怎么上道。一般的美国人觉得克利须那协会怪里怪气，不愿出钱支持他们。协会很快意识到，自己碰到了一个麻烦的公共关系难题。被请求捐款的路人不喜欢协会成员的样貌、打扮和行为。要是协会是普通的商业组织，解决办法倒也简单——把公众不喜欢的东西改掉就行了。可克利须那又是一个宗教组织，成员的样貌、打扮和行为属于宗教信仰的一部分，两者是挂了钩的。由于宗教因素大多是不会因为世俗眼光而变革的，一个真正的两难困境摆在了克利须那领导层的面前。一方面是信仰——衣着打扮和发型都有着宗教上的意义；另一方面是美国公众对这些东西的负面感受，它威胁到了组织的财务状况。这个教派要怎么做才好呢？克利须那拿出了一套天才的解决办法，他们换了一套无需筹款目标对他们产生正面观感的手法。他们在筹款请求中运用了互惠原理，正如里根的实验所证明，互惠原理无比强大，足以克服人们对募捐者的厌恶感。

新策略仍然是在人流量大的公共场合乞捐，可在提出募捐请求之前，他们先向目标赠送一份"礼物"——经书（通常是《博伽梵歌》）、协会主办的《回归神性》（*Back to Godhead*）杂志，或是一朵鲜花（成本最最低廉）。一不留神，一朵鲜花就塞进了全无提防的路人手里，或是别在了他们的外套上，哪怕他们说自己根本不想要，也没法还回去了。募捐者会说："不，这是给您的礼物。"坚决不肯收回。等克利须那的成员们通过这一招把互惠原理的威力发挥出来以后，他们便要目标对象向协会捐款。

克利须那协会这套"先施恩再乞讨"的策略取得了巨大的成功，经济收益和筹款数额均实现大规模增长，使得它们在美国和海外的321处地点拥有了庙宇、商号、住宅和庄园。

附带说一句，克利须那协会募捐已经不怎么使用这种方法了，倒不是说互惠原理本身在社会上行不通了，而是因为人们也找到了不让协会这套手腕生效的办法。上过他们一次当之后，不少游客在机场和火车站看到穿长袍的克利须那募捐人员都很警惕，他们会主动调整自己前进的方向，避免碰到这些家伙，而且事先就准备好抵挡募捐人员不请自来的"礼物"。为了抵消人们日益增长的警惕性，克利须那协会指导会员在募捐时打扮得现代一些，免得人们一眼就把他们认出来，有些人还当真背着旅行包，拖着手提箱（如图2—1所示）。但伪装也不怎么管用了，因为现在很多人都已经知道，在机场等公共场合是不能随便接受不请自来的东西的。此外，机场的管理部门也采取了一系列措施来提醒我们当心克利须那募捐人员的真正身份和意图。所以，现在机场的常见做法是：规定克利须那协会只能在限制区域进行募捐；机场方面还设立指示牌，通过广播提醒人

们，克利须那协会正在此募捐。我们对抗克利须那协会的主要办法是避开
他们，而不是顶住他们馈赠礼物带来的压力，这充分证明了互惠原理的社
会价值。他们借助的互惠原理，不光威力强大，给社会带来的好处也很多，
所以我们是不愿意违背它的。

图 2—1　过去和现在

20 世纪 60 年代和 70 年代初（左），克利须那信徒的募捐方式，比
现在（右）醒目得多。请注意，现在的克利须那募捐者背着旅行包，这
是为了掩盖身份，方便她向那个明显不怎么乐意的旅客募捐。

　　有些克利须那成员居然把自己打扮成了圣诞老人（如图 2—2 所示），
表面上看足够隐蔽了。可究其本质，他们靠的还是互惠原理。他们在圣诞
节前夕向购物者派发糖果，然后提出捐款请求。警察逮捕了他们，因为其
做法涉嫌无牌乞讨。

　　政治是互惠原理发挥威力的另一个舞台。在各个级别上，我们都能看
到这套手法的身影：

　　●在高层，民选官员"互投赞成票"，互相施以小恩小惠，同床异梦

图 2—2　克利须那圣诞老人

的伙伴比比皆是。民选代表对一项法案或措施投出跟自己一贯主张完全相悖的支持票，大多都是为了回报法案发起人的人情。林登·约翰逊刚刚当上总统的时候，他提出的议题在国会里总是轻轻松松就通过了，政治分析家们不免感到惊讶，就连照理说该强烈反对这些提案的议员也投了赞成票。政治学家们作了一番认真的研究发现，与其说这是因为约翰逊在政治上特别长袖善舞，还不如说是因为他长年在众议院和参议院里摸爬滚打，帮了其他议员许多忙。当上总统以后，议员们纷纷偿还从前欠下的人情债，这才使他得以在短短的时间内就通过了大量的立法提案。有趣的是，吉米·卡特刚刚当上总统时在国会里举步维艰，也是这个原因在作祟——尽管当时参众两院里都是民主党占多数。卡特是赤手空拳从国会山外面打进白宫当总统的。竞选期间，他狠狠地利用了这一点来搞宣传，他说自己是华盛顿圈子外头的人，不欠任何人的人情债。结果，他的法案总是难以通过，原因恰恰也在这一点上：没有人欠他的人情债。

● 在另一个层面上，我们可以看到：一方面，企业和个人愿意向司法和立法官员赠送礼物，施加恩惠；另一方面，国家又制定了一系列法律，禁止官员接受此类的礼物和恩惠。这充分说明人们意识到了互惠原理的力量。就算是合法的政治捐款，表面上说是支持自己喜欢的候选人，其实大多还是为了囤积人情债。碰上重大选举，看看有多少家公司和组织是同时给民主党和共和党两党的竞选活动捐款的，你就能意识到其中奥妙了。要是你心存怀疑，非要看看政治捐赠者换回了什么好处的直接证据，那不妨听听小查尔斯·基汀（Charles H. Keating, Jr.）厚颜无耻的供词，此公后来被控犯下了欺骗国家存贷款等多项罪名。有人问他，他向5名参议员提供130万美元的竞选经费，后来，这5个人又代表他跟联邦管控单位对着干，这两件事情之间是否存在什么联系。他回答道："我真想用最有力的方式说出来——我当然希望是这样。"

● 在草根阶层，地方政治组织早就知道，要想让自己的候选人留在职位上，那就得确保选民得到各种各样的小恩小惠。许多城市的"拉票贩子"至今都是这么干的。不过，用支持态度为个人换取好处，这么做的可不光只有普通市民。1992年的总统大选中，有人问女演员萨莉·凯勒曼（Sally Kellerman）为什么会让民主党候选人杰里·布朗（Jerry Brown）借助她的名气拉票，她回答说："20年前，我请10个朋友帮我搬家，可只有他一个人真的来了。"

当然，生意场上也能见识互惠原理的威力。虽说例子举不胜举，这里，我们不妨来检验一下人人都熟悉的一两种。赠送免费样品这种营销技巧历史悠久，也很管用。通常的做法是向潜在客户送上少量的相关产品，看看他们是否喜欢。不必说，制造商想让公众知道自己产品的质量，这种愿望合情合理。然而，免费样品的真正妙处在于，它同时也是一份礼物，能把互惠原理应用起来。推销的人提供免费样品，表面上不过是为了让消费者晓得他们的商品，暗中却把礼物天然具备的亏欠感给释放了出来，十足十是借力打力、四两拨千斤的柔道手法。

超市是赠送免费样品的绝佳场合，消费者经常在那儿得到某种产品的少量试用装。服务人员总是微笑着递上样品，好多人都觉得光是还回牙签或杯子就走开太过分了。于是，他们购买了一些产品，哪怕并不是十分喜欢。万斯·帕卡德（Vance Packard）在《隐形的说客》（*The Hidden Persuaders*）中引用了这一营销手法特别管用的一种变体形式：印第安纳州的超市经营者把奶酪摆在货柜外面，让消费者自己切一小块免费品尝，如此一来，有一天他们在短短几个小时内卖掉的奶酪就到了1 000多磅。

安利是一家制造家用和个人护理产品并通过全国范围内的上门推销网络销售的公司，他们用的是另一种免费试用策略。公司早先在地下室办公，很快发展到每年15亿美元的销售额，多亏了一种名叫"臭虫"（BUG）的免费试用手法。"臭虫"由一系列的安利产品组成，包括若干瓶家具抛光剂、清洁剂或洗发水，要不就是喷雾式除臭剂、杀虫剂或玻璃清洁剂，销售员用一种特别设计的托盘或塑料袋把它们提到消费者的家里。安利公司的机密《操作手册》指导销售员说：把"臭虫"留在消费者那里，"一天、两天甚至三天，不收任何费用，也不要他负担任何义务。你只要告诉他，你希望他试试这些产品。没人能拒绝这种请求的。"等试用期结束，安利的客户代表回来，便顺利地拿到了客户希望购买的产品订单。由于消费者不大可能在这么短的时间里把"臭虫"组合产品里的任何一瓶用完，销售员可以将剩下的部分带到对门或隔壁的下一位潜在客户家里，从头再来上一遍整个过程。安利的不少客户代表通常会在自己负责的销售区域里同时使用若干"臭虫"套装。

现在，你我当然知道接受并使用了"臭虫"产品套装的消费者中了互惠原理的套儿了。对自己试用并部分消耗了的产品，许多客户都觉得有义务订购它——当然了，安利公司也早就晓得会这样。就算是在安利这样一个有着卓越成长记录的企业，"臭虫"手法也掀起了一场大轰动。各州的经销商向母公司提交的报告记下了它的神奇功效：

> 真是不可思议！我们从来没有见过这么令人兴奋的事儿。产品正以飞快的速度卖出去，而我们才刚刚开始呢……地区经销商一采用"臭虫"，我们的销售量就出现了惊人增长（来自伊利诺伊州分销商）。这真是我们最非凡的一套销售理念哪！……平均而言，销售员取回"臭虫"的时候，消费者会购买总量的一半……一句话，太了不起了！在我们整个组织里，还从没见过这样的反应呢！（来自马萨诸塞州分销商）

"臭虫"的惊人威力，让安利分销商有点莫名其妙（虽说非常高兴，但的确是不知所以）。当然了，你我现在不应该这么摸不着头脑了。

在无关金钱也无关商业交易的单纯人际关系当中，很多情况也受互惠原理的控制。要说明互惠这种影响力武器的巨大威力，我最喜欢的一个例子恐怕要数下面这个由欧洲科学家艾布尔-艾贝斯费尔特（Eibl-Eibesfeldt）所讲的故事了。

　　第一次世界大战中有个德国士兵，他的任务是到敌人一方去抓人来审问。当时进行的是堑壕战，要让大部队穿过双方前线之间的无人地带极度困难，可一个士兵匍匐着爬过去，溜进敌方的战壕则相对简单。大战中各方军队都有这种高手，他们定期过去抓敌人的士兵，将之带回来审问。过去，这个德国高手多次顺利完成过这样的任务，现在上面又派他出马了。他又一次巧妙地穿过前线之间的空地，出现在敌方的战壕里，把一个落单的士兵吓了一跳。这个士兵毫无防备，当时还正在吃东西，很容易就被缴了枪。受惊的俘虏手里只有一片面包，可他接下来做的事，大概是他这辈子里最重要的一次尝试了：他给了敌人一些面包。德国兵收到这份礼物感动得不得了，都没法完成任务了。他放过了恩人，两手空空地爬回了无人地带，挨了上司一顿臭骂。

　　说到互惠原理的威力，还有一件事同样有很强的说服力。前面的士兵靠着给人面包救了自己的命，这个故事里的妇女，则是因为拒绝接受一份礼物，躲开了随之而来的强烈亏欠感，侥幸逃生。

　　1978 年 11 月，在圭亚那的琼斯敦，邪教组织"人民圣殿教"的头领吉姆·琼斯（Jim Jones）要所有居民集体自杀。绝大多数人都顺从地喝下了有毒的饮料，就这么死了。然而，有个叫黛安·路易（Diane Louie）的居民却拒绝服从琼斯的命令，她逃出琼斯敦，在丛林里躲了起来。她说自己会这么做，是因为先前在有困难的时候拒绝了教主琼斯的特殊照顾。当时她生病了，琼斯派人送来食物，可她没接，因为"我知道一旦他给了我这些照顾，他就完全控制我了。我什么也不想欠他的"。

37

互惠原理适用于强加的恩惠

早些时候，我们指出，互惠原理的威力大到了这样的地步：其他人，不管有多奇怪、讨厌、不受欢迎，只要先给我们点小恩小惠，就能提高我们照着其要求做的概率。然而，除了威力大，该原理还有另一个方面，它居然允许这种情况的发生：**一个人靠着硬塞给我们一些好处，就能触发我们的亏欠感。**回想一下，互惠原理只说，当别人帮了我们的忙，给了我们好处，我们应当回报他；可它并没有说，我们滋生出的偿还亏欠感，一定来自于我们主动请人家帮忙，要人家给好处。举个例子，美国残废退伍军人组织报告指出，光是寄出一封请求捐款的信，回应率大概是 18%。可要是在信里附上一份小礼物（如带不干胶的个性地址标签），成功率就能翻上近乎一倍，达到 35%。当然了，倘若要求是我们先提出来的，我们偿还的义务感会更强烈，但这里，我想要说明的关键点在于：要让我们产生亏欠感，不一定需要这样。哪怕是被人硬塞了些好处，我们也会产生亏欠感。

稍微回想一下互惠原理的社会目的，我们便能看出为什么会这样。原理确立起来，是为了推动个人之间互惠关系的发展，如此一来，首先发起这种关系、头一个表示善意的人就不必担心会有损失。倘若原理是为这样的目的服务的，那么不请自来的恩惠就必然具备创造亏欠感的能力。再回想一下，互惠关系给孕育它的文化带来了意想不到的优越性，因此，文化里也就存在着强大的压力，确保原理为其最初目的服务。这也就难怪著名法国人类学家马塞尔·莫斯（Marcel Mauss）在描述人类文化围绕赠礼过程产生的社会压力时说："人有送礼的义务，接受的义务，更有偿还的义务。"

尽管偿还义务构成了互惠原理的实质，可使原理那么容易遭到利用的，则在于接受的义务。有了接受的义务，欠谁的人情就不归我们选择了，反过来还落到了对方的手里。让我们重新看看先前举的几个例子，看看这个过程是怎么运作的。

在里根的研究中，我们发现，乔提供给受试者的恩惠（由此使得后者买他彩票的数量翻了一倍），并不是后者要求的。乔自己主动离开房间，回来时带了两瓶可乐，一瓶给自己，一瓶给受试者。没有任何一个受试者拒绝了他递过来的可乐。

很容易看出，拒绝乔的好意实在是太尴尬了：乔已经花了钱；在该情形中，一瓶饮料是很恰当的善意举动，因为乔都给自己买了一瓶，拒绝乔这么善解人意的举动肯定不礼貌。然而，等乔说明自己卖彩票的愿望时，接受了可乐带来的亏欠情绪就变得很清晰了。注意：这里存在一种重要的不对称性——乔掌握了所有真正的选择。他选择了最初施恩的形式，又选择了回报这种恩惠的形式。当然，你可以说，乔的这两项提议，受试者都可以选择拒绝，但这样的选择过分艰难了。拒绝乔两项提议中的任何一项，都要求受试者跟文化里天然有利于互惠的力量对着干。

克利须那协会的募捐技巧恰如其分地说明：就算是不请自来的好处，只要接下了，就会让人产生亏欠感。我曾系统化地观察过克利须那会众在机场使用的募捐策略，并记录下了"目标人物"的各种反应。最常见的情形是这样：

机场的一个行人——就假设说是个商人吧，正匆匆穿过一个人群拥挤的区域。克利须那协会的募捐员走到他面前，递给他一朵花。这人吃了一惊，把花接住了。[①]但他马上反应过来，想把花还回去，并说自己并不想要花。募捐员回答说，这是来自克利须那协会的一份礼物，他可以保留……不过，要是他能捐一些钱，帮助克利须那协会做更多善举，协会将不胜感激。此时，目标人物再一次抗议："我不要这朵花，麻烦你拿走。"募捐员也再一次拒绝："这是我们给您的礼物，先生。"商人脸上露出明显为难的神色。他是应该把花留着，分文不给地走开，还是屈从于根深蒂固的互惠压力，捐出一点钱呢？此时，内心的矛盾从脸上扩散到了全身。他的身体从募捐员旁偏开，似乎马上要走，但随即又被互惠原理的力量拉了回来。他的身体再一次歪开，但没有用，他还是走不掉。他放弃似的点了点头，从口袋里摸出几个美元，对方礼貌地接下了。这下，他终于能自由自在地走开了，手里还拿着"礼物"——直到他看到一只垃圾桶，把它扔了进去。

有一回，我在纯属意外的情形下目睹了机场里的有趣一幕，原来克利须那会众很清楚人们并不想要他们的礼物。几年前，我在芝加哥奥黑尔国际机场观察一群正在募捐的克利须那会员，我注意到有个会员总是频频离开募捐中央区，并拿回更多的花供应同伴。她又一次去完成取花任务时，我正打算休息一阵。反正也无处可去，我就跟在了她后面，结果她走的是一条"垃圾线路"。她走到离募捐区稍远的地方，从一个又一个垃圾桶里

[①] 这种惊讶本身也是一种有效的顺从工具。听到要求吃了一惊的人往往会屈从，因为他们一下子不知所措，故此更容易受到影响。社会心理学家斯坦利·米尔格拉姆（Stanley Milgram）和约翰·萨比尼（John Sabini）发现，在纽约乘坐地铁的时候，如果径直向一名乘客提出要求："不好意思，能给我让个座儿吗？"此时，乘客让座的可能性极高。反过来，要是先向他身边的人提到这一点，让他有个心理准备的时间，这人真正让座的可能性就低多了。前一种情况下让座的乘客比例是 56%，后一种仅为 28%。——作者注

把募捐对象扔掉的花捡出来，带回去供同伴们再次使用（天晓得那些花循环使用过多少次了），好让这些花又一次在互惠过程中发挥作用。我印象最深的一点是，大多数遭到募捐对象丢弃的花朵，都为克利须那协会拉到了募捐。互惠原理的本质恰好就在这里：哪怕一件礼物讨厌到让人一有机会就扔掉的地步，但仍然管用，仍然可以拿来利用。

许多组织都意识到了人们会因为出乎意料的赠礼产生亏欠感。我们每个人是不是都收到过许多慈善机构发来的信件，送一些小礼物给我们——个性化地址标签啦、贺卡啦、钥匙环啦——但同时又附着一张字条，要我们捐款？光是去年，我就收到了 5 封，两封来自残疾退伍军人团体，剩下的来自教会、学校和医院。每一封信里附带的信息都有一个共同点：信封里的东西可以看成是该组织送的礼物；而我希望捐助的金钱，则不应看成是付款，而是一种还礼。正如一家教会组织寄来的信中所说，我收到的贺卡并不需要直接付钱，而是旨在"激发您的善意"。就算不看税收上的好处，我们也应当明白，把贺卡当成礼物赠送，而不当成商品贩卖，对组织来说是很有好处的：社会上有着强大的文化压力，要你收到礼物后还礼，哪怕这份礼物你并不想要；可社会上没有压力要强迫人购买不想要的商品。

互惠原理可触发不对等交换

互惠原理还有另一个特点，也容易遭人利用。尽管它确立起来是为了促进伙伴之间的平等交流，但却也可以用来实现完全不平等的结果，这可真够自相矛盾的。原理要求，某一种行为需要以与其类似的行为加以回报。人家施恩于你，你必以恩情报之，不理不睬是不行的，以怨报德更加不可以。但这里面也有着很大的灵活性，别人最初给予的小小恩惠，能够让当事人产生亏欠感，最终回报以大得多的恩惠。正如我们所见，在互惠原理当中，最初让他人产生亏欠感的行为，以及缓解亏欠感的回报行为，都可以由最初的发起者来选择，这样一来，那些打定主意要利用互惠原理的人就能轻易地操纵我们，让我们完成一种不公平的交换。

让我们再次回到里根实验来找证据。请记住，在这项研究中，乔给了受试者一瓶可口可乐作为最初的赠礼，稍后，又要求所有受试者以每张25美分的价格购买他的抽奖券。有一点我之前没提过，进行这项研究的时间是在20世纪60年代末，那时候一瓶可口可乐的价格是1毛钱。平均而言，喝了乔1毛钱可乐的受试者买了他两张抽奖券，也有人一买就买了7张。就算只看平均数，我们也可以判断出乔的买卖做得相当划算。他得到的回报，是最初投资的整整5倍！

尽管，在乔的例子中，整整5倍的回报也就是5毛钱罢了。互惠原理真的能影响换得恩惠的大小吗？只要环境合适，的确可以。这里举个我学生的例子吧。每当她回想起这件事，总是后悔不已。

大约一年前，我的车发动不了了。我正束手无策地坐着的时候，停车场有个人走过来，最终帮我把车发动了起来。我说"谢谢"，他回说"不客气"。他离开的时候，我说："要是遇到什么能帮忙的事儿，请随时开口。"过了一个来月，他来敲我的门，要求借用一下我的车，两个小时就够了，他自己的车送去店里修理了。我觉得欠了他的情，但又不太确定，因为我的车还相当新，他又是个特别年轻的小伙子。后来，我晓得他没成年，也没有保险。但不管怎么说，我把车借给了他。结果呢？我的车自然是毁在他手里了。

一个聪明的年轻姑娘，怎么会因为陌生的小伙子在一个月之前帮了她小小的忙，就答应把自己的新车借出去呢？这是怎么发生的呢？更概括地说，为什么最初的小小善意往往刺激人们回报以大得多的恩惠？**亏欠感让人觉得很不舒服**，是一个很重要的原因。我们大多数人都会觉得亏欠别人是很不愉快的，它沉沉地压在我们身上，要求我们尽快将之消除。不难看出这种感觉的起源在哪里，由于互惠安排在人类社会体制下极其重要，一旦欠了人情债，我们就条件反射般的感到不舒服。要是我们忽视了回报他人首发善意的需求，互惠的循环就终止了，我们的恩人将来也就不大可能做这种好事了，这不符合社会整体的最佳利益。所以，我们从小就受到教育和培养，只要亏欠了别人，情绪上就烦躁不安。光从这个原因看，光是为了卸下心理上的债务包袱，我们说不定就乐意答应还以比先前所受更大的恩惠了。

还有另外一个原因：**违背互惠原理，接受而不试图回报他人善举的人，是不受社会群体欢迎的**。当然，要是客观条件或能力限制使得他无法偿还恩情，例外也是可以的。然而，大多数情况下，不照着互惠原理做事的人，人们是普遍嫌恶的，[①] 谁都不愿被贴上"揩油鬼"、"忘恩负义"这样的讨厌标签。为了躲开这样的标签，人们有时也会答应不平等的交换。

内心的不舒服，对外又有可能丢脸，足以让人产生沉重的心理负担。从这个角度来看，我们经常打着互惠的旗号，给出去的比自己获得的更多，也就不足为奇了。此外，以下的情况也不奇怪：要是我们觉得无法回报，哪怕自己真的需要，也会尽量避免找人帮忙，心理负担说不定比物质损失更难忍受。

最后，还有一类损失可能会使人们婉拒某种礼物和好处。女性经常提起，要是有男人给她们赠送了昂贵的礼物，或是带她们享受了奢侈的夜生活，她们总觉得有一种欠了情的不舒服感觉，想要回报这男人的恩惠。就

---

① 有趣的是，跨文化研究表明，要是有人反向破坏互惠原理——施予恩惠，却不让接受的人有机会回报，也是不受人喜欢的。在进行此轮调查的三个国家——美国、瑞典和日本——都可以见到这一现象。——作者注

算买一杯饮料这样微不足道的小事，也会带来亏欠感。我班上有个学生在一篇论文里直截了当地指出了这一点："有了一些恼火的经历之后，我总算学乖了——我再也不会让任何一个在夜总会遇到的男人给我买饮料了，因为我可不想我们中有哪一方认为我该以肉体偿还这份人情债。"研究表明，她的看法有其现实基础。要是姑娘不自己埋单，而是让男人给她买饮料，那么，不管是男的还是女的，都会立刻判断此女很有可能跟这个男人上床。

互惠式让步

用互惠原理使他人依从要求行事，还有第二种办法。它比直接给人恩惠再索取回报的方式更为微妙，但从某些方面来看，它也更为有效。几年前的一次亲身经历给了我第一手证据，它说明了这种驯服技巧是多么管用。

> 我在街上走着，碰到了一个十一二岁的男孩子。他作了自我介绍，并说童子军一年一度的马戏表演就要在本周六晚上举行了，他正在卖门票。他问我是否愿意购买 5 美元的门票。我可不想把大好的周末时间耗在看童子军马戏表演上，于是谢绝了。"好吧，"他说，"要是你不想买门票，买我们几根巧克力棒如何？一根才 1 块钱。"我买了两根，但立刻意识到发生了点怪事：因为（a）我对巧克力棒没什么兴趣；（b）我喜欢钞票；（c）我手里拿着两根巧克力棒傻站在那里；（d）他拿着我的钞票走开了。

为了弄明白到底是怎么一回事，我回到办公室，召集研究助理们开了个会。在讨论当时的情况时，我们逐渐意识到，在我照着小男孩的要求买巧克力棒的过程中，互惠原理在其中发挥了怎样的作用。互惠原理的一般性规则指出，要是有人以某种方式对我们行事，我们理当对他还以类似的行为。我们已经看到，这一规则造成的后果之一是，面对接受的善意，我们感到有义务要偿还；而这一规则带来的另一后果则是，倘若有人对我们让了步，我们便觉得有义务也退让一步。经过思考，我的研究小组意识到，小童子军对我来的就是这一手。他要我购买一美元的巧克力棒，是以让步的形式提出的，在我眼里，这是他头一次请求（要我购买5美元的门票）的让步。如果我要遵守互惠原理的规范，我必须也有所让步。正如我们所见，我的确让了步：他从大请求退让到小请求，我则从不顺从变成了顺从，尽管我对他卖的门票和巧克力棒都没什么兴趣。

这是一个影响力武器如何植入顺从要求的典型例子。我"被"说动购买了某样东西，不是因为我对它产生了任何好感，而是因为购买请求的设计方法调动出了互惠原理的力量。我不喜欢巧克力棒，不要紧，小童子军对我让了步，我的磁带立刻播放起来，自己也让了步。当然了，以让步来互惠的做法尚未强大到在所有环境下对所有人都管用的程度，本书提到的任何一种影响力武器都没有这种功效。然而，在我和小童子军的交换当中，这一倾向足够管用了：我莫名其妙地出了高价，买了两根自己并不想要的巧克力棒。

为什么我会觉得人家让了步，我就应该让步呢？答案仍然出在这种倾向对社会有好处上面。成员为实现共同的目标而一起努力，对任何社会群体来说，这都符合其利益。可在很多社会互动当中，参与者往往一开始就提出一些其他成员无法接受的要求或条件。因此，为了完成对社会有益的合作，整个社会必须设法解决这些互不相容的初始欲望。这就要借助有助于双方达成妥协的程序，互相让步是这类程序里十分重要的一种。

互惠原理通过两条途径来实现相互让步。头一条很明显：**它迫使接**

受了对方让步的人以同样的方式回应；第二条尽管不那么明显，但更为关键：**由于接受了让步的人有回报的义务，人们就乐意率先让步，从而启动有益的交换过程。**归根结底，要是不存在回报让步的社会义务，谁乐意头一个牺牲利益呢？你有可能放弃了某种东西，却得不到任何回报。不过，有了互惠原理的影响，我们就可以安安心心地率先向合作伙伴让步了，因为他也有义务牺牲一些利益，以此回报我们的善意。

由于互惠原理决定了妥协过程，你可以把率先让步当成一种高度有效的顺从技巧来使用。这种技巧很简单，一般叫做"**拒绝—后撤**"术，也叫"留面子"法。假设你想让我答应你的某个请求，为了提高获胜的概率，你可以先向我提一个大些的要求——对这样的要求我保准是要拒绝的，等我真的拒绝这个要求以后，你再提出一个稍小的要求，这个要求才是你真正的目标。倘若你的要求设置巧妙，我会把你的第二个要求看成是一种对我的让步，并有可能感到自己这边也应该让让步，于是就顺从了你的第二个要求。

这就是小童子军使我买他巧克力棒的做法吗？他放弃了5美元的要求，重新提出1美元的要求，是为卖巧克力棒而故意设计出来的吗？我活到这把年纪，至今还留着自己所得的第一枚童子军奖章，所以我真心希望这不是真的。不管"先提大要求，后提小要求"的顺序是不是他安排好的，效果终归一样。它管用了！因为管用，某些人便有意识地利用拒绝—后撤技巧来实现自己的目的。首先，我们要来看看怎样把这一策略当成可靠的顺从手法使用；接着，我们会看到如今的人是怎么使用它的；最后，我们会讲一讲这一技术鲜为人知的几点特性——正是靠着这些特性，它才成了一种最有效的顺从手法。

还记得我在遇到小童子军之后，立刻把研究助理们召集到一起，尝试弄清楚这是怎么一回事吗（最终的结果是，我们把巧克力棒给吃掉啦）？其实，我们做的不止这些。我们还作了一个实验，检验拒绝—后撤手法（先提出较大的要求，遭到拒绝后再提出真正的较小的要求）的有效性。实验的目的有二：

其一，我们想看看**这套手法对别的人管不管用**（很明显，它对我是管用的，但我一贯容易掉入各种顺从手法的陷阱）。所以，我们的问题是："拒绝—后撤技巧能不能用到足够多的人身上，成为一种获得顺从的有效程序？"如果回答是肯定的，那将来我们可要小心提防着它了。其二，我们想确定**这一顺从技巧的力量到底有多大**。它能让人顺从相当够分量的要求么？换言之，提出要求的人退而求其次的"较小"要求一定是一项真正够小的要求吗？我们探讨了这项技巧管用的奥妙，要是这个想法没错，第二项要求不一定要有多小，只要比第一项要求小一点儿就行了。我们怀疑，提出要求的人从较大的要求退到较小的要求之所以能够获得顺从，最关键的地方就在于它显得像是一种让步。这样一来，第二项要求在客观上就可以是一项很大的要求——只要它比第一项要求小。经过一番考虑，我们决定运用这一技术提出一个我们认为大多数人都不会予以满足的要求。

我们假装成"县青年辅导项目"的代表，接近在校园里走动的大学生，问他们是否愿意花一天时间陪伴一群少年犯游览动物园。对这些大学生来说，花好几个小时陪一群年龄各异的少年犯出现在公共场合，又没有报酬，这样的要求实在没什么吸引力。不出所料，绝大多数的人（83%）都拒绝了。可是，我们从相同的样本里抽选了另一群大学生，对提问手法稍加调整，而后向他们提出同样的请求，却得到截然不同的结果。在请他们无偿陪伴少年犯逛动物园之前，我们先要他们做一件更大的"善举"——每星期花两个小时为少年犯当辅导员，为期至少两年；等他们拒绝了这项极端的要求之后（所有人都拒绝了），再提出陪同去动物园的小要求。把动物园之请打扮成对最初请求的让步之后，我们的成功率有了大幅上涨，答应陪同去动物园的大学生比之前翻了三倍。

面对一项实质性请求，凡是能将顺从率翻上三倍（在我们的实验里是从 17% 提高到了 50%）的手法，必然在现实中早就被人变着花样地用过了，这是毫无疑问的。比方说，劳工谈判就经常采用以下策略：提出极端的要求，但并不指望对方同意，只不过从这一立场他们可以方便地往后退，并让对方作出真正的让步。这样看来，最初的请求越大，这套做法的效果就越好，因为让人产生错觉的空间也相应较多。但这么做是有限度的。根据以色列巴兰大学对拒绝—后撤技术的研究，最初的请求要是极端到了不合情理的地步，便会产生事与愿违的结果。此时，首先提出极端要求的一方会被认为是缺乏诚意。对方并不会觉得从完全不切实际的立场后退是真正的让步，故此不会回应它。真正有天分的谈判人员会把最初的立场稍作夸张，够他讨价还价、来上一连串的小小让步，最终从对方那里得到理想的结果就行了。

一些极为成功的电视节目制作人，比如格兰特·廷克（Grant Tinker）和加里·马歇尔（Gary Marshall）似乎很擅长利用这种手法跟审查机构谈判。《电视指南》（*TV Guide*）一文的作者迪克·罗素（Dick Russell）曾对两人做过采访。两人都坦率地承认："会故意在剧本里加上一些审查员保准会砍掉的台词。"只有这样，他们才能让自己真心想要的内容通过审查。马歇尔在这方面最是主动。不妨看看以下这段引自罗素文章的话：

但马歇尔……不光承认了自己耍的把戏……看起来还颇为热衷。比方说，他那几年拍过一部收视率超高的电视连续剧《拉芙妮与雪莉》（*Laverne & Shirley*），在谈起它时他这样说："有个场景是斯奎奇冲出公寓，刚好碰到楼上的几个姑娘。他说：'拜托你们快一点，免得我性欲消退，行不行？'其实原来剧本里的台词比这个更生猛，因为我们知道审查员肯定会把它删掉。他们的确删了它，于是我们分外无辜地问写成'性欲消退'怎么样，他们回答：'很好。'有时候，你得耍点手段令他们作出'让步'。"

至于连续剧《快乐日子》（*Happy Days*），审查的重点是"处女"这个词。这一回，马歇尔说："我知道他们要找麻烦，所以我们连用了 7 次这个词，指望他们砍掉 6 个，剩下 1 个。果真奏效。'怀孕'这个词我们也如法炮制。"

在对上门推销进行调查期间，我亲眼目睹了拒绝—后撤技法的另一变体。推销机构使用的这个版本设计意味较小，可是更为投机取巧。显然，上门推销员最重要的目标就是把东西卖掉。但我所调查的所有公司，其培训课程都强调说：从潜在客户手里获得推荐名单——他的亲朋好友、邻居等是第二重要的目标。出于这样那样的原因（这些原因，我们会在第 5 章谈到），倘若推销员说自己是经潜在客户的某位熟人"推荐"而来的，那么销售成功的概率会有大幅的提高。

在当销售实习生期间，从来没有哪家公司教我故意让客户拒绝购买商品，好后退一步使他给我推荐人名单。不过，有几轮培训课是这么说的，要是客户拒绝购买，你得抓住这个机会，叫他给你推荐些人："好吧，既然您觉得这套精美的百科全书目前不合您的胃口，兴许您能帮个忙，给我介绍几个其他的客户，说不定他们希望试试我公司的产品呢！说说他们的名字吧！"很多人本来并不愿让自己的朋友吃这种高压销售的苦头，但因为自己先前拒绝了购买请求，所以此时也就退了一步，答应下来。

我们已经讨论了拒绝—后撤技巧管用的原因之一——它调用了互惠原理。不过，"先提大要求后提小要求"的策略之所以能够发挥作用，还有另外两个原因。一是我们在第 1 章中碰到的**知觉对比原理**。人买了西服之后容易在毛衣上多花钱，便是知觉对比原理在搞鬼：先接触到大件商品的价格，之后再看到不那么贵的商品，后者的价格会在对比中显得更加便宜。同样道理，"先大后小"地提要求，也是使用了对比原理：小要求跟大要求一比，更显得微不足道了。要是我想找你借 5 块钱，我可以先要你借我 10 块，以令前一项要求显得小一些。这么做的好处之一就在于你同时调用了互惠原理和对比原理的力量。先要 10 块再要 5 块，5 块的要求不光会被看成是一种让步，还会显得数目更小一些。

两相结合，互惠原理和知觉对比原理能产生一种令人望而生畏的强大力量。拒绝—后撤手法便是把它们捏在一起，发挥出惊人效用的。依我看，20 世纪 70 年代最令人费解的一起政治举动——擅自闯入民主党委员会办公室、最终导致尼克松总统下台的"水门事件"，大概可以从这方面找找原因。事件的决策参与者之一，杰布·斯图尔特·马格鲁德（Jeb Stuart Magruder）一听说擅闯水门的窃贼给抓住了，大惑不解地说："我们怎么会这么蠢哪？"确实，怎么会这么蠢哪？

为了说明尼克松行政当局破门而入的举动多么有欠考虑，让我们来回顾几点事实：

- 这个主意是戈登·利迪（G. Gordon Liddy）出的，他在"总统竞选连任委员会"负责情报收集工作。行政当局的高层都知道利迪这个人"疯疯癫癫"，对他情绪的稳定性和判断力并不看好。
- 利迪的建议非常费钱，他要求获得25万美元的现金预算，以防追查。
- 3月下旬，委员会主任约翰·米切尔（John Mitchell）和他的助手马格鲁德、弗雷德里克·拉鲁（Frederick LaRue）开会，通过了这一提议。此时，尼克松在11月大选中获胜的前景是再光明不过的了。在前几轮投票中唯一有可能击败总统的候选人埃德蒙·马斯基（Edmund Muskie）初选表现不佳；看起来最容易打败的候选人乔治·麦戈文（George McGovern）会赢下民主党的内部提名，共和党大选获胜，似乎已经十拿九稳了。
- 破门计划本身风险极高。它需要10个参与人员，而且人人都必须守口如瓶。
- 要偷偷溜进去并安装窃听装置的是民主党全国委员会及其主席劳伦斯·奥布莱恩（Lawrence O'Brien）设在水门大厦里的办公室，而这里没有什么信息会对现任总统造成损害。民主党似乎也根本没有这样的信息，除非行政当局作了一件非常非常愚蠢的事。

尽管上面说到的原因无一不是显而易见的，这么一个由众所周知的欠缺判断力的家伙提出的昂贵、冒险、毫无意义、具有潜在毁灭性的建议却还是被批准通过了。米切尔和马格鲁德这种聪明而圆熟的人，怎么会作出如此愚蠢的事情呢？答案或许就藏在一点少有人谈及的事实上：他们批准通过的这个25万美元的计划并不是利迪的头一项提议。事实上，利迪先前还提过两个计划，这个计划在他而言已经是作出了重大让步了。头一个计划是两个月前，利迪在跟米切尔、马格鲁德、约翰·迪恩（John Dean）开会时提出来的。它需要耗费 100 万美元，除了要到水门大厦民主党委员会办公室安装窃听器之外，还要求一架装有特殊通信器材的"跟踪飞机"、一支负责绑架和抢劫的行动小分队和一艘载有高级应召女郎以便勒索民主党政客的游艇。一个星期后，利迪又在同一群人（米切尔、马格鲁德、迪恩）参与的会议上提出了第二项计划，他削减了部分方案，把成本降低到了 50 万美元。等这两项计划都被米切尔否决了之后，利迪才提交了最终付诸实施的 25 万美元"精简"计划，这次是在米切尔、马格鲁德和弗雷德里克·拉鲁参加的会议上提出的。这个计划仍然很愚蠢，但比之前那两个要好些，于是得到了批准。

约翰·米切尔这位强硬、精明的政客，会不会是跟我这种素来爱吃亏上当的傻子一样，中了同一套顺从手法的招儿，掉入了糟糕的交易呢？只不过，哄我上当的是兜售糖果的小童子军，哄米切尔上当的却是兜售政治灾难的"神经男"。

让我们来看看马格鲁德的证词吧！大多数水门事件的调查员都认为，这一证词最忠实地描述了利迪计划最终得以通过的那次会议。这里面有一些发人警醒的线索。马格鲁德说：

> 没有谁对这个项目特别感兴趣，但跟他之前提出的 100 万美元的荒唐数目相比，我们觉得 25 万美元是个可以接受的数字……我们都不愿让他空手而归。米切尔认为我们总该给利迪一小点儿……他签字的时候就好像在说："好啦好啦，我们就给他 25 万美元，看看他能折腾出什么来吧！"

与利迪开始的两个极端方案相比，"25 万美元"成了"一小点儿"，成了回赠利迪妥协的让步之举了。事后，马格鲁德脑袋清醒了，他意识到利迪采用的方法就是经典的"拒绝—后撤"术。"要是他一开始就跑来对我们说'我有个计划，我们偷偷潜入劳伦斯·奥布莱恩的办公室，在那儿装上窃听器'，我们肯定会直截了当地拒绝。相反，他先拿给我们看的是什么应召女郎、绑架、抢劫、破坏、窃听这样荒诞不经的复杂方案。表面上，他要的是一整条面包，可在他内心里，只要给他一半甚至四分之一，他就满足了。"

有趣的是，小组里只有一名成员——弗雷德里克·拉鲁直接对这个提议表示了反对（尽管他最终还是服从了老板的决定）。他凭借显而易见的常识说道："我不觉得有必要冒这个险。"他肯定好奇为什么米切尔和马格鲁德这两位同事不这么想。当然，就利迪的方案是否可取一事，拉鲁和另外两人看法不一样，肯定有各方面的原因。但最突出的一点应该是：在三个人里面，只有拉鲁没有出席前面两次会议，没听到利迪勾勒他那更加野心勃勃的方案。或许，也正是因为这样，拉鲁才得以从客观的角度作出评价，而不像其他两人那样受了互惠原理和知觉对比原理双重作用的影响。

之前我们说过，除了互惠原理，拒绝—后撤手法还借助了另外两点有利因素。我们已经讨论了头一点，也即知觉对比原理。跟其他原理不同，该手法的额外优势算不上真正的心理学原理，它只不过是一种**请求顺序上的安排**。让我们再做一次先前的假设：我想找你借 5 美元。我先请求借 10 美元，对我而言，这样做是稳赚不赔的。如果你同意的话，我得到的钱将是我所需的两倍；如果你拒绝了，我也可以让步到一开始就想要的 5 美元，而靠着互惠原理和对比原理的作用，这回我成功的概率将大大增加。无论哪种方式，对我都是有好处的。这就好像我们玩投硬币定输赢，扔出人头来，我赢；扔出字来，你输（如图 2—3 所示）。

不同颜色的马

图 2—3　戈登：危险人物?
同样的风格能带来同样满意的笑容吗? 看来的确是这样。

　　最能清晰表现"先大后小"请求法效力的实例就是零售店里"往最高了说"的策略了。销售员总是一开始把顾客带去看最豪华的款式, 要是客户买了, 商店自然美滋滋地赚了一笔; 就算客户不想买, 销售员还可以带他们去看价格更合理的款式。《消费者报告》转载过《销售管理》上的一篇报道, 为这一策略的有效性提供了部分证据:

如果你是个卖台球桌的商人，你会宣传哪种台球桌呢——329 美元一张的，还是 3 000 美元一张的？你很可能想给低价的那一款打广告，等客户来了之后再怂恿他买高价的那一款。但宾士域①的新业务推广经理沃伦·凯利却说："你恐怕做错了……"为了证明自己的观点，他拿出了一家代表性门市的实际销售数据……头一周，他们先给客户看低端产品……再鼓励他们买更贵的款式，这是传统的卖高策略。该周台球桌的平均销售额为 550 美元……第二周，不管顾客自己想要哪一款，销售员一概把他们带去看更贵的台球桌，之后再带他们看价格和质量越来越低的型号，该周的平均销售额超过了 1 000 美元。

既然拒绝—后撤手法的优点这么多，有人或许会觉得，它肯定也存在很大的缺点。受害者被这一手法逼得只能顺从，说不定会充满怨恨。怨恨或许会以若干种形式表现出来：**其一，受害者可能会否认跟请求者达成的口头协议；其二，受害人可能会对操纵自己的请求者产生怀疑，并决定永远不再跟此人打交道。**倘若这样的情况发生，请求者在使用拒绝—后撤手法时必然会三思而后行。然而，研究表明，采用拒绝—后撤手法时，上述受害反应的发生频率并未增加。更令人惊讶的是，其实际发生频率好像反倒降低了！要弄清为什么会这样，让我们先来看看下面的证据。

拒绝—后撤手法的受害者是否会履行承诺，按照请求者的后一项要求做呢？加拿大的一份实验报告揭示了这个问题。这次实验除了记录目标对象是同意还是拒绝了真正的请求（为社区心理健康诊所无偿工作两小时）之外，还记录了他们是否如约履行了自己的职责。和通常一样，一开始提出较大的请求（要求受试者在至少两年时间内，每周到该诊所工作两小

---

① 美国花式台球桌及台球配件品牌。——译者注

时），再后退到较小的请求，口头答应的人会更多，有76%；直接提出较小的请求，答应的人只有29%。不过，答应来的志愿者里有多少人真正出现了呢？这个结果显然更为重要。此时，拒绝—后撤手法仍然更为有效（前者是85%，后者仅为50%）。

还有一个实验检验了受害者是否觉得自己受了拒绝—后撤手法的操纵，从而对进一步的要求一概加以拒绝。这项研究的受试目标是大学生。

实验者要他们每人在学校一年一度的献血活动中提供1品脱（约合473.17毫升）的血。一组受试者最初听到的要求是，每6个星期献1品脱血，为期至少三年，之后才改为只献血1品脱；另一组受试者听到的要求则从一开始就是只献血1品脱。接下来，对这两组受试者里口头答应并真正来到献血中心的人，实验人员都问了是否愿意留下电话号码，以便下一次献血时联系的问题。凡是因为拒绝—后撤手法而献血1品脱的学生，几乎全都答应再来献血（84%），其他来到献血中心的学生答应再次献血的还不到一半（43%）。

实验证明，就算考虑到将来的合作，拒绝—后撤手法也仍然胜人一筹。

这可真是够怪的：**拒绝—后撤手法似乎不光刺激人们答应请求，还鼓励他们切身实践承诺，甚至叫他们自愿履行进一步的要求。**这个手法到底有什么奥妙，能糊弄得人一再地上当受骗呢？要想知道答案，我们或许可以观察一下请求者的退让行为，即该手法的核心环节。我们已经看到，只要人们不觉得它是个一眼就能洞穿的骗局，让步便有可能刺激对方也退让一步。不过，让步举动还有一项我们尚未着手研究的、少有人知的积极副作用：对方会对这种安排滋生出更大的责任感和满意感。靠着这种甜蜜的副作用，拒绝—后撤手法推动受害者履行协议，痛快地答应之后的约定。

通过研究人们讨价还价的方式方法，我们可以清晰地看到让步给人际交流带来的积极副作用。加州大学洛杉矶分校的社会心理学家们曾经做过一项实验，为此作出了很好的示范。

实验人员提供一定数额的金钱，并告诉受试者，他有一个"谈判对手"，两人必须讨价还价，商量这笔钱的分配问题。他们还告诉受试者，要是过一段时间，两人还没有达成协议，那么谁都分不到钱。但受试者并不知道，所谓的"对手"其实是研究助理，此人将按预先的指示，用以下三种方式之一跟受试者讨价还价：对一部分受试者，对手会首先提出极端的要求，把差不多所有的钱都留给自己，而且在整个谈判过程中都顽固地坚持这一主张；对另一部分受试者，对手一开始提出的要求只是稍微有利于自己，但在谈判过程中，他也坚守这一立场，拒绝让步；对第三组受试者，对手最开始提出的是极端要求，之后逐渐退让到略微有利于自己的要求。

实验中的如下三点发现有助于我们理解为什么拒绝—后撤手法如此管用：首先，相较于另外两种方法，先提极端要求再退让到适度的要求，能让使用此方法的人获得最多的钱。我们先前就看过了相关的证据，知道这种手法能强有力地达成有利于己方的协议，所以上述结果尚在情理之中。但研究的另外两点发现很是惊人。

责任感。碰到对手运用拒绝—后撤手法的受试者，觉得自己对谈判的最终结果负有更多的责任。较之碰到对手完全不让步的受试者，这一部分人报告说，自己成功地影响了对手，对手从自己手里分到的钱更少了。当然，我们知道他们没这么大本事。实验人员事先就要求，不管受试者怎么做，他们的对手都要逐渐让步。可在这些受试者眼里，是自己让对手改变主意的，是自己让对手让步的。这样一来，他们自然对谈判的最终结果感到负有更高的责任。有了这点发现，我们就不难理解前面提到的一个谜了：为什么拒绝—后撤手法反而提高了目标对象履行承诺的频率。请求者的蓄意退让，不仅提高了目标对象答应他要求的可能性，还让他们感到是自己促成了最终的协议。所以，拒绝—后撤策略让目标对象履行承诺的神秘力量也就顺理成章了：人要是对契约的条款感到负有责任，自然就会更乐意遵守这一契约。

满意感。尽管平均而言，与采用退让策略的人做对手的受试者分给对方的钱最多，这部分人却对最终安排最为满意。人们或许是这么想的：靠着我的努力，对手"退让"了。如此达成的协议自然分外圆满。根据这一点，我们可以对拒绝—后撤手法的第二个神奇特点——受害者对之后的请求居然也照样答应作出解释了。这一手法利用退让来让人顺从，因此受害者可能对最后的安排感到更为满意。毫无疑问，对特定安排感到满意的人，更乐意答应类似的安排。有人在零售领域作了研究，发现倘若当事者觉得做成划算的交易有自己的一份功劳，那么他们就会对整个过程感到更满意，并会购买更多的产品。

如何拒绝

要抵挡应用了互惠原理的请求者，你我面对的将是一个可怕的敌人。靠着向我们首先示好、主动让步，请求者招募到了一支强大的同盟军，势必争取我们的顺从。乍看，我们的前景并不怎么光明：我们可能会屈从于互惠原理，顺从请求者的愿望；我们也可能会拒绝顺从，这样一来，我们内心深处的公平感和义务感就会承受互惠原理带来的猛烈冲击——要么举手投降，要么死伤惨重。两者都不是什么好结果。

幸运的是，我们不是只有这些选择。只要对对手的性质拥有正确的认识，我们就能安然无恙地撤离顺从战场，有时甚至还能捞回些战果。关键是要意识到，请求者并不是我们真正的对手，他不过是借助互惠原理（或其他任何影响武器）来争取我们的顺从罢了。他选择了四两拨千斤的柔道手法，让自己跟互惠原理的强大力量站到了同一阵线，之后又靠着抢先施恩或让步，释放出了这种力量。**真正的对手是互惠原理。**要想不受它蹂躏，我们必须采取措施，化解它的威力。

要怎么做才能抵消互惠这种社会原理的影响呢？一经激活，它的力量就会铺天盖地压下来，强大得让我们根本没法抵挡。这样看来，不让它激活似乎是个好办法。或许，抢先出手，不让请求者借用它的力量，我们便能避免跟互惠原理发生正面对峙。据此，拒绝请求者最初的善意或让步，大概可以让我们成功回避这一问题。对请求者的最初善意或牺牲一概拒绝，理论上听起来不错，实践起来却存在许多棘手的地方。最主要的问题在于，最初碰到一个请求时，你很难判断它到底是出于真诚，还是打算利用你。要是我们总是戒备森严，碰到无意利用互惠原理的人向我们让步，或是施以好意，我们也就收获不了它能带来的果实了。

有个同事曾愤怒地向我说过一件事。一个男人为了免遭互惠原理的"毒手"，非常粗暴地拒绝了她 10 岁女儿的好意，小女孩的心灵深受其伤。

女孩班上的孩子们在学校里组织招待会，欢迎自己的爷爷奶奶前来参观，她的任务是给所有进入学校操场的游客送花。她碰到的头一个男人看到她递花上来，立刻吼叫起来："你自己留着吧！"女孩不知道该怎么办，再次拿着花朝他走过去，那人却厉声喝问她到底有什么企图。女孩无力地回答："什么也不为，这只是一份礼物。"那人还是不信任地瞪着她，坚持说自己早就识穿了她的"把戏"，推开她走掉了。

这次经历带给小女孩莫大的伤害，她再也没法接触其他人了，只好放弃了自己的任务。起初她可是满怀期待来做这件事的。很难说这该怪到谁头上，是那态度生硬的男人，还是之前依靠互惠原理利用他、弄得他最后只知道一味拒绝的人。不管你觉得应该怪谁，这里的教训一望可知。我们总会遇到确实慷慨的人，还有按互惠原理公平游戏、不利用它占便宜的人。要是有人不分青红皂白地拒绝他们的努力，那他们肯定会觉得受了侮辱，社会摩擦和孤立还会由此产生。故此，一概排斥的策略似乎并不适用。

另一种解决方案成功的把握更大。**倘若别人的提议我们确实赞同，那就不妨接受它；倘若这一提议别有所图，那我们就置之不理。**比方说，有人给了我们一个恩惠，我们大可以接受下来，同时认识到将来有回报他的义务。跟别人达成这样的协议，并不意味着这个人能通过互惠原理利用我们。相反，自从人类来到这个世界，公平地参加"义务信誉网"，就在个人和社会层面上给我们带来了许多好处。然而，要是最初的善意其实是专门设计来刺激我们回报以更大恩惠的圈套、机关或诡计，那情况就不一样了。我们的合作伙伴并非心肠好，而是想要牟取暴利。基于这样的条件，我们当然应该采取相应的措施。一旦我们确定最初的恩惠并非出于善意，而是一个顺从伎俩，那我们就不必受它影响了，该怎么做就怎么做。只要我们能准确地判断、界定顺从伎俩，不再把它们错看成恩惠，施与者也就没法再跟互惠原理站到同一阵线了：互惠原理只说要以善意回报善意，可没说要用善意来回报诡计。

为了说得再具体些，我们举个实际的例子吧！

假设有一天，一位妇女打来电话，自我介绍说她是城里居民消防安全协会的会员。她问你，有没有兴趣了解一下家庭防火安全知识，检查一下你的房子是否存在安全隐患，并称之后还会送你一套家用灭火器，而且一切全都免费。倘若你表示对这些都挺有兴趣，你们说好让协会的安检人员晚上到访你家。安检员到了之后，送给你一小罐手提灭火器，并开始检查你家的火灾隐患。之后，他给你讲了一些有关火灾的综合信息，这些信息有些意思，也挺吓人。他还评估了你家发生火灾的可能有多大。最后，他建议你安装家庭火警系统，接着就离开了。

　　这样的事儿并不少见。好多城市都有类似的非营利性协会。通常，专职消防员会在业余时间提供此类免费的住宅防火检查。要是你真的碰到了这样的事情，那么显然你是得到了安检员的好心帮助。根据互惠原理，将来倘若你看到他有什么需要帮忙的地方，你也应当主动施以援手。这一类的善意交换，是完全符合互惠原理的优良传统的。

　　可类似的事情也有可能出现不一样的结局：安检员推荐了火警系统之后并没有离去，而是展开了一场推销陈述，想要说服你购买他公司生产的一套热感应报警系统——价格自然十分昂贵。上门推销家用火警系统的公司经常采用这种做法。一般而言，他们的产品虽说足够管用，但价格都是虚高的。他们知道你不熟悉这种系统的市场销售价，要是你打算安装这一系统的话，你会觉得，既然这家公司为你提供了免费的灭火器，还检查了你家的安全情况，那么你就欠了他们一个人情，应当从他们那儿购买这一系统。这些公司也正是利用你的这种心情，向你施压，要你马上就买。靠着这种手法，销售防火装置的企业在美国各地繁荣发展。[1]

　　假如你发现自己碰到的就是这样的情形，又意识到安检员来你家的首要动机是向你推销昂贵的报警系统，那下一步该怎么做呢？最有效的做法很简单，也不会惊动他人。你只要在心理上重新下一个定义就行了：把从

---

[1] 其他很多公司也广泛利用免费提供信息的方式来做生意。比方说，卖驱虫剂的公司发现，大多数人都会把杀灭害虫的工作交给帮自己家做免费检查的公司——只要他们相信自己家真的有必要灭鼠杀虫。很明显，面对主动提供免费检查的公司，客户觉得欠了他们的人情。无良的灭虫公司知道，出于这个原因，此类客户不大可能挨家挨户比较价格，所以一旦接下业务，他们就会收取远高于竞争对手的价格。——作者注

安检员那里所得到的一切——灭火器、安全信息、隐患检查全都当成是销售手法，而不是礼物。这样一来，你就能轻松地拒绝他要你买东西的提议了。由此你还可以免受互惠原理的影响：**善意自然应当以善意回报，可对销售策略却没这个必要。** 要是安检员在你拒绝之后又要你至少提供些朋友的名字，不妨再次采用你的心理防备术。为对方后撤到较小要求的行为重新做个界定：这是一套顺从手法。一旦完成了心理上的转换，你就不会觉得有要让步的压力了，因为你不再把对方的后一项要求当成真正的让步了。此时，你摆脱了他人有意触发的亏欠感，答不答应对方的要求都随你便了。

倘若你乐意，你甚至可以让安检员的影响力武器掉转枪口。回想一下，互惠原理告诉你，人家怎样对你，你就有权怎样对他。要是你确定"防火安全检查员"的礼物不是真正意义上的礼物，而是用来从你那儿赚钱的工具，那么你也可以用它们为自己赚得好处。安检员给你的东西——安全信息、家用灭火器等你照单全收，然后礼貌地道谢，把他送出门去。毕竟，互惠原理说了，公正的意思，就是盘剥的行为要还以盘剥。

读者报告

来自一位前电视机和音响器材销售员

有好长一阵子，我都在一家大型零售店的电视和音响器材部门工作。零售商会为客户提供延期保修合同，而售货员卖出这种合同的能力，决定了他能不能继续受聘上岗。我一听他们给我解释了这一点，就设计了以下采用了拒绝—后撤手法的方案，虽说那时我并不知道该手法的名字。

客户购机时可以挑选一年到三年不等的质保服务，但不管卖出的合同是哪一种，我所得到的积分都是一样的。我意识到大多数人都不愿意购买三年的质保，所以，一开始我总是劝他们购买这种时间最长、价格也最高的合同。这样一来，要是客户拒绝了我真诚推销的三年质保，我就得到了一个绝妙的机会，后退到相对便宜的一年延长质保上。只要能把这种质保服务卖出去，我照样很高兴。事实证明，这种手法非常有效，因为平均起来，我70%的顾客都买了延期质保合同，而部门内其他销售人员卖出的比例才只有40%左右。此前，我还从没对人透露过这个小秘密呢！

作者点评：请注意，通常情况下，人们在使用拒绝—后撤手法的同时，还会借助对比原理。最初价格较高的要求不光让后面价格较低的要求看起来像是让步，还使得后者的价格显得比实际上更低。

一开始就拒绝，比最后反悔
要容易。

——达芬奇

第3章

Influence 承诺和一致

|脑子里的怪物|

两位加拿大心理学家完成的一项研究揭示了赛马场上人们的奇妙心理：只要一下注，他们对自己所挑之马获胜的信心立时大增。当然，这些马的实际获胜概率没有任何变化，马还是原先那匹马，站在跟原先相同的赛道上，赛马场也是原先那个赛马场。只不过，在下注者的脑袋里，一买下彩票，这批马获胜的可能性就顿时变大了。乍看起来虽说有点令人不解，但赌客们态度的戏剧性转变，跟一种常见的社会影响力武器是相关的。和其他影响力武器一样，这种武器也深深地扎根在我们心里，无声无息地指引着我们的行动。它其实很简单：**人人都有一种言行一致（同时也显得言行一致）的愿望。**一旦我们作出了一个选择，或采取了某种立场，我们立刻就会碰到来自内心和外部的压力，迫使我们按照承诺说的那样去做。在这样的压力之下，我们会想方设法地以行动证明自己先前的决定是正确的。就拿赛马实验里的赌客们来说，下注前的 30 秒钟，他们还犹豫不决，毫无把握；下注之后的 30 秒，他们明显乐观了起来，更有自信了。他们的态度之所以发生了这样的转变，最关键的因素就在于他们作出了最终决定——在本例中，也即买了彩票下了注。一旦选定了立场，保持一致的压力就逼得人非觉得要跟与过去的所作所为站在同一阵线不可。他们只能说服自己，刚刚做的选择是正确的，而且，毫无疑问，他们对此感觉良好。

让我们来看看我邻居莎拉和她同居男友蒂姆之间发生的故事吧！

两人相遇后约会了一段时间，最终搬到了一起住。在此期间，蒂姆丢了工作。对莎拉而言，事情进展得一点儿也不顺当：她希望蒂姆跟她结婚，把喝了好些年的酒戒掉，可这两件事蒂姆都不同意。两人冲突了好一阵子之后，莎拉结束了这段关系，蒂姆也搬走了。这时，莎拉的前任男友给她打来电话。他们开始约会，很快就订了婚，安排了结婚的计划。等具体的日子订好了，请帖也发出去了，蒂姆又打电话来了。他后悔了，想跟莎拉和好。莎拉告诉他自己马上要结婚了，他恳求她再给他一次机会，他希望两人再续前缘。莎拉拒绝了，说她不想再那样生活。蒂姆甚至提出要跟她结婚，可莎拉说，那她情愿跟前男友结婚。最后，蒂姆主动说，只要她松口，他就戒酒。莎拉觉得这样蒂姆也还有他的好处，于是她取消了婚礼，又跟蒂姆重归于好。

可还不到一个月的时间，蒂姆就告诉莎拉，他觉得自己没必要戒酒。又过了些日子，他决定结婚的事儿还得"再等等看"。一眨眼，两年的光阴过去了，蒂姆和莎拉的生活还是老样子。蒂姆仍然酗酒，一点儿结婚的打算也没有，可莎拉对他却比从前更投入了。她说，因为经历过在前男友和蒂姆之间做选择，她知道了蒂姆在自己心里排第一。所以，尽管当初蒂姆所做的诺言从未兑现，莎拉却觉得更幸福、更快乐了。

显然，一旦作出艰难的选择，人就很乐意相信自己选对了。不光赌马客们是这样，**事实上，我们所有人都会一次次地欺骗自己，以便在作出选择之后，坚信自己做得没错。**

心理学家早就认识到承诺和一致原理对人的行为有着强大的指引力量。早期的许多杰出理论家，如利昂·费斯廷格（Leon Festinger）、弗里茨·海德（Fritz Heider）和西奥多·纽科姆（Theodore Newcomb），就都把言行一致的欲望看成是行为的一种重要驱动力。这种力求一致的观念，真的强大到了能迫使我们做正常情况下不想做的事情吗？确实是这样。保持

（并显得前后）一致的动力，是一种威力巨大的社会影响武器，它经常令我们作出明显有违自己最佳利益的行为来。

来看看下面这个实验吧！研究人员在纽约市的一处沙滩导演了一起"偷窃"事件，观察旁观者是否会不顾个人安危来阻止犯罪。

> 研究者的助手在沙滩上随机选一个人（也即实验的受试者），在离他两米开外的地方铺上一块沙滩浴巾。助手躺在浴巾上，从便携收音机里听了一小会儿音乐，便站起身，离开浴巾到海滩上去散步。过一会儿，研究人员会假装成小偷，走过来拿起收音机，试着把它带走。你可能已经猜到了，正常情况下，由于自己可能会受到伤害，受试者是不愿冒险去阻止小偷的。"偷窃"事件上演了 20 回，旁观者出手阻止的只有 4 次。但只要稍加调整，同样的过程再重演 20 回，结果就来了个彻底改观。在后面的 20 回重演里，助手在离开浴巾之前请受试者"帮忙看着我的东西"，所有受试者都答应了。这下，在承诺和一致原理的推动下，20 个受试者有 19 个成了虚拟的义务警员，他们主动阻止了偷窃行为，要求对方给出解释，甚至出手拦住小偷，不让他拎着收音机逃跑。

言出必行

要想理解为什么人的一致性动机如此强大，我们应当意识到，在大多数环境下，言行一致都是很有价值也很合适的。依照人们的普遍感觉，言行不一是一种不可取的人格特征。**信仰、言语和行为前后不一的人，会被看成是脑筋混乱、表里不一，甚至精神有毛病的。另一方面，言行高度一致大多跟个性坚强、智力出众挂钩，它是逻辑性、稳定性和诚实感的核**

心。伟大的英国化学家迈克尔·法拉第（Michael Faraday）说过的一句话，暗示了人对一致性看重到了何种程度——有时候，人们会觉得它比做事正确还重要。一次演讲之后，有人问他的意思是不是说某个讨厌的学术对手一贯出错，法拉第瞪着提问者回答道："他才没那么前后如一呢！"

所以，在我们的文化里，一个人高度的言行一致是备受称道的——也理应如此。大多数时候，要是我们在做事时始终如一地坚持不懈，肯定会做得很好。没有了一致性，我们的生活会困难重重，散乱不堪。

由于言行一致一般来说符合我们的最佳利益，我们很容易养成自动保持一致的习惯，哪怕有时候这么做并不明智。不假思索地言行一致，有可能带来灾难性的后果。不过，就算是盲目地保持一致，也不乏迷人之处。

首先，和大多数其他自动响应方式一样，它为穿越复杂的现代生活提供了一条捷径。只要我们对事情拿定了主意，死脑筋地坚持到底就能给我们带来一种分外难得的好处：我们再不用苦苦地思考这件事了。我们不需要从每天接触的庞杂信息中挑挑拣拣来确定相关事实；我们不必再劳心费力地权衡利弊；我们也犯不着再作出任何棘手的抉择。相反，每当碰到同一类的事情，只需要按下我们的一致性磁带，它就哗啦啦地播放起来，我们也随即知道该去信什么、说什么和做什么了。不管怎么样，我们的信念、说辞和行为，只要跟之前的决定保持一致就行了。

千万别低估这种享受的吸引力。要知道，日常生活的纷繁复杂对我们的精力和能力都提出了苛刻的要求，有了一致性我们就能以相对轻松、高效的便利方式来应对一切。这么一来，人为什么很难克制保持一致的下意识反应，也就不难理解了——它让我们有了逃避连续思考这桩苦差事的途径。一旦保持一致的磁带播放起来，我们就可以开开心心地去做事，不用想得太多了。正如乔舒亚·雷诺兹（Joshua Reynolds）爵士所说："要是有什么办法能省掉动脑筋这档子真正的体力活，人们断断不会放过它。"

其次，机械地保持一致还有第二点吸引力，它更容易令人避免误入歧途。有时候，我们逃避思考活动，不是因为它辛苦、要动脑筋，而是因为这么作了以后会招来严酷的后果。有时候，只要稍加思考，就能得出一连串明显不受人欢迎的该死答案。就因为这个，我们才懒得去思考。有些烦人的事情，我们宁肯当成自己没看到。由于自动保持一致是一种预先设置好的下意识响应方式，所以碰到麻烦事儿，它就为我们提供了一处安全的藏身之所。躲在死脑筋的城堡里面，我们总算可以逃过理性带来的折磨了。

一天晚上，我参加了一次介绍超自然冥想的讲座，亲眼看到了人们是怎么藏在一致性的城墙背后，不愿承受思考带来的恼人后果的。

主持讲座的是两个热心的年轻人，他们想招募一些新成员。他们说，自己的协会提供一种独有的冥想术，能让人实现各种想要的美事儿，获得内心的平静自不必说，等修炼到了高级阶段，甚至能叫人掌握超能力——比如腾空飞行、穿透墙壁一类的。

我来参加这个讲座，为的是观察此类招募会里使用到的顺从手法。这天，我带了一个感兴趣的朋友同行，他是数据统计和符号逻辑专业的大学教授。随着会议的进行，讲师们解释起他们冥思术背后的理论来，我发现身边的逻辑学家朋友越来越焦躁。他如坐针毡，换了好多次姿势，终于再也忍不住了。讲座结束之后，讲师们要大家提问题，他举起手，轻言细语但态度坚定地一一驳斥了我们刚刚听到的陈述。短短两分钟，他一针见血地指出讲师的复杂论证在哪些地方出现了相互矛盾，为什么它们不合逻辑，又缺乏证据。这对主讲人可真是很大的打击。两人手足无措地沉默了一阵之后，都开始尝试驳倒我同事的观点。但他们的开脱苍白无力，而且说到中间还得跟伙伴商量一番。最终，他们无奈承认，我同事的看法很好，"有必要进一步研究"。

不过，在我看来，更有趣的地方是它对其余观众的影响。提问时间过后，一大群听众围着两位讲师，竞相掏出 75 美元，报名参加他们的冥思培训。两位讲师一边收钱，一边用胳膊肘碰碰对方，耸耸肩膀，窃窃私笑，显然，他俩也搞不明白这是怎么一回事。毫无疑问，先前的尴尬一幕搞砸了他们的陈述，可不知为什么会议却取得了空前的成功，听众们就像被灌了迷魂汤一般，对他们言听计从。我也一头雾水，以为听众们没听懂我同事的反驳逻辑。然而，事实证明，情况恰恰相反。

讲座结束后，三名听众找上了我们，他们每人都在听完讲座之后立刻付了报名费。他们问我们为什么要来听这个讲座。我们作了解释，同时也向他们提出了同样的问题。三人中一个是胸怀大志的演员，很想在表演方面取得成功，他来是想看看冥想术能否帮他实现必要的自我控制，这样才能在演技上更上一层楼，负责招募的讲师向他保证，没问题。一个说自己患了严重的失眠症，她希望依靠冥想术来放松心情，晚上轻松入睡。第三个在做非正式的代言人。他大学课程没考过，因为好像学习时间总是不够用。他来开会是想了解冥想术能不能训练他减少每晚的睡眠时间，这样多出来的时间就能用来学习了。讲师的说法当然跟先前告诉失眠者的一样：没问题。看起来，超自然冥想术似乎能解决截然相反的问题。

这时，我仍旧以为这三个人报名是因为没听懂我朋友的观点，于是就拿他所说的几点意见问了问他们。让我吃惊的是，我发现他们完全明白他的看法，实际上，是清楚得不得了，而且，正是因为他的论点太有说服力了，他们才受驱使赶紧在现场就报了名。这位代言人说得好："我本来不会当场就掏腰包的，因为我现在穷得都快破产了。我原本打算等到下次听讲座再说的。可你的朋友一开始说话，我就晓得，最好还是现在就把钱给他们。要不然，一回家，我就会想到他说的话，再也不会报名了。"

我这才明白过来。这些人都碰到了真正的问题，正拼命想办法解决这些问题。要是研讨班讲师的话值得一信，那么，超自然冥想术不失为一种潜在的解决办法。在需求的驱动下，他们非常想要相信超自然冥想术就是他们的救星。

就在此时，我同事扮演的理性之声传了出来，指出他们认定的新办法似乎在理论上就不合理。他们惊慌起来！必须赶紧采取行动了，要不然，等逻辑占了上风，他们的希望就又破灭了。赶紧，赶紧，筑起对抗理智的城墙来！即使修起来的城堡是座愚昧的城堡，也无关紧要了。"赶紧地，找个地方藏起来，再也不动脑筋了！来，拿着我的钱。好啦，这下子可就安全多啦！再也不想这些问题了。既然决心已定，从现在起，一致性磁带就能在必要的时候播放起来了：'超自然冥想术？它当然能帮到我，我当然想要继续下去，我当然相信超自然冥想术。瞧，我已经投钱进去了，不是吗？'啊，不伤脑筋地保持一致真舒坦啊！我就在这儿休息一会儿好了。艰苦地寻觅太紧张、太焦虑了，现在可就好多了。"

要是下意识保持一致真的是逃避思考的盔甲，那么那些想要我们不假思索答应他们要求的人肯定会利用它们。这没什么好奇怪的。面对他们的要求，倘若我们不假思索地作出机械反应，牟利的人可就有福了：**我们下意识的一致性倾向根本就是一座金矿**。所以，他们聪明地作了巧妙安排，让我们一致性的磁带播放起来为他们赚钱，而我们自己却浑然不觉。他们用高明的柔道手法来设计与我们的交流互动，利用我们保持一致的自身需求赚得钵满盆满。

一些大型玩具制造商就是用这种方法来减少季节性购买模式带来的问题的。当然了，玩具公司的销售旺季是在圣诞节假期之前。问题在于，接下来的几个月，玩具的销售情况会陷入可怕的低迷期：消费者们已经花光了玩具预算，再也不愿给孩子买更多的玩具。

于是玩具制造商面临着一个两难的境地：如何保住高峰期的销售旺势，同时，又在随后的几个月里维持健康的需求量。刺激孩子在过完圣诞节之后还想要更多的玩具对他们显然没什么可犯难的，问题在于，怎么才能让过完节又花光了钱的父母给玩具到处是的孩子再买新的玩具。玩具公司要怎么做才能完成这件近乎不可能完成的任务呢？有些公司试过大幅提高广告宣传力度，有些公司则在低迷期搞降价促销，但从实践来看，这些标准的销售策略都不怎么成功。这两种策略既费钱，又不能把销售量拉到一个理想的水平。家长的确没有买玩具的心情，广告或降价的影响不足以改变他们顽固的死脑筋。

可有些大型玩具制造商却觉得自己找到了解决的办法。这个办法很是巧妙，只需要正常的广告支出，外加理解人们保持一致的强大心理需求就足够了。我最初意识到玩具公司搞的这套操作手法，是在上过一回当之后，可还没等回过神来，我就又活生生地上了当——我可真是个傻瓜。

那是一月份，我到了城里最大的玩具店。一个月之前，我给儿子买了太多太多的礼物，我发誓，未来很长一段时间里，我再也不踏进这类商店的门了。然而，我不仅来到了这个"残忍"的地方，还要给儿子买另一件昂贵的玩具———套大型电动赛车。在电动赛车的展柜前，我碰巧遇到了一位从前的邻居，他也正要给儿子买相同的玩具。奇怪的是，我们之前很少碰到对方。说起来，我俩上次见面已经是一年半之前了，那次也同样是在这家店，同样是在圣诞节之后，同样是在给儿子买同样的贵玩具——一台能走路、能说话，甚至能排便便的机器人。想到我们一年里总是在同一时间、同一地点、做同一件事的时候碰到对方，我们不禁笑了起来。当天晚些时候，我跟一位朋友提到了这一巧合，他以前在玩具业干过。

"才不是什么巧合呢！"他一副深知内幕的样子。

"不是巧合？你说的是什么意思？"

"瞧，"他说，"我来问你几个问题，关于你今年买的那套玩具赛车的。第一，你是不是答应儿子圣诞节给他买一台？"

"嗯，是呀。克里斯托弗在星期六早晨的卡通节目里看到了这玩意儿的好多广告，他说圣诞节就要这个。我自己也看过几段广告，看上去挺好玩的，所以我说行。"

"中了一条，"他说，"现在我来问第二个问题。等你去买的时候，是不是发现所有的商店都卖完了？"

"太对了，真是这样！商店说已经下了订单，可不知道货什么时候才能到。所以我给克里斯托弗买了其他玩具当补偿。可你怎么知道呢？"

"中了两条，"他说，"让我问完最后一个问题。去年你买机器人时是不是也发生过这种事儿？"

"让我想想……你说的没错。就是这样。太奇怪了。你到底是怎么知道的？"

"我可不会什么读心术。只是，我刚好知道几家大玩具公司是怎么拉动一、二月份的销量的。圣诞节之前，他们开始在电视上做一些特别玩具的广告，这些广告都很有意思。显然，孩子们想要这样的玩具，他们缠着父母答应圣诞节买来送给自己。好了，这些玩具公司的精明之处就在于：他们故意不给商店提供足够的货品。这下子，大部分当爹妈的会发现这些玩具早就卖光了，他们只好买下等值的其他玩具给孩子充数。当然了，对于这些充数的玩具，制造商们的货给得足足的。接着，过完了圣诞节，公司又开始为前面那些特别的玩具打广告，这使得孩子们越发想要了。他们跑去跟父母哭诉：'你答应过的，你答应过的。'于是当爹妈的只好痛苦地跑去玩具店履行自己的诺言。"

"我算是明白了，"我气坏了，说，"这就是为什么家长们总能在玩具店碰到一年没见过的老朋友，因为对方也落入了同一套把戏，对吧？"

"是呀。咦，你要去哪儿？"

"我去把这套赛车给退了。"我火冒三丈地吼着说。

"别着急呀，你再考虑一分钟。你今早为什么要去买它？"

"因为我不想让克里斯托弗的希望落空啊，还因为我想教育他，人得言出必行。"

"好了，现在有什么地方变了吗？听我说，要是你把他的玩具退了，他是搞不懂为什么的，他只晓得他老爸说了话却做不到。你想要这样的结果？"

"不，"我叹了口气说，"我不想。可想想看，你告诉我，过去两年里玩具公司在我身上赚了双倍的钱，我却一无所知。好了，现在我明白了，但还是爬不出陷阱——而且还是被自己说的话给套住的。这样说来，我可真是三条全中啊！"他点点头说："没错。所以你玩不过那些玩具商呀！"

承诺是关键

一旦我们意识到人类的行动不可避免地要受保持一致的强大力量所指引，一个具有实际意义的重要问题就冒了出来：这种力量是从哪里来的呢？是什么东西按下了播放键，激活了难以抵挡的一致性磁带呢？社会心理学家认为他们已经找出了答案：**承诺**。要是我能叫你作出承诺（也即选择立场，公开表明观点），我就帮你铺垫好了舞台，促使你不假思索地自动照着先前的承诺去做。只要立场站稳了，人就自然想要倔强地按照与该立场保持一致的方式去做。哪怕在作出最终决定之前已经有了一个初步的倾向，它也会让我们在这之后偏爱与之一致的选择。

正如我们所见，明白承诺与一致性之间联系的可不光只有社会心理学家。各行各业的顺从专家都拿承诺策略来对付我们。这些策略都有着这样的目的：诱使我们采取某种行动或作出某种表态，而后通过我们内心保持一致的压力逼我们顺从。诱使我们作出承诺的手法多种多样，有些直截了当，有些则十分微妙。比方说，你正为自己最喜欢的慈善组织筹款，想提高本地区答应你上门收钱的居民人数。考虑一下社会心理学家史蒂夫·谢尔曼（Steven J. Sherman）采用的方法吧！

> 他给印第安纳州卢布明顿地区抽选出来的居民样本打电话说，自己正在做一项调查，想知道他们的意愿：要是美国癌症协会需要募捐，他们是否愿意花三个小时帮忙。显然，大家都不愿显得缺乏爱心，很多人都说他们会当志愿者。在通过如此微妙的手法征得了承诺之后，过了几天，美国癌症协会真的打电话来要求社区组织募捐团，结果，帮忙的志愿者比从前足足多了7倍。另有一批研究人员采用同一策略，请居民预测自己是否会在选举日当天投票，这下子，在接受电话调查的人里面，投票率大幅提高。

电话募捐人员获取承诺的手法就更加狡诈了。不知你注意过没有，如今他们在打来电话为这样那样的原因募捐时，总会先问问你近况如何，身体好不好。"哈罗，目标对象先生或女士，"他们会说，"今晚心情如何？"或者"今天过得怎么样？"这样的开场白，可不光是为了显得亲切友善。它是要让你像平常听到这类客套礼貌话时那样给个客套礼貌的回答，"挺好的"，"还不错"，或者"谢谢，还算行吧"。一旦你公开表明事事顺利，募捐员逼你资助那些过得不咋样的人就容易多了："听你这么说我可真高兴，因为我打电话来是想问问，您愿不愿意捐款帮助某某不幸的受害者……"

这种手法暗含的理论是：人要是刚刚才说了自己感觉挺好或者过得不错——哪怕这么说不过是出于社交时的客套，马上就作出一副小气样会显得很尴尬。倘若你觉得这似乎太过牵强，不妨来看看消费者研究员丹尼尔·霍华德（Daniel Howard）的发现，他亲自检验了以上理论。

丹尼尔打电话给得克萨斯州达拉斯的居民，问他们是否答应让饥荒救济委员会的代表上门兜售饼干，所得收益将用来给贫困家庭供应伙食。倘若电话工作人员光是提出这一要求（此处称为标准募捐法），只有18%的居民会答应下来。但要是他一开始先问"今晚您感觉如何"，并等到对方回答了之后再展开标准的募捐流程，就会出现好几件值得注意的事情。首先，在120名接到电话的居民里，大多数人（108人）都给了客套回复（"挺好"，"不错"，"非常好"，等等）；其次，32%被问了"今晚你感觉如何"的人答应在家接待卖饼干的销售人员，成功率比采用标准募捐法时高了差不多两倍；最后，根据一致性原理，几乎所有答应销售员上门的人（89%）实际上都买了饼干。

为了证明这一技巧之所以能发挥作用，并不仅仅是因为使用它的募捐者听起来比没使用它的募捐者显得更关心别人、更有礼貌，霍华德另外作了一次实验。这一次，电话募捐员使用两种开场白：一种是先问"今晚您感觉如何"，等对方回答后再继续后面的对话；一种是直接说"我希望您今晚感觉不错"，接着再展开标准的募捐请求。尽管电话员在使用上述两种开场白时都同样热情、友好，但使用"今晚您感觉如何"这个说法的效果明显优于后一种说法（前者的顺从比例为33%，后者为15%），因为光是它，就能让目标对象作出公开的承诺。请注意，"今晚您感觉如何"其实完全是一个泛泛而论的问题，而筹款目标的回答也根本没有实质意义，但由此而来的承诺却使顺从比例翻了一倍。这又是一个社交柔道术所向披靡的经典例子。

承诺为什么这么有效呢？原因颇多。很多因素都会影响承诺对我们将来行为的限制能力。一个旨在让人顺从的大规模项目阐明了若干因素的运作详情。这个项目最叫人啧啧称奇的一点是，它在几十年前就系统化地应用了相关的因素，可在那时，科学研究还根本没有确认到底是哪些因素与此相关。

> A、B两国战争期间，许多被俘的A国士兵被关在C国人管理的战俘营里。他们很快发现，C国人对待战俘的方式明显跟B国不同，后者喜欢用严刑拷打来迫使战俘顺从。C国方面则有意回避了这种残忍的做法，他们采用的是"宽大政策"，实际上，这也是一种精心设计的复杂心理攻势。战争结束后，A国心理学家对释放回国的战俘提出了连珠炮般的问题，想要搞清楚到底发生了怎么一回事，因为从某些方面来看，C国的战俘政策取得了惊人的成功。比方说，C国人非常有效地让A军战俘互相揭发，这与战争中A军方面战俘的行为形成了鲜明的对比。出于这个原因（当然也还有其他种种因素），要是有人想逃跑，计划很快就会暴露，逃跑的人几乎没有成功的。"要是真有人逃跑了，"心理学家埃德加·沙因（Edgar Schein）——A国负责调查C国战俘改造项目的首席研究员——写道："只要给告发他的人一袋子大米，C国人就能轻轻松松地把人给找回来。"事实上，据说几乎所有关在C国战俘营里的A国俘虏都曾以这样那样的方式跟C国合作过。①

---

① 这里有必要着重指出，所谓的"合作"并不一定是有意识的。A国调查人员把合作定义为"所有帮助了敌方的行为"，故此，它包括了多种活动，如签署和平请愿书、跑跑差使、在电台里发出呼吁、接受特别的待遇、做虚假供述、告发同狱战友、泄露军事信息等。——作者注

在对 C 国战俘营作了研究之后，人们发现，C 国人大量依靠承诺和一致性的压力来让战俘顺从。显然，C 国人面临的第一个问题是要想办法让 A 国人合作——任何形式的合作都可以。A 国士兵都受过训练，除了自己的姓名、军衔和编号之外，他们什么也不会说的。C 国人并不施以肉体暴力，那他们到底是怎么让这些 A 国大兵透露军事情报、告发同房战友，甚至公开谴责自己国家的呢？答案很简单：以小积大。

C 国人经常要战俘做一些态度温和的反对 A 国、支持和平的陈述，表面上看，这些陈述没什么大不了的（"A 国并不完美"、"在这里没有失业问题"）。可一旦顺从了这些小的要求，战俘们就马上发现，自己被迫要答应内容相关、但更具实质性意义的要求。假设说，C 国审讯员要一个 A 国战俘同意以下的说法——A 国并不完美，战俘认可了；紧接着，审讯员就要他谈一谈，以他看来，A 国有哪些地方不完美；等战俘作了解释，审讯员说不定又要他列一张"A 国的问题"清单，并签上名字；之后，他们又要他跟其他战俘结成小组，讨论自己的这张清单——"毕竟，你自己也相信这些问题，对吧？"再后来，他们又要他写一篇文章，扩充清单，更详尽地探讨 A 国存在的问题。

此后，C 国或许会在反对 A 国的广播电台上向整个战俘营，以及 B 国的所有战俘营，甚至驻扎在邻国的 A 国军队播报这个人的名字和他所写的文章。突然之间，这个战俘就发现自己成了"合作者"，给敌人帮了忙。因为知道自己写这篇文章并非出于他人的要挟或胁迫，这人便会不断调整形象，好让自己的行为符合"合作者"这个新标签，如此又带来了更广泛的合作举动。

所以，根据沙因的研究，"只有极少数的人能完全不跟对方合作，绝大多数人都做过一些在自己看来无关紧要的事情，合作过一两次。C 国把这些事情有效地利用了起来……在审讯中获取口供、要战俘自我批评、透露情报，这么做尤其管用。"

既然 C 国人都知道这种方法的微妙力量，不足为奇，另一群对顺从感兴趣的人同样也意识到了它的效果。许多商业组织就经常采用这种方法。

对销售人员来说，这就意味着从一笔小生意做起，最终拉到大生意。商人做小生意几乎都不是贪图利润，而是要建立承诺。有了承诺，之后的生意自然而然地就来了，做成大生意也不是什么稀罕事。《美国销售员》杂志上有一篇文章概括道：

> 总体而言，小订单为全面推销铺平了道路……这样来看：有人签了订单，购买你的商品，尽管利润微薄得不足以弥补你打电话所花的时间和精力，他也已经不再是潜在客户了——他成了真真正正的客户。

这种以小请求开始、最终要人答应更大请求的手法，叫做"登门槛"。1966 年，心理学家乔纳森·弗里德曼（Jonathan Freedman）和斯科特·弗雷泽（Scott Fraser）发表了一批令人吃惊的数据，社会科学家们这才首次意识到它是多么有效。这两位心理学家作了一次实验：派研究人员假扮成义工，到加利福尼亚州的一处居民区，当面向业主们提出一个荒谬的要求。

> 研究人员要业主们同意在自己的前院草坪上立一块公益告示牌。为了让业主们明白牌子是什么样子的，他们出示了一张照片，照片上的房子挺漂亮，可房子正面的视线完全给一块硕大的"小心驾驶"告示牌挡住了。出于可以理解的原因，该地区的绝大多数业主都拒绝了

这个要求（只有 17% 的人答应下来），但有一组业主的反应却分外积极。这一组中，76% 的人都答应把自家的前院贡献出来。

他们答应得如此爽快，主要原因跟两个星期前发生的一件事有关系：他们对保障驾驶员安全作了个小小的承诺。当时，有一位义工到了他们家，请他们同意在院前立一块三英寸大小的警示牌，上面写着"做一个安全的驾驶员"。这个要求实在太微不足道了，几乎所有人都答应了下来，但它给人造成的影响却极为惊人。由于几个星期前毫不知情地答应了一个有关安全驾驶的小小要求，这些业主对另一个分量重得多的要求居然也照单全收。

弗里德曼和弗雷泽并未止步于此。他们重新找了一组业主，尝试一种稍有不同的程序。

起初，业主们收到一份请愿书，要他们签名支持"保护加州的美丽环境"。显然，差不多人人都签了名，因为维持一个州的美丽环境，跟提高政府工作效率、进行合理的产前保健一类的议题一样，是不会有人反对的。过了大概两个星期，弗里德曼和弗雷泽派了一名新义工到这些家庭，请居民答应在自家前院草坪上立一块硕大的"小心驾驶"的告示牌。从某些方面来看，这些业主的反应是本次研究里最出人意料的。将近一半的人都同意在自家院子里设立"小心驾驶"的告示牌，尽管几个星期之前，他们作出的小小承诺跟小心驾驶毫无关系，只是另一项公共服务议题：保护环境。

起初，连弗里德曼和弗雷泽也被这样的研究结果弄糊涂了。为什么在支持保护本州美丽环境的请愿书上签了名，就可以让人乐意去做一项全然不同、分量更大的善举呢？经过思索，在排除了其他原因之后，弗里德曼和弗雷泽提出了一种解释：签署保护环境的请愿书，改变了这些人对自身的看法。他们把自己看成了具有公益精神、履行公民职责的好市民。这样一来，等到两周以后，有人要他们履行另一项公益使命——竖起"小心驾驶"告示牌的时候，为了符合新塑造起来的自我形象，他们乖乖地答应了下来。弗里德曼和弗雷泽这样说：

> 发生变化的大概是人们对参与或采取行动的感觉。一旦他答应了某个请求，他的态度就可能改变，在他自己看来，他成了做这种事情的人：答应陌生人提出的请求，对自己承诺的事情采取行动，配合有着高尚动机的善举。

弗里德曼和弗雷泽的发现告诉我们，**在接受琐碎请求时务必小心谨慎，因为一旦同意了，它就有可能影响我们的自我认知。它不光能提高我们对分量更大的类似请求的顺从度，还能使我们更乐意去做一些跟先前答应的小要求毫不相关的事情。正是后面这种藏在小小承诺里的普遍影响力**叫我甚感惊恐。

它把我吓唬得都不怎么愿意给请愿书签名了，哪怕请愿书的立场我原本就支持。因为这类行动不仅可能影响到我将来的形象，还可能会让我按着自己并不想要的方式改变自身形象。再者，一旦人的自我形象改变了，那些想要利用这一新形象的人就有了各种不易察觉的可乘之机。

弗里德曼和弗雷泽实验里的业主们有谁想过，那个要他们签署保护本州环境请愿书的义工，真正的目的竟然是在两个星期以后让他们展示一块安全驾驶的告示牌？他们中有谁会疑心自己答应展示这块告示牌的决定，居然跟签一份请愿书有着很大的关系？我猜没人会这么想。倘若告示牌竖起来以后他们觉得有点后悔，除了自己，除了自己那强烈得活见鬼的公民精神，他们能怪谁呢？他们恐怕绝不会想到那个拿着"保护加州美丽环境"请愿书的家伙，更不会想到什么社交柔道术了。

请注意，所有的"登门槛"专家似乎都对同一件事情感到兴奋不已：你可以利用小小的承诺操纵一个人的自我形象；你可以利用它们把人们变成"公仆"，把潜在客户变成"客户"，把战俘变成"合作者"。只要你把一个人的自我形象设置在了你想要的位置上，那么这个人就会自然而然地遵从一整套与这一全新自我形象相一致的要求。

倒也不是所有的承诺都会影响自我形象。要想让承诺达到这样的效果，必须满足一定的条件：它们得是当事人积极地、公开地、经过一番努力后自由选择的。A、B 两国战争中，C 国的主要目的并不单纯是从战俘身上索取情报，而是要教化他们，改变他们对自己、对 A 国政治制度、对 A 国在战争中所扮角色等一系列问题的态度和看法。战争结束后，心理评估小组的负责人亨利·西格尔（Henry Segal）博士考察了释放回来的战俘们，他报告说，这些人对战争的信念发生了根本性的转变，他们的政治态度也受到了重大影响。

看起来，C 国的真正目标是修正——至少是暂时性地修正战俘们的心灵和思想。西格尔得出结论，倘若我们从"变节、不忠、改变态度及信仰、败坏军纪、打消士气及团队精神、怀疑 A 国扮演的角色"这些角度来衡量他们的成绩，"（C 国）干得非常成功"。让我们再更仔细地看看他们是怎样做的。

奇妙的行为

要判断人的真正感觉和信仰，光听他们怎么说是不够的，还要看他们怎么做。想通过观察判断某人是个怎么样的人，必须仔细考察他的行为。

研究人员发现，人们自己也是依靠同样的方式——观察行为，来对自己加以判断的。**行为是确定一个人自身信仰、价值观和态度的主要信息源。**

C 国战俘营的管理层对自我认知的这种变化路线深知其详，他们对战俘营作了种种巧妙安排，好让俘虏们总能按着他们想要的样子做事。C 国人知道，过不了多长时间，这些行为就会起作用，让战俘们把自我认知跟自己做过的事情调整一致。

写作就是 C 国不断敦促战俘进行承诺的一种做法。战俘们光是安静地倾听或者口头认同他们的方针路线还远远不够，必须得把它写下来。沙因描述过 C 国采用的一种标准改造手法：

> 另一种窍门是让战俘把问题写出来，再要他自己给出（支持 C 国的）答案。要是他不愿自己写，从笔记本里摘抄也行，这似乎是个没什么恶意的让步。

唉，这些"没什么恶意"的让步啊！我们已经见识到，看似无关紧要的承诺能让人作出更深入的一致性行为。而书面宣言这种承诺方式的好处就更加明显了。**第一，它成了一个行为业已发生的物证。**只要战俘写下了 C 国想要的东西，他就很难再剖白自己没这么干过了。他或许可以忘记或否认自己的口头发言，但写下来之后，一切就成了白纸黑字。那上面是他自己的笔迹——再怎么开脱也没有用了。这样一份文档，会驱使他调整自身的信念和自我形象，使之与先前没法抵赖的行为达成一致。**第二，书面自白可以拿给其他人看。**当然，这就意味着可以用它来令其他人信服，劝说别人朝着声明里的方向改变态度。更重要的是，书面承诺能令其他人信服：写这份东西的人，真心相信自己写下来的事情。

人们有一种天然的倾向，总认为声明反映了当事人的真实态度。出奇的地方在于，哪怕他们明知道当事人的声明并非出于自愿，他们还是这么认为。心理学家爱德华·琼斯（Edward Jones）和詹姆斯·哈里斯（James Harris）做过的一次研究，为此提供了一些科学证据。

实验人员给受试者看了一份支持菲德尔·卡斯特罗的文章，并要他们推断作者的真实感受。琼斯和哈里斯告诉部分受试者，作者是自愿写的；又告诉另一部分受试者，作者是出于胁迫才写的。奇怪的是，后一部分受试者明知道作者是被逼无奈，还是觉得作者喜欢卡斯特罗。

看起来，一篇表明信念的声明能按下读者的自动反应播放键。除非另有强有力的反面证据，否则旁观者会自动假定写这种声明的人写的都是真心话。

想想看，战俘一旦写了支持 C 国或反对 A 国的声明，这将对他的自我形象产生什么样的双重效应？这份声明不光会让他一直记着自己的行为，还能让他周围的人相信，这反映了他的真实信仰。我们会在第 4 章里看到，**周围的人认为我们什么样，对我们的自我认知起着十分重要的决定作用**。例如，有人作了这么一项研究：康涅狄格州纽黑文的一群家庭主妇听说人家觉得自己乐善好施，过了一个星期，"多发性硬化症协会"的募捐员找她们捐款，她们掏腰包时果然大方了许多。很明显，光是知道有人觉得自己乐善好施，就让这些主妇作出了与之一致的行为。

一旦主动作出了承诺，自我形象就要承受来自内外两方面的一致性压力。**一方面，是人们内心里有压力要把自我形象调整得与行为一致；另一方面，外部还存在一种更为鬼祟的压力，人们会按照他人对自己的感知来调整形象。**由于别人觉得我们相信自己写的东西（哪怕我们根本是逼不得已才写的），结果这种力量再一次迫使我们把自我形象调整得跟书面声明相一致。

在 A、B 两国的战争中，C 国并不靠直接的胁迫，而是采用了若干种微妙的方式来让战俘写出他们想要的东西。比方说，C 国知道许多战俘迫切想告诉家人自己还活着，同时，战俘们又知道 C 国会审查自己的往来邮件，只有一部分符合规定的邮件才能寄出战俘营。为了让自己的邮件能够寄出，有些战俘开始往信里加插呼吁和平的信息，说自己在这里挺好的，还表达了对 B、C 两国人民的同情。他们希望 C 国人允许这些信件寄出，送到自己家人的手里。C 国人自然也乐得顺水推舟，因为这些信对他们的好处太大了。首先，A 国军人对 B、C 两国支持的言论极大地有助于他们开展的全球宣传攻势；其次，在改造战俘的过程中，C 国人不费吹灰之力就得到了好些人支持他们事业的公开宣言。

类似的技巧还包括在战俘营里定期举办政治征文比赛。获胜的奖品没什么大不了的——几支香烟、一些水果，但在战俘营里这些也相当稀罕，战俘们还是非常感兴趣的。通常，获奖的文章都确凿无疑地站在支持 C 国的立场上……但也不一定。C 国人很聪明地意识到，要是比赛只有靠写支持 C 国的传单才能得奖的话，大多数囚犯是不会参赛的。此外，C 国人也很明白，**只要能在战俘心里种上一棵对和平承诺的小小种子，靠着悉心培育，以后是会开花结果的。**所以，也有一些整体上支持 A 国立场、但对 C 国的看法稍微附和了一两处的文章获奖。这种策略完全带来了 C 国人想要看到的结果。战俘们一次又一次地自发参赛，因为他们发现，写赞美自己祖国的文章也能获奖。然而，在有意无意之间，他们逐渐把文章的基调调整得更加偏向 C 国了一些，以便得到更大的胜算。而凡是让了步的文章，C 国人都很欢迎，因为这样他们才好向当事人施以保持一致的压力。从 C 国的立场来看，战俘自愿写的这些文章是一份完美的承诺。靠着它，战俘的合作和立场转换很快就能顺理成章地确立起来。

其他顺从专家也深知书面声明的承诺力量。例如，极为成功的安利公司就有这么一套刺激销售人员实现越来越高目标的好办法。他们要员工拟定个人销售目标，而且得亲手写出来，建立起对这些目标的承诺感。

> 定下目标，把它写下来。不管你的目标是什么，关键是你定了这个目标，这样你就有了努力的方向。接着，把它写出来。把东西写下来，有种神奇的力量。所以，定下目标，把它写下来。等你达到了这个目标，再定另一个，也写下来。你会进步如飞的。

既然安利的人都发现"把东西写下来有种神奇的力量"，其他的商业组织自然也晓得这个奥妙。有些上门推销公司利用书面承诺的魔法来对抗许多州的"冷静期"法，这些法律允许消费者在买了东西几天之后取消交易，获得全额退款。起初，强买强卖的公司因为这种规定遭受了沉重的打击。由于强调高压手法，他们的客户买下东西大多不是因为想要那种产品，而是因为受了骗，在胁迫之下才答应成交的。这些法律生效以后，这部分消费者成群结队地取消交易。

自从此类企业学会了一道简单漂亮的手法，取消交易的数量就大幅下降了。方法很简单，只需要让消费者（而不是推销员）来填写销售协议就行了。根据某知名百科全书销售公司的销售培训课程：**个人承诺是预防客户撕毁合同的一种重要心理机制**。和安利公司一样，这些组织发现，只要让人们把承诺写到纸上，就会出现神奇的事情：他们当真会照着写的去做。

还有一种看起来没什么恶意的促销方式，也利用了书面声明的神奇魔法。在开始研究社会影响力武器之前，我根本搞不懂宝洁和通用食品这类大公司为什么总是要举办"25、50或100字"的宣传征文比赛。比赛全都大同小异，参赛者以"我喜欢某某产品，因为……"开头，写一篇短小的个人声明，把当时在售的某种蛋糕粉啦、地板蜡啦有些什么优点吹嘘一番。公司对参赛文章进行挑选，并为获奖者颁奖。我很困惑，公司这么做能得到什么好处呢？参加这种比赛又不必真正购买产品，只要提交一篇短文就够了。可是，各家公司似乎都很乐意掏腰包举办比赛，还办了一次又一次（如图3—1所示）。

图3—1 写下来就是证据

这则广告邀请读者亲笔写下该产品令人喜爱的特征，竞争丰厚的奖金。

如今我揭开了这个谜底。征文比赛的目的是让尽量多的人写下对一种产品的表白，就跟C国人在战俘营搞政治征文比赛一样，两种情形的过程都一样。为了得到吸引人的奖品，参与者自愿写文章——尽管获胜的概率很小。他们知道，要想文章胜出，就必须赞美相关的产品。于是，他们开始寻找该产品值得称道的地方，并在文章里加以描述。随之而来的结果是，成千上万的人以书面形式证明了该产品具有这样那样的优点，在书面文字的神奇推动之下，他们真正相信了自己写下的东西。

众目睽睽

书面声明能有效地真正改变人，原因之一在于它们很容易公诸于众。A、B 两国战争中 A 国战俘的经历，说明 C 国清晰地意识到了一条重要的心理学原理：**公开承诺往往具有持久的效力。**C 国不断把战俘支持 C 国的声明拿给别人看。他们把声明贴在战俘营里，让作者在战俘讨论小组里大声朗读，甚至通过战俘营的广播站加以宣传。反正，对 C 国来说，这些声明弄得越多人知道越好。这是为什么呢？

每当一个人当众选择了一种立场，他便会产生维持它的动机，因为这样才能显得前后一致。我在本章前面的部分提到过，前后一致是一种很好的为人特点；不具备这一特点的人，会被视为浮躁、多变、优柔寡断、糊涂、欠缺稳定；具备这一特点的人，则显得理性、自信、可靠、值得信赖。考虑到这样的背景，也就怪不得人们总是避免显得前后不一了。故此，出于观感上的原因，一个立场越是公开，人就越不愿意对其作出改变。

由杰出心理学家莫顿·多伊奇（Morton Deutsch）和哈罗德·杰拉德（Harold Gerard）所做的一个著名的实验，阐释了当众承诺是如何进一步带来与之一致的行为的。

实验的基本过程是给大学生们看一些直线，让他们先在脑袋里估计一下它们的长度。此时，一组学生需要公开自己的最初判断，把估计值写出来，签上名字，交给实验人员。另一组学生也得对自己的估计作出承诺，但他们只需把数值悄悄写在一块磁性书写板上，并可趁着没人看见将之擦掉。第三组的学生完全不需要对自己作出承诺，记住最初的估计值就行了。

通过这样的方式，多伊奇和杰拉德巧妙地作了安排：让一部分学生对自己的最初决定当众作了承诺，一部分学生私下作了承诺，一部分学生完全不作承诺。多伊奇和杰拉德想找出三组学生里哪一组在知悉自己的判断不正确以后坚持到底的可能性最大。所以，研究人员拿出新的证据告诉所有的学生，他们最初的估计是错误的，现在有机会更正自己的估计值。

结果非常清楚。没把自己的最初估计写下来的学生，对这些选择是最无所谓的。看到新的证据不支持他们脑子里作出的最初决定，这些学生立刻受了影响，赶紧改成了看似"正确"的决定。较之这些没做过承诺的学生，光是把估计值写在磁性板上给自己看的学生便不那么乐意改变主意了。尽管他们是在谁都不知道的情况下对自己作出的承诺，把最初判断写下来的行为，仍然使得他们对新数据产生了抗拒情绪，他们坚持最初的选择不愿更改。然而，多伊奇和杰拉德发现，最不情愿改变初始立场的，还要数那些把最初的估计值当众记录下来的学生，公开承诺把他们变成了最顽固不化的人。

就算是在准确远远重要过保持一致的环境下，也不乏这种死脑筋。有人做过研究，在实验里找来 6~12 人组成陪审团，裁断一桩陈年旧案。较之不记名投票的方式，陪审员举手投票表达意见时，固执己见的人会更多。一旦公开了个人的最初看法，陪审员们就不愿当众改变。要是你有机会在陪审团里当领头的召集人，选择私下投票法（别选当众投票）能帮你减少碰上死脑筋陪审员的风险。

多伊奇和杰拉德的这项发现（也即人会更忠于自己的公开决定）可以善加利用。有些致力于帮人摆脱坏习惯的组织就做得很好。比如，不少减肥诊所就懂得，一个人私下决定减肥，多半会经不住诱惑，经过面包房的橱窗、闻到饭菜的香味、半夜看到美食广告，意志力很容易就溃败了。所以，他们认为，减肥决定必须用公开承诺的大梁来加以支撑。他们要求客户写下近期减肥目标，拿给尽量多的朋友、亲戚和邻居看。诊所经营者报告说，很多时候，其他方法都失效了，这种简单的小策略却能成功。

其实，要想跟公开承诺缔结盟约，没必要专门掏钱去诊所。圣迭戈的一位女士向我讲述了她是怎样靠着公开承诺戒掉了烟瘾：

> 我记得，那是在听说又有一项科学研究表明吸烟会致癌之后的事儿。每回这样的东西一出来，我就会下决心戒烟，可回回都落了空。不过，这一回，我决定必须做点什么。我这个人挺好强的，要是人家看到我有什么坏习惯，我会很介意。所以我想："大概可以利用好强来除掉这个该死的习惯。"于是我就列了一张名单，名单上全是我很希望得到他们尊重的人。接着，我去找了好些空白的卡片，在每一张卡的背面写道："我向你保证，我再也不抽烟了。"

> 短短一个星期，我把这种签了名的卡片寄到了名单上的每一个人手里——我爸、我住在东部的哥哥、我老板、我闺密、我前夫——所有人，当然，我正约会的那个小伙子例外。我当时特别迷恋他，很想他看重我。相信我，我再三想过要不要把卡给他，因为我知道，要是我连对他都保不住承诺，我宁可死了算了。可有一天在办公室——我们在同一栋办公楼里工作，我走到他面前，把卡递给他，一句话也没说就走了。

戒烟真是我这辈子做过的最艰难的事儿了。有好几千次，我都想着要抽上一口。可每到这时，我都会设想，要是我没能信守诺言，我名单上的那些人会怎么轻视我。这样一来，我当真再没抽过一根烟。

额外的努力

书面承诺如此有效还有另一个原因：它比口头承诺需要付出更多的努力。有证据清楚地表明，**为一个承诺付出的努力越多，它对承诺者的影响也就越大**。这样的证据比比皆是，近的就在身边，远的绕到地球对面的原始世界也是一样。付出努力做承诺的例子，在更远一些的地方也有。非洲南部有个叫"汤加"（Thonga）的部落，要求本族每一名男孩都要完成一套复杂的成年仪式，才能真正算是男人。跟许多其他原始部落的少年一样，汤加小伙子也要忍受许多折磨，方可得到族人的接纳，获得成年人的资格。人类学家怀丁（Whiting）、克拉克洪（Kluckhohn）和安东尼（Anthony）简短而生动地描述了这场为期三个月的严峻考验：

等男孩长到10~16岁之间，父母就把他送到"割礼学校"去，这种学校每隔4~5年办一届。在这里，男孩跟其他同龄人一道承受部落成年男性的侮辱和折磨。仪式的第一道关卡由两列手持棍棒的男人构成，男孩要从他们中间跑过去，接受他们的殴打。之后，他的衣服会被剥掉，头发也被剪了。接下来，他要坐在石头上，见一个全身覆盖着狮子毛的"狮人"。这时，有人会从背后偷袭他，等他转过头去看是谁在打他时，"狮人"便抓住他的包皮，两下便割掉它。其后的三个月，他会被隔离在"神秘院"里，只有通过了成年仪式的人才能看到他。

在整个成年仪式当中，男孩主要需经历6种考验：挨打、挨冻、挨渴、吃难以下咽的东西、受罚、承受死亡的威胁。只要稍微给人逮到一点借口，就会有个刚刚过了成年仪式的人痛打他一顿。而这个打他的人，是部落里的长者专门指派的。他睡觉不能盖东西，只能硬生生地忍受冬天的严寒。整整三个月里，他不准喝一丁点儿的水。他吃的东西上，通常会盖着一层从羚羊胃里掏出来的半消化的草，故意弄得十分恶心。违反仪式里任何一条重要规则，他都会遭到严厉的惩罚。比方说，有一种惩罚是在触犯者的手指头之间夹上木头棍，一个壮汉把手合在少年的手上使劲捏，几乎要把他的指头弄断。看管的人会告诉少年们，从前想要逃跑的，或是把秘密泄露给妇女和未成年男孩的人，统统给吊死烧成了灰。少年们听了害怕，只能乖乖就范。

表面上看来，这些仪式显得十分怪异。不过，它们在原理和细节上，都跟学校兄弟会的入会仪式不乏相似之处。大学校园里每年都要按传统举办"地狱周"，申请入会的新手，都要经过老会员设计的一连串活动，旨在考验他们在生理、心理和社交上的承受极限。等这个星期过完了，只有坚持到底、通过了考验的男孩才能跻身正式会员之列。大多数时候，这些折磨只不过会叫人感到分外疲倦虚弱罢了，可负面后果出了格的例子也不时可见。

有趣的是，地狱周活动的特点跟部落成年仪式几乎别无二致。刚才我们说了，人类学家发现，汤加少年在"神秘院"里要承受6种考验。看看报纸上的新闻，每一种考验都能在兄弟会折腾人的入会仪式里找到：

●挨打。14岁的迈克尔·卡罗格里斯在参加高中兄弟会欧米茄-伽马-

德尔塔的"地狱之夜"入会仪式时受了内伤，在长岛一家医院待了三个星期。他被自己将来的兄弟们投了"原子弹"：他们要他把手高举过头，之后兄弟们蜂拥而上，一起狠揍他的肚子。

- 挨冻。一个冬天的晚上，加利福尼亚的一名大学新生弗雷德里克·布朗纳被他将来兄弟会的前辈们带进了国家森林10英里深处的一座3 000英尺的高山上。弟兄们把他留在山上，让他自己找路回去。众人口里的"胖弗雷迪"只穿着单薄的衬衣和便裤，在严寒中瑟瑟发抖，跌下了陡峭的溪谷，摔碎了骨头，碰伤了脑袋。因为受伤无法继续前进，他只好缩着身子抵挡寒冷，直到活生生地被冻死。

- 挨渴。俄亥俄州立大学的新生因为在"地狱周"里违反了新申请入兄弟会者吃饭时必须爬着进餐厅的规定，被关进了"地牢"。"地牢"的门关上之后，在将近两天的时间里，他们只有咸菜可吃。什么喝的东西也没有，除了两个塑料杯子，那是为了让他们接尿喝的。

- 吃难以下咽的食物。在南加州大学校园的卡帕-西格玛兄弟会之家，11名新入会的成员看到眼前恶心的任务不禁瞠目结舌。他们每人的盘子里放着四分之一磅重的生肝。生肝切得厚厚的，浸满了油，男孩们必须将它一口吞下。年轻的理查德·斯旺森把生肝吞下去又吐出来，连续三次都没吃下去。但他打定主意非把它吃下去不可，终于把这块油浸过的肉塞进了喉咙里。可它卡在了那里，怎么弄也上不去又下不来，斯旺森就这么噎死了。

- 受罚。在威斯康星州，一个新申请入会的人因为忘了所有新人都必须在入会仪式上念的一段咒语，遭到了处罚。前辈们要他把脚放在一张折叠椅子的后腿下，然后让体重最重的兄弟会成员坐到椅子上喝啤酒。尽管这个人没有大喊大叫，但在接受惩罚的过程中，他两条腿的骨头都断了。

- 承受死亡的威胁。泽塔-贝塔-滔兄弟会的一名申请人被带到了新泽西州的一处海滩上，他们要他"自掘坟墓"。挖完坑以后，兄弟会的前辈们又要他躺进去，他照作了。几秒钟之后，大坑的侧面垮塌，把他给活埋了。等前辈们把他挖出来时，他已经没了呼吸。

部落的成年仪式和兄弟会的入会仪式之间还有另一个惊人的相似点：它们是不会消亡的。尽管人们想方设法地取缔它们、打压它们，这些仪式却异常顽强地存在着。殖民地政府或大学行政管理部门等权威机构什么办法都用过了，威胁、施加社会压力、采取法律行动、流放、收买、下禁令，想要劝说各方团体放弃入会或成年仪式里的这些既危险又羞辱人的做法，统统没用。权威机构严密监视的时候或许会有所改进，但那不过是做做表面文章——等周围的压力一过去，它们就会立刻浮出水面，只是会进行得更为秘密，更加严厉。

在有些大学，官方也试过用为社区服务的"帮忙周"来取而代之，甚至直接插手控制入会仪式。但兄弟会不是狡猾地规避这类管理，就是直接搞对抗。例如，在理查德·斯旺森窒息死亡之后，南加州大学的校长颁布新规定，要求所有入会仪式都必须由校方审定方可进行，在举办入会仪式期间，还要有成年辅导员在场。据一份全国性杂志报道："新规定引发的骚乱相当暴力，连本市的警察和消防队都不怎么敢进入校园了。"

看到这种必然后果，其他大学的管理者干脆打消了废除"地狱周"的念头。"既然折磨是一种普遍存在的人类行为，而且所有的证据都支持这一结论，你恐怕没办法有效地禁止它。你不让它公开进行，它就干脆转入地下。你不可能禁止人性交，不可能禁止人喝酒，恐怕也不可能消除折磨！"

折磨到底有什么迷人的地方，让这些兄弟会看重到了如此地步呢？每当有人想要取缔入会仪式里有辱人格的危险做法，这些团体都会想方设法地逃避、破坏、抗议，这到底是出于什么原因呢？有人认为，这些群体本身就是由心理扭曲、社交紊乱的人构成的，他们就是想看到别人受到伤害和羞辱。但证据并不支持这一观点。例如，有人研究了兄弟会成员的人格特质，发现他们在心理调整方面比其他大学生还稍微健康一些；再者，兄弟会向来是出了名地积极参加社会上的公益活动，但他们就是不愿意把折磨人的环节从入会仪式里去掉。华盛顿大学进行的一项研究调查了许多兄弟会的章程，大部分兄弟会都有类似"帮助周"的传统，但这种社区服务跟"地狱周"并行不悖。社区服务跟入会程序直接挂钩的例子只有一个。

这样看来，折磨仪式上作恶的那些家伙，大多是心理稳定、关心社会的正常人，只是到了某种特殊的时候——也即新成员加入协会的时候，他们才跟周围的人一起，变得超乎寻常地严苛。证据似乎是在说，仪式本身才是罪魁祸首。它那么严格，必定是因为里面有些东西对整个团体至关重要。折磨新人肯定起到了某种作用，这种作用令兄弟会拼死也要将它维持下去。那这种作用到底是什么呢？

我个人认为，1959年一项社会心理学圈外鲜为人知的研究给出了答案。两名年轻的研究员，艾略特·阿伦森（Elliot Aronson）和贾德森·米尔斯（Judson Mills）想要验证他们观察到的一个现象："**费尽周折才得到某样东西的人，比轻轻松松就得到的人，对这件东西往往更为珍视。**"他们的神来之笔是，选择兄弟会的入会仪式来检验这一猜想。他们发现，忍受了让人超尴尬的入会仪式才得以加入性学讨论小组的女大学生，会觉得自己新参加的这个小组及其讨论非常有价值，尽管阿伦森和米尔斯预先安排好了，让其他小组成员"要多无聊有多无聊，要多无趣有多无趣"。另一些女生经历的入会仪式则比较温和，甚至完全没有通过入会仪式就参加了讨论会，她们觉得自己新加入的这个小组"没意思"。两人又作了进一步的研究，结果也是一样。当女生需要忍受痛苦才能入会时，她们在入会仪式上被电得越痛，她后来就越容易说服自己：新加入的这个小组及其活动非常有趣、聪明、可取。

这下子，入会仪式上的折磨、羞辱甚至是殴打，就都变得有意义起来。

汤加部落里的父亲眼里噙着泪水，眼睁睁地看着 10 岁大的儿子晚上躺在"神秘院"冰凉的地板上瑟瑟发抖；大学二年级学生在"地狱之夜"神经质地大笑着打断兄弟会"小兄弟"的发言——这些并不是什么虐待狂的行为。他们这么做，是为了维持团体的生存。奇怪的是，这样的举动却使得未来的成员觉得自己加入的团体更具吸引力、更有价值。只要人们一直珍惜并相信自己奋斗得来的东西，这些团体就会继续安排困难重重的入会仪式。**团队成员的忠诚和奉献精神，能极大地提高团队的凝聚力和生存概率。**有人研究了 54 种部落文化，发现内部最为团结的部落，都有着最严格、最戏剧化的成年仪式。依照阿伦森和米尔斯的解释，严格的入会仪式极大地强化了新成员对团体的承诺感，不足为奇，各团体必然会想方设法地维系这一事关组织将来存活的纽带，倘若有人想取消它，那可万万不能应允。

军事团体和组织也照样不能免俗。"新兵训练营"里的痛苦极具传奇意味，但又卓有成效。小说家威廉·斯蒂伦（William Styron）用来描述自己在海军陆战队新兵营经历的那些话，照搬到汤加部落（或者形形色色的兄弟会）也没问题：

> 我们在烈日下一个小时接一个小时地进行严酷训练，承受身体和心理上的虐待和羞辱。训练教官时不时地拳打脚踢，动不动就关禁闭，对人进行触及灵魂的可怕辱骂，这一切，搞得陆战队训练基地匡提科和帕里斯就像是自由世界里的集中营。

除了列举"集训噩梦"的可怕之处，斯蒂伦也承认它达到了预期效果：

> 在我认识的前海军陆战队队员里……没有一个人不认为新兵训练是一口严酷的大熔炉，但从这个熔炉里熬出来以后，他们变得更坚韧、更勇敢、更经得起磨难了。

但我们为什么要相信威廉·斯蒂伦——一个作家对这种事情的描述呢？毕竟，对编故事的专家而言，事实与虚构之间的界限大多很模糊。事实上，他说地狱般的军事训练不仅很成功，还达到了预期目的：在成功坚持下来的人之间形成了荣誉和友爱的纽带。我们为什么要相信他呢？有一件活生生的事例至少可以为他的看法提供佐证：

> 1988 年，西点军校学生约翰·爱德华兹因为涉嫌受高年级学生指使折磨新生而遭到开除。西点军校的所有新生都要受高年级学生的折磨，这是该校的惯例，目的是确保新生将来承受得起军校的严酷训练。爱德华兹成绩优秀，在全校 1 000 多名学生里名列前茅。他遭到开除，并不是因为他忍受不了高年级学生的折磨，也不是因为他对新生过分残忍。他犯的错，只不过是因为他没用那些自己觉得"荒谬而毫无人性"的手段折磨新生。

故此，我们再一次看到，**对于一个想要建立持久凝聚力和卓越感的团体来说，入会活动的艰辛能带来一项宝贵的优势，这种优势，是该团体绝不愿轻易放弃的。**故此，不管成员是不愿接受折磨，还是不忍施加折磨，团体都不能容忍。

内心的抉择

不管是 C 国人改造战俘，还是大学兄弟会坚持入会仪式，只要对此类活动加以考察，就可看出一些有关承诺的宝贵信息。能有效改变一个人自我形象和将来行为的承诺，似乎都是当事人当着众人的面，付出努力主动作出的。然而，有效的承诺还有一个比上述三点（公开、主动、付出努力）更重要的特征。为了搞清它到底是什么，我们首先要解决 C 国战俘管理人员和大学兄弟会弟兄们所做的一些怪异举动。

头一桩怪事是兄弟会的章程无不拒绝把公共服务活动纳入入会仪式。前面我们提到过，沃克的调查报告说，兄弟会经常开展社区项目，但社区服务跟入会仪式几乎总是独立开来的。这是为什么呢？倘若说兄弟会的入会仪式追求的是付出了努力的承诺，那肯定可以在里头包括一些艰苦、麻烦的公益活动：修缮一下老旧的房子，到心理健康中心打扫院子，去医院帮忙倒痰盂，这些事儿都是足够累人又不好玩的。再说，这类公益活动能极大地改善兄弟会地狱周仪式在公众心目中和媒体上的负面形象。调查显示，报上每登出一则有关地狱周的正面新闻，就会有五则负面新闻登出。就算光从公共关系的角度考虑，兄弟会也应该把社区服务活动加到入会仪式里，但他们偏不。

要看第二桩怪事，我们得回到 C 国战俘营和那儿为 A 国战俘举办的政治征文比赛上。C 国希望让尽量多的 A 国人参加比赛，不知不觉地写一些支持 C 国的文章。然而，既然想吸引更多的人参与，为什么奖品又这么小气呢？征文比赛的获胜者最多只能得到一些额外的香烟和少量的新鲜水果。从战俘营的环境看，尽管这些奖品还算有价值，但设些更大的奖励再容易不过了：保暖的衣物，通信时的特别待遇，更多的行动自由——这些东西，都可以用来吸引人参加征文比赛。可 C 国人却特意选择了小气的奖品，不选更大、更吸引人的奖品。

尽管背景全然不同，兄弟会拒绝在入会仪式里纳入公益活动，原因跟 C 国不为征文比赛设置更刺激的奖品是一样的：**他们希望参与者对自己的所作所为负责。一旦作了，就没有借口可找，没有退路可选。**新会员在入会仪式上主动承受了非人的折磨，他不可能说自己这么做只是出于慈悲心肠。战俘写了反对自己国家的政治文章的，不能让他有机会在事后耸耸肩说"我只是贪图那份大奖罢了"。绝对不行。兄弟会的章程和 C 国战俘营都是要让人作了以后就回不了头，光让兄弟们、战俘们写出承诺还不够，还得让他们发自内心地为自己做过的事负起责任来。

社会科学家已经确定了一点：**只有当我们认为外界不存在强大的压力时，我们才会为自己的行为发自内心地负起责任**。优厚的奖品就属于此类外部压力，它可以让我们去执行某一行动，但并不足以让我们自觉自愿地对此行动负起责任。顺理成章地，我们也不会觉得该对它有什么承诺。强大的威胁也一样：它能叫人当场顺从，但却不大可能带来长期的承诺感。

这些认识对教育孩子具有重要意义。它表明，对于我们希望孩子真心相信的事情，绝不能靠贿赂或威胁让他们去做，贿赂和威胁的压力只会让孩子暂时顺从我们的愿望。倘若我们不光希望他们暂时顺从，还希望他们相信自己做的事情是正确的，就算我们不在现场提供外部压力，他们也会继续照着我们乐于见到的方式去做，那么，我们就得做一些安排，让他们为自己的行为负起责任来。乔纳森·弗里德曼（Jonathan Freedman）做过一个实验，为我们在这方面提供了一些启示。

弗里德曼找来一种诱人的玩具，对一群 2~4 年级的小男孩说，玩它是不对的。他想看看 6 个星期后自己说的话是不是还管用。熟悉 7~9 岁小男孩儿的人想必都知道这项任务是何等艰巨，但弗里德曼有个计划。他觉得，倘若能够先把男孩儿们说服，让他们发自内心地觉得玩这种玩具是错的，兴许他们之后就真的不会去玩它了。麻烦的是，怎样让孩子们相信玩一种靠电池控制的昂贵机器人确实不对。

弗里德曼知道，让男孩儿暂时听话很简单：只需威胁孩子说，要是逮到他偷玩机器人，他会遭到很严厉的惩罚，之后，大人待在附近假装严厉"执法"。很少有孩子会冒险去碰机器人，他猜得没错。

他给男孩儿依次看了 5 种玩具，并警告说："玩机器人是不对的。要是你玩了它，我会很生气，那时候我做的事情恐怕会让你不好受。"之后，弗里德曼离开了房间几分钟。在此期间，他通过一面单向玻璃暗中观察男孩儿。他先后找了 22 个不同的男孩做此尝试，在他离开的那几分钟里，有 21 个孩子摸都没摸过机器人。

可以看出，只要孩子们觉得有可能被逮到挨罚，强大的威胁就管用。当然，弗里德曼早就猜到了这一点。他真正感兴趣的是，等过上一段时间，当他不在周围的时候，威胁还能不能有效指导孩子们的行为。出于这一目的，6个星期之后，他派了一名年轻的姑娘回到男孩儿们的学校。

姑娘把孩子们从班上逐一叫出来，参与一项实验。她并未提及自己跟弗里德曼有任何关系，只是陪着孩子回到那间放有5种玩具的房间，说要给他做个画画的测试。她一边给测试打分，一边告诉男孩儿，想玩房间里的任何玩具都行。当然了，几乎所有的男孩儿都玩了玩具。

有趣的地方在于，所有玩了玩具的孩子，77%都选了先前禁止他们玩的机器人。因为弗里德曼不能回来执行惩罚，6星期前非常管用的威胁，这下子差不多完全没用了。

弗里德曼的实验并未到此结束。他另选了一组男孩儿，把程序稍微调整了一下。

他仍然先给孩子们看了5种玩具，也对他们说，在自己离开房间期间，别玩机器人，因为"那是不对的"。这一次，他并未威胁孩子，非要他们服从。他只是离开房间，通过单向玻璃观察，看看他的指示是否管用。指示同样管用。和前一组男孩一样，弗里德曼短暂离开期间，22人里只有1个孩子碰了机器人。

6个星期之后，弗里德曼不在场了，孩子们有机会跟机器人玩了，这个时候，两组男孩的真正区别显现了出来。先前没有施以强烈威胁的男孩儿作出了一件令人惊讶的事情：他们明明想玩哪种玩具就可以玩哪种，可大多数人都没去碰机器人，尽管在5件玩具里，机器人的吸引力是最大的

（其他4种玩具分别是：一艘便宜的塑料潜水艇、一只儿童棒球手套，但没有球、一把没上子弹的玩具来复枪、一辆玩具拖拉机）。孩子们选择其中之一来玩时，只有33%选了机器人。

两组男孩身上都出现了戏剧性的结果。对头一组男孩来说，弗里德曼说玩机器人"是不对的"，为了支持这一说法，他向孩子们加以严厉的威胁。在弗里德曼有可能逮到孩子们犯规的时候，威胁很管用。可之后他不在现场观察孩子们的行为了，威胁就没用了，他定的规矩自然也作废了。看起来是这样：威胁并未让男孩们懂得玩机器人是错的，只不过，要是存在挨罚的可能性，玩它不够明智。

对另一组孩子来说，戏剧性的事情来自他们**内心**，而非外部。弗里德曼同样曾告诉过他们，玩机器人是错的，但他并未加以额外的威胁，说要惩罚不照做的孩子。最终结果有两点很重要：首先，光靠弗里德曼的指示，就足以在他短暂离开房间的时候，阻止男孩们玩机器人了；其次，自那以后，男孩们为自己不玩机器人的选择负起了责任。他们认为，不玩机器人是因为他们不想那么做。毕竟，就算他们玩了玩具，也不会受重罚，所以不能用这一点来解释他们的行为。几个星期之后，弗里德曼不在周围，他们仍然不玩机器人，因为他们已经打从内心相信自己不想玩了。

要教育孩子的成年人，可以从弗里德曼的研究里提取一点心得。假设有对夫妇想告诉女儿"说谎不对"。要是家长在场，或女儿觉得会被发现，那么明明白白的严肃威胁（"宝贝儿，说谎不好，要是我逮到你说谎，我会把你的舌头给割掉"）会很管用。但威胁没法实现说服小姑娘的长远目标，也没法让她打心眼里认为：因为说谎是错的，所以我才不想做。所以，家长们需要采用一种更微妙的方法。你得找一个有力的原因，足以让她在大多数时候保持诚实，可这个原因又不能强大得让孩子觉得，自己完全是为了它才保持诚实的。这有点棘手，因为不同的孩子需要的原因也不一样。对有些孩子来说，可能光是请求就够了（"宝贝儿啊，说谎不好，所以我希望你别说谎");另一些孩子,可能要加上一个稍微强烈些的理由("……要是你说谎,我会对你失望的");还有些孩子,兴许还得给予适当的警告("……要是你说谎,我恐怕不得不做些我不想做的事情")。明智的家长自然知道哪种理由对自家的孩子适合,要点是找出一个理由,能让孩子从一开始就照着家长的意愿去做,同时又让他对这一行为自觉自愿地负责。也就是说,这种理由里蕴含的可察外部压力越少,效果就越好。对家长而言,选择一个合适的理由并不容易,但这番努力应该是物有所值的。它决定了孩子是短期内顺从,还是作出了长久的承诺。

出于上文探讨过的种种原因,顺从专家们超喜欢能带来内心变化的承诺。**一来,内心变化一旦出现,就跟当前的环境不挂钩了,它能涵盖所有相关的环境;二来,变化能发挥持久的作用。**因此,一旦人受了诱导,采取能改变自我形象(比如说变成具有公益精神的好市民)的行为,他们在其他多种情况下都有可能热心公益,此时,说不定正好有人想要他们这么做呢!最后,只要新的自我形象维持下来,他们就很可能会继续从事热心公益的行为。

导致内心改变的承诺还有另一点吸引力——它们能自己"长出腿来"。顺从专家不需要费时费力地花功夫巩固人的内心变化,靠保持一致的压力就足够用了,它会搞定一切。等人们逐渐认为自己是热心公益的好市民,就会自觉自愿地从不同的角度看事情。他们会说服自己,人就该这么做。跟社区服务有关的事情,以前他们根本注意不到,现在却会给予关注。他们会听取有利于公益行为的论点,并觉得这些论点比以前更有说服力了。**一般来说,由于人们的内心信仰系统需要保持一致,他们会宽慰自己:我选择的行为是正确的。**生出额外的理由来为承诺的正当性辩护——这个过程中最重要的一点在于,人们找到的理由是新的。故此,就算采取公益行为的最初原因没有了,这些新发现的理由也足以让人继续认为自己的行为是正确的。

这对肆无忌惮的顺从专家们可是天大的美事儿，因为我们会建立新的论据来巩固内心作了承诺的选择。有人便利用这一点，诱惑我们作出这种选择。一旦做好决定，那人便可取消诱因，他知道，我们的决定应该已经自动长出了腿，足够站得稳稳当当了。汽车经销商经常通过一种叫"**抛低球**"的伎俩从这一过程中渔利。我头一回碰到这套手法，是在本地一家雪佛兰汽车经销商那里当销售学员的时候。经过一个星期的基本训练，商家允许我旁观正式的销售员上岗。我立刻注意到了他们"抛低球"的做法。

他们对某些客户提供十分优惠的价格，比如某款车的价格比竞争对手低上 400 美元。不过，这笔划算的交易可不是真的，经销商根本无意兑现，它的唯一目的是让潜在客户决定在本店买车。一旦客户作了决定，经销商就会采取一系列的活动，培养客户的个人承诺感——填写一大堆购车表，安排各方面的贷款条件，有时候，还鼓励客户试驾一整天的车，之后再签合同，"这样你就有了拥有这辆车的感觉，还开着它给邻居和同事看了"。经销商知道，在此期间，客户一般会找出大把的新理由来支持自己的选择，证明自己的投资很划算。

之后便会发生一些事情。有时，销售员会在计算中发现一个"错误"——比如忘了把空调算到成本里，倘若买家还是要空调，那就得把 400 美元重新加到价格当中。为了撇清自己的嫌疑，有些经销商会让银行批贷款的工作人员发现错误。还有些时候，到了最后关头交易突然被驳回了——销售员跟老板汇报工作，老板唱了黑脸："这样子卖车会亏钱的。"买一辆车要好几千甚至上万美元，多上 400 美元似乎没那么肉疼，再说了，销售员会强调，价格跟竞争对手是一样的："这可是你选的车呀，对吧？"

还有更阴险的"抛低球"，潜在客户开着旧车来买新车，销售员答应以旧换新，故意抬高旧车的估价。客户觉得这笔交易太划算了，立刻就想成交。之后，等快要签订合同的时候，二手车经理说，销售员对旧车的估价高了400美元，并把换购补贴降到了正常水平。客户知道扣了钱之后的交易仍然是公平的，也就接受了，有时还会为自己想占销售员的便宜感到愧疚。我亲眼看到过一位妇女向对自己使用了"抛低球"伎俩的销售员道歉——而这时候，她正在签购车合同，销售员马上就能得到一大笔佣金呢！他作出有点受伤的样子，并努力挤出了一个宽容的微笑。

不管用的是哪种"抛低球"手法，顺序总是一样的：**先给人一个甜头，诱使人作出有利的购买决定。而后，等决定作好了，交易却还没最终拍板，卖方巧妙地取消了最初的甜头。**在这种情况下，客户还会买车，看起来似乎不可思议。可它真的管用——当然，不是对所有人都管用，但效果也足够好了，许多汽车卖场都把它当成一项基本的顺从手法。汽车经销商意识到，**个人承诺能建立起一套自圆其说的系统，能为最初的承诺找到新的理由。**大多数时候，这些理由会像粗壮的腿一样，牢牢地支撑起最初的决定，就算经销商把最初的那根腿给抽走，决定也不会坍塌。面对损失，客户会耸耸肩一笑而过，甚至挺开心，因为还有那么多上佳的理由支持着他们的选择。买家们从来没有想过，要不是最初先作了选择，这些额外的理由根本就不会出现。

抛低球手法最叫人印象深刻的一点在于，当事人明明作了一个糟糕的选择，却还觉得挺高兴。那些没什么好选择给我们的人最喜欢这一套了。不管是在生意、社交还是私人场合，我们都能发现他们在抛低球。我的邻居蒂姆就是个真正的低球爱好者。大家想必还记得，他答应改变自己的行为方式，好让女朋友莎拉回心转意，取消跟别人的婚礼，让他回来住。自从莎拉决定选蒂姆以后，她对他更百依百顺了，尽管蒂姆从来没履行过自己的诺言。莎拉解释说，她发现蒂姆身上有好些她从前从没意识到的优点。

莎拉是个低球手法的受害者，我心知肚明。正如我在汽车展示厅看到买家们上了"给你甜头又拿走"策略的当一样，我知道莎拉也中了蒂姆同样的招。蒂姆从来就是老样子，丝毫没有什么改变。可由于莎拉在他身上发现了不少对她来说实实在在的新优点，现在她对之前无法接受的安排深感满意。选择蒂姆的决定，从客观上看实在够糟糕的，可它已经长出了腿儿，站得起来了，还让莎拉感到挺幸福。我从来没对莎拉提过抛低球的知识。我保持沉默，倒不是因为我觉得茫然无知对她更好。我个人从来都认为，多些信息总比少些好，这应该是一条基本的指导原则。只不过，要是我在他们俩的关系上多说一个字，莎拉铁定会恨死我。

本书中讨论的所有顺从技巧，都是既可为善也可作恶的，全看使用者的心术如何了。不足为奇，抛低球手法除了卖新车、跟老情人重建关系之外，还能用在对社会有益的事情上。例如，在艾奥瓦州完成的一项研究表明，抛低球手法能让居民注意节约能源。

> 研究项目是在艾奥瓦州的初冬时节开始的，相关人员到访使用天然气取暖的住户家，他教给住户一些节能技巧，并请他们为了将来节约燃料。所有的住户都答应试试看。可一个月以后，研究人员核对了这些家庭的气表，发现没人真正注意了节能问题（冬天过后又对比了一次，结果也相同）。答应节能的居民的天然气使用量，跟随机抽选出来的、节能宣传员没上过门的住户一样多。看来，光有良好的意图和节能的信息，还不足以改变人们的生活习惯。

项目开始之前，帕拉克（Pallak）和研究小组就意识到，为了改变人们长期的能源使用模式，必须来点别的东西。所以，他们对艾奥瓦的另一组天然气用户采用了稍有不同的程序。

宣传员同样到访了这些家庭，提供节能技巧，要他们注意节能。此外，宣传员还提出了一个额外的条件：要在本地报纸上登出这些答应节能家庭的名字，表彰他们的公益精神和环保态度。这么一来，效果立竿见影。一个月之后，燃气公司上门检查气表，这一组居民平均每户节省了 422 立方英尺（相当于 12 立方米）的天然气。有机会让名字见报，激励这些居民在为期一个月的时间里努力节能。接下来，研究人员开始暗中动手脚。他们取消了最初促使人们节约使用燃料的原因。每户家庭都收到一封信，说明出于种种原因，没办法在报上刊出用户的姓名了。

等冬天过去，研究小组调查这封信给天然气用户们带来了什么样的影响。没了上报的机会，他们重新回到浪费能源的老路上了吗？完全没有。在当年冬天的其他月份，这些家庭节约的能源比头一个月（也即以为自己的名字能见报的时候）还要多！按百分比来看，在以为自己能见报的第一个月，他们节约了 12.2% 的天然气。然而，在收到信、知道自己名字见不了报之后，他们并未"旧病复发"，反倒省下了 15.5% 的天然气。

虽说有些事情不一定完全靠得住，但要理解这些住户坚持节能的行为，有一个现成的解释。在登报表彰的"低球"诱惑下，这些人作了节能的承诺。**承诺一旦作出，就开始长出腿来支撑自己**：居民开始培养新的节能习惯，对身体力行实践公益活动的感觉良好；他们劝说自己，美国必须减少对外国能源的依赖；自家天然气使用费用降低，让他们很愉快；他们为自己的自我克制能力深感骄傲；最重要的是，他们开始觉得自己很有节约精神。有了这些新的理由，先前节能的承诺就显得更为正当了，这样一来，哪怕最初的理由（登报表彰）没有了，承诺还是站得稳稳当当（如图 3—2 所示）。

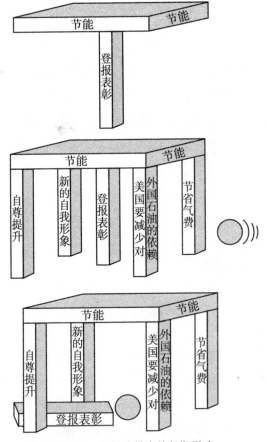

图 3—2　抛低球带来的长期影响

在这个艾奥瓦能源研究的案例中，我们可以看到，人们最初的节能承诺是建立在登报表彰的前提上的（上图）。可没过多久，这种节能承诺就自己生出了新的支撑点，研究小组得以抛出低球（中图）。它碰倒了一开始的上报表彰诱因，可新长出来的腿牢牢地支撑住了节能的做法（下图）。

　　最奇怪的一点是，明知见报表彰已经不可能实现了，这些家庭反倒更加努力地节约能源了。要解释此种现象，许多理由都说得通，但我最中意的是下面这一个。在某种程度上，登报表彰的机会反而让居民没办法全力以赴地履行节能的承诺。他们作出节约能源决定的所有理由都发自内心，可登报表彰却是唯一一个外部因素。有了它，居民们没法说服自己：我节约用气是因为相信这么做正确。如此一来，收到信件，得知登报表彰一事取消之后，妨碍居民们塑造全新自我形象（具有节能意识、关注公益的好公民）的拦路虎也随之消失了，全情投入的崭新自我形象促使他们更努力地节约能源。不论这种解释是否正确，帕拉克的反复研究表明，"抛低球"手法存在隐藏影响并非偶然。

这个实验是在艾奥瓦州居民开始使用中央空调降温的夏天完成的。7月份，较之完全没有接触到此事或从未得到登报表彰许诺的同类居民，得到登报表彰承诺的居民用电量减少了27.8%。7月底，这部分居民收到一封信，说见报一事取消了。但挨了这记低球以后，居民们并未恢复原来的用电习惯，8月份的用电量反而进一步减少了41.6%。和莎拉一样，他们似乎也是因为最初的诱惑而作出了选择。可最初的诱惑没有了，他们反而更加忠于自己的承诺了。

如何拒绝

"保持一致愚不可及。"这是拉尔夫·沃尔多·爱默生的一句名言，至少，我们经常听到有人这么引用它。可这么说实在挺怪的。看看我们周围，跟爱默生说的完全不一样：**保持一致是有逻辑性和智力超群的表现；缺乏这一特点，则会被看成是脑筋不够用，智力有障碍。**那么，像爱默生这么伟大的思想家，怎么会说保持一致是愚不可及的呢？对此我很感兴趣，于是我查阅了这句话的最初来源，它出自《自立》（*Self-Reliance*）这篇散文。原来，问题不在爱默生，而在人们频频引用的版本上。原文是这么说的："死脑筋地保持一致愚不可及。"不知什么原因，"死脑筋"这个重要的限定词，被岁月的流逝给吞噬了。这样一来，爱默生这句本来完全正确的话，变得莫名其妙地经不起推敲了。[1]

---

[1] 这样的情况很常见，哪怕是我们最熟悉的一些引言，也会在时间的流逝中被掐头去尾，意思变得面目全非。比如，《圣经》里并没有说"金钱"是万恶之源，"爱钱"才是。为了避免也犯这种错误，我应当做一点说明：爱默生在《自立》中所写的原文，比我这里摘选的引文更长，内容更丰富。原文为："卑鄙的政客、哲学家和传教士最崇拜死脑筋地保持一致了，这实在愚不可及。"——作者注

我们真的不该丢掉这个重要的限定词，因为据我所知，要对抗结合了承诺和一致性原理的影响力武器，唯一有效的防御措施就是一种思想上的觉悟：**尽管保持一致一般而言是好的，甚至十分关键，我们也必须避免愚蠢的死脑筋。**我们必须警惕不假思索自动保持一致的反应，因为有些耍花招的人正想利用它谋利呢！

不过，由于大多数时候自动保持一致都能让我们作出恰当又合算的行为，所以，我们在生活里不可能彻底摆脱它。那样可就坏事儿了。要是我们不能依照从前的想法和行为顺理成章地做事，而是每次碰到新行动就要停下来想想它有什么好处，我们恐怕一辈子也做不成什么重要的事。机械地保持一致尽管有危险，我们还是需要它。摆脱这一困境的唯一出路，是弄清楚这种一致性有可能让人作出错误的选择。有些信号能给我们提示——具体地说，是两种独立的不同信号。面对其中任何一种信号，我们的身体都会有不同的部位作出反应。

第一种信号很容易识别。每当我们意识到自己中了套、被迫遵从了一个并不想答应的要求，我们的胃就会警铃大作。这种状况我碰到过好几回。在我还没开始研究顺从技巧之前，有年夏天发生了一件特别难忘的事。那天傍晚，门铃响了，我打开门，看到一个穿着短裤和吊带衫的漂亮姑娘。尽管如此，我还是注意到她带着笔记本，想要我参加一项调查。因为想给她留下个好印象，我答应了。我承认，为了让自己的形象显得特别高大光辉，我在回答问题时对实际情况稍微作了点儿夸张。我们的谈话如下：

漂亮姑娘：您好！我正在调查城市居民的娱乐习惯，不知您能否回答我几个问题？

我：请进。

漂亮姑娘：谢谢。我就坐在这儿开始好了。每个星期您出门吃晚餐的次数是多少呢？

我：哦，大概每星期三四次吧。说真的，只要有机会我都是出去吃，我喜欢高档餐馆。

漂亮姑娘：真棒。你晚餐时一般会点酒吗？

我：只点进口酒。

漂亮姑娘：我明白。电影呢？您常去看电影吗？

我：电影院吗？好电影不多啊。我最喜欢看带字幕的外国文艺片儿了。你呢？你喜欢看电影吗？

漂亮姑娘：呃……我喜欢。不过，我们还是回到调查上来吧。你经常听音乐会吗？

我：当然。我最常听的是交响乐。不过，我也很喜欢有档次的流行乐队。

漂亮姑娘：（下笔如飞）很好！还有一个问题。歌剧或芭蕾舞团的巡回演出如何？城里有这类表演时你去看吗？

我：啊，芭蕾啊，动作、韵律和形式都是我喜欢的。写下来吧，我喜欢芭蕾。只要有机会我都会去看。

漂亮姑娘：很好。让我核对一下记录，西奥迪尼先生。

我：确切地说，是西奥迪尼博士，但这听起来太一板一眼啦，你叫我鲍勃多好。

漂亮姑娘：好的，鲍勃。根据您给我的信息，我很高兴地说，参加"美国俱乐部"您每年能省下 1 200 美元！只要交一点点的会员费，您刚才提到的大部分活动就都可以打折啦！像您这么喜欢社交活动的人，肯定会利用我们公司的服务来享受特大优惠吧？

我：（像只落入陷阱的老鼠）呃……嗯……我……呃……我猜会吧！

我记得很清楚，当我结结巴巴答应下来的时候，我的整个胃都缩紧了。

这是一个明白无误的信号："嘿，你上当啦！"但我看不到出路，我被自己说的话逼到了绝路上。此时拒绝她的提议，有可能出现两种结果，但两种结果都不怎么乐观：如果我想收回前言，说自己并不是刚才在采访里说的那种时髦的城里人，我就成了骗子；如果是不收回前言就拒绝它，我又成了一个傻瓜蛋，居然会放过能省下 1 200 美元的机会。我买下了姑娘提供的娱乐套餐，尽管我知道自己是掉入了陷阱。为了跟先前说的话保持一致，我中了招。

不过打那以后我再也不上这种冤枉当了。如今，我会倾听肠胃的声音，还找到一个办法来对付那些想要利用一致性原理坑我的人——只需要一语道破他们在干嘛就行了，这成了我的完美反击战术。每当我的肠胃告诉我，仅仅因为想要跟最初所做的保持一致就顺从别人的要求是很愚蠢的——我会把这一点原原本本地说给提要求的人听。我并不否认保持一致的重要性，但我想指出，**顽固地保持一致荒谬透顶**。不管提要求的人听了以后是内疚地离开，还是困惑地撤退，这对我都是件好事：我赢了，利用我的人输了。

有时我会想，要是多年前的那位漂亮姑娘现在跑来向我卖娱乐套餐券会是个什么情形。我已经准备好了应付的办法。之前的对话都一样，只不过结尾焕然一新。

漂亮姑娘：……像您这么喜欢社交活动的人，肯定会利用我们公司的服务来享受特大优惠吧？

我：（自信满满）大错特错。你瞧，我意识到这是怎么回事了。我知道，你表面上说是做调查，实际上是为了让人们告诉你他们有多喜欢出门，而在这种情况下，说得夸张些也很自然。但既然知道了这事儿动机不纯，我才不会让自己掉入"作了承诺就想保持一致"的自动陷阱里去呢！"按一下就播放"的那一套对我没用。

漂亮姑娘：啊？

我：好吧，这么说吧：第一，要是我在本来不想要的东西上花钱，那我就是个猪脑子；第二，最可靠的权威人士——也就是在下的肠胃明确指出，我不想买你的娱乐套餐，第三，如果你还是觉得我会买它，那你就太天真了。当然喽，一个像你这么聪明的人，应该能理解吧？

漂亮姑娘：（像只落入陷阱的漂亮小老鼠）呃……嗯……我……呃……我猜可以吧。

肠胃不是感觉特别敏锐的器官。只有人明明白白是受骗了，它才能反应过来，向大脑传递这一信息。其他时候，如果我们挨宰挨得不是那么明显，肠胃也不会警铃大作。在这类的情况下，我们必须到其他地方寻找线索。我的邻居莎拉是个很好的例子。她向蒂姆作了一项重要的承诺：取消跟前男友的结婚计划。承诺自己长出了腿，哪怕作出承诺的最初理由已经没了，她还是一如既往地坚守承诺。她用新找到的理由说服了自己，相信自己作了正确的事，于是继续跟蒂姆在一起。不难看出为什么莎拉的肠胃没缩紧，只有做的事情自己都觉得不对，肠胃才能提醒我们。莎拉不是这样。照她想来，自己选得很正确，所以行为也该和选择保持一致。

不过，除非我彻底猜错了，莎拉身体上有一部分意识到自己选错了，也知道她目前的生活方式是在冥顽不灵地保持一致。那个部位到底藏在哪儿，我们说不清，但在人类的语言里，早就给它起好了名字：**心灵深处**。从定义上来说，在这个地方，我们没法自欺欺人。这个地方，我们自己找的那些所谓的理由和借口统统渗透不了。莎拉的真相也在那里，尽管她现在还没法清晰地听见它发出来的信号：她新找出来的支撑腿脚不光站得挺稳，还发出噪音干扰她呢！

要是莎拉选蒂姆选得不怎么高明，那她得死扛多久才能明确地意识到这一点，才会出现一场大规模的心灵动荡呢？谁也说不清。但有一点很肯定：随着时间的推移，能代替蒂姆的备胎男友也会越来越少。她最好赶紧弄清自己是不是犯了错。

自然，说起来容易做起来难。她必须回答一个极度纠结的问题：**"知道了我现在掌握的这些情况，要是时间能够倒流，我还会作出同样的选择吗？"** 问题就出在"知道了我现在掌握的这些情况"上，现在她对蒂姆的情况到底掌握了哪些呢？她对蒂姆的看法，有多少是为了想要证明自己所做承诺正当而绝望地编造出来的呢？莎拉说，自从她决定重新跟他在一起之后，他更关心她了，努力地戒酒，还学会了做很好吃的鸡蛋卷。我尝过几次他做的鸡蛋卷，对此很是怀疑。不过，最重要的问题在于，她是从心灵深处相信这些东西，还是只在理性上觉得是这样呢？

这里有个小办法，莎拉可以用它来弄清自己目前对蒂姆的满意度有多少是出自真心，有多少是出自死脑筋的一致性。心理学证据表明，面对一样东西，我们总是先体验到感觉，过上短暂的一瞬间之后，才能将之理性化。照我猜测，心灵深处发出的信息是一种纯粹而基本的感觉。因此，如果我们多注意训练自己，应该可以在感觉十分轻微、认知器官还没来得及插手的时候就觉察到它。根据这一方法，倘若莎拉真的向自己提出了关键问题——"我会作出同样的选择吗"，她最好是寻找和信任自己在作出反应那一瞬间所感受到的乍现灵光。这抹灵光很可能就是她内心深处发来的信号，它是趁着她为自己找的各种借口还没发挥作用偷偷溜出来的，一点不失真。①

每当怀疑自己做事时犯了死脑筋保持一致的毛病，我就试着使用这个

---

① 这倒不是说我们对问题的感觉总是跟理性认识不一样，总是更加靠得住。然而，确实有数据清楚地表明，我们的情感和信念往往并不在同一个方向上。因此，倘若当前局面牵涉到有可能使自己产生合理支撑点的承诺，感觉提供的忠告通常更为准确。诸如莎拉的幸福一类事关情感的问题，尤其如此。——作者注

办法。比方说，有一次，我停在加油站的自助加油泵跟前，在这里汽油的广告价要比本地区其他加油站每加仑低两分钱，但等把加油泵拿起来，我才看到泵上的标价比广告价要高两分钱。我向路过的服务员（后来我才知道他就是老板）提出异议，他低声说，价格几天前刚刚调整过了，还来不及把招牌上的价格改过来——当然了，这套说法不怎么可信。我试着决定该怎么做，脑袋里跳出了好些留下来加油的理由——"我必须得加油了"、"油泵空着，我又急着要赶路"、"我好像记得，我的车用这个牌子的汽油开起来更顺畅"。

我得判断这些理由到底是真的，还是我为就在这儿加油的事找的借口。于是我向自己提出了关键问题："知道这里汽油的实际价格以后，要是能回到先前，我还会作出同样的选择吗？"我集中注意力捕捉最先迸发的感受，收到了一个毫不含糊的明确答案：我会马上开车走人，甚至停都不会停下来。这时我知道，要不是看在价格便宜的份上，其他的原因根本就不会让我停下来加油。它们不是我作出决定的源头，是我作了决定之后才生编硬造了它们。

解决了这一点之后，我还得作出另一个决定。既然我已经把油枪拿在手里了，那到底是把油加上好，还是忍受不便，到别的地方出一样的价格加油好呢？幸好，这时候加油站服务员兼老板走过来帮我拿定了主意，他问我为什么迟迟不加油。我告诉他我不喜欢他在价格上弄手脚，他咆哮起来："听着，我怎么做生意是我的事，别人少插嘴。要是你觉得我骗了你，赶紧把油枪放下，尽快滚出我的地盘，小子。"因为已经肯定他是个骗子，我很高兴地照着自己的信念行事——同时也满足了他的愿望。我把油枪放下，开着车走了。有时候，保持一致也挺值得一做呢！

读者报告

来自一位住在俄勒冈波特兰的女性

一天，我跟人约好了一起吃午饭，正要穿过波特兰市中心，一个好看的年轻小伙子带着一抹友好的微笑把我拦住了。他说了一句很打动人的话："麻烦您，我正在跟人比赛，需要一位像您这么漂亮的姑娘帮帮忙。"我颇感怀疑，因为我知道周围比我漂亮的女人多得是。不管怎么说，我当时毫无戒备，也很好奇他到底想干什么，就停下了脚步。他解释说，要是能让一个陌生人在他脸上亲一下，他就能在某个比赛里得分。现在想来，我觉得自己并不算是个糊涂虫，真不应该相信他这番鬼扯。但他相当坚持，再说我马上就要迟到了，于是我想："管它的，赶紧亲这家伙一下，我就可以脱身了。"于是我作了一件一反本性的事：在波特兰人潮汹涌的市中心，亲了这个陌生人的脸颊。

我以为这事儿就算了结了，哪知这才刚刚开了个头。在我亲完他之后，小伙子马上说："您吻得真好，但我真正参加的比赛是订杂志。您一定是个很主动的人，我这里的杂志，您对哪些感兴趣呢？"事到如今，我本该踹这家伙一脚，再立马走掉。但不知怎么回事，或许是因为我答应了他的第一个请求吧，我觉得应当前后一致，竟然又答应了他的第二个请求。没错，连我自己都不敢相信，我居然订了一本滑雪杂志（我偶尔也喜欢读，但从没想过要订）。我给了他5块钱的预订费，飞快地走掉了。我对自己的所作所为充满了挫败感，但并不明白是怎么回事。

尽管现在回想起这件事来我仍然觉得很反胃，可读了您的书之后，我终于晓得其中的奥妙了。小伙子那一套之所以如此有效，是因为一旦人们作了一个小小的承诺（在我的例子中，就是亲了他一下），就往往会找出理由证明自己做的没错，从而愿意作出进一步的承诺。当时，我劝说自己答应他的第二个请求，因为只有这样，才能跟之前的行为保持一致。要是我只听从自己的"肠胃信号"，就不会受那么大的羞辱了。

作者点评：本例中的杂志推销员借助一个吻，从两方面利用了一致性原理。第一，当他请文中的姑娘给他的订杂志比赛帮个忙时，姑娘已经先帮了他一个忙了（就是最初的那个吻）；第二，要是姑娘对一位男性的印象好到愿意吻他一下，再帮他一个忙也就再自然不过了。

在人人想法都差不多的地方，没人会想得太多。

——沃尔特·李普曼

第**4**章

Influence 社会认同

The Psychology of Persuasion

| 我们就是真理 |

　　我真不知道有什么人会喜欢"罐头笑声"①。事实上，有一天我曾对来我办公室的人——几个学生、两名电话修理工、若干大学教授，还有保安作了一番调查，大家无一例外对其持批评态度。挨骂最多的是电视台，还有它那套笑声音轨，以及靠技术来增强喜感的制度。我问的人全都讨厌"罐头笑声"。他们说，这么做愚蠢、虚假、肤浅。尽管我采访的样本很小，可我敢打赌，它真实反映了大部分美国公众对笑声音轨的负面感受。

　　那么，为什么电视台的高级主管们这么喜欢"罐头笑声"呢？他们因为知道如何迎合公众的需求，才得以名利双收。然而，他们却虔诚地采用遭到观众反感的笑声音轨，哪怕他们旗下许多才华横溢的艺术家提出抗议也照用不误。好些著名导演、编剧和演员都要求从自己担纲的电视节目里取消"罐头笑声"。可这样的要求很少能顺利得到电视台高层的采纳，而且成功的也无一不是经过激烈抗争才实现的。

　　"罐头笑声"对电视台高层的吸引力到底在哪儿呢？为什么这些精明老练的人死抱着一种潜在观众讨厌、旗下创作人员反感的做法不放手呢？答案既简单，也耐人寻味：他们听了研究的话。实验发现，使用"罐头笑声"，会让观众在看到滑稽节目时笑得更久、更频繁，认为节目更有趣。

---

① 指电视台播放情景喜剧时，在"观众应该笑"的地方插入的笑声录音。——作者注

121

此外，一些证据表明，对糟糕的笑话，"罐头笑声"最为有效。

从这些数据来看，电视台高层的做法完全合理。把笑声音轨加入喜剧节目，哪怕节目品质低下，观众也会觉得很有趣、很滑稽、很好看。既然如此，电视上充斥着大量插入"罐头笑声"的拙劣情景喜剧，又有什么好奇怪的呢？高管们知道自己在做什么。

解决了电视台大用特用笑声音轨这道谜题，一个更叫人困惑不解的问题又冒了出来：为什么"罐头笑声"能对我们产生那样的影响呢？显得怪异的不再是电视台的高层了，他们只不过是依照逻辑和利益来做事罢了。相反，观众们的行为才有些奇怪呢。为什么我们会对着打了机械笑声鸡血的喜剧节目笑个不停呢？为什么我们会觉得这种拙劣的喜剧更可笑了呢？高管们并不是真的在愚弄我们，随便谁都能识别出混音插入的笑声，它是那么的俗气，一下就能听出是伪造的，谁都不会把它跟真正的笑声弄混。我们很清楚地知道，我们听到的笑声跟先前笑话的幽默程度毫不相关，它不是真正的观众在现场同步发出来的，而是机械师在调音台上人为制造出来的。可是，尽管它伪造得那么假，却仍能对我们起作用！

社会认同原理

要揭示为什么"罐头笑声"有这样的作用，我们首先需要了解另一种强大影响力武器的性质：社会认同原理。该原理指出，**在判断何为正确时，我们会根据别人的意见行事**。这一原理尤其适用于我们对正确行为的判断，特定情形下在判断某一行为是否正确时，我们的看法取决于其他人是怎么做的。

看到别人正在做，就觉得一种行为是恰当的，这种倾向通常都运作得挺不错。以符合社会规范的方式行事，总比跟它对着干犯的错误少。大多数时候，很多人都在做的事，也的确是应该做的事。社会认同原理的这一特点，既是它的强项，也是它的主要弱点。和其他影响力武器一样，它为我们判断如何行事提供了一条方便的捷径，与此同时，选择使用这条捷径的人，也很容易遭到沿途伺机出手的牟利者的攻击。

就"罐头笑声"一例而言，问题出在这儿：**我们对社会认同的反应方式完全是无意识的、条件反射式的，这样一来，偏颇甚至伪造的证据也能愚弄我们。**我们利用其他人的笑声来帮助自己判断哪些地方好笑，这没什么愚蠢的，因为它完全吻合证据确凿的社会认同原理。可我们傻在对明显是伪造出来的笑声也出现了这个反应。不知怎么回事儿，幽默的一个空洞特征——笑声跟幽默的实质一样管用。第1章提到的火鸡和臭鼬的例子很有启发意义。由于"叽叽"的特殊叫声一般是跟刚出生的小火鸡联系在一起的，火鸡妈妈完全根据这一声音来给予关照。结果，只要在充气臭鼬身上播放小火鸡叽叽叫的声音，就能愚弄火鸡妈妈，模拟的"叽叽"声足以启动火鸡妈妈的母爱磁带。

火鸡和臭鼬的故事，很好地解释了普通观众和播放笑声音轨的电视台高层之间的关系，虽说有点让人不太舒服。我们太习惯拿其他人的反应来判断节目是否好笑了，我们听到声音就作出反应，并不考虑事物的实质，这样一来，声音也可以愚弄我们。就好像"叽叽"声能刺激火鸡妈妈的哺育行为一样，预先录制好的"哈哈"笑声也能刺激我们发笑。电视台的高管们利用了我们的捷径偏好，以及我们对偏颇证据作出自动反应的倾向。他们知道笑声音轨能启动我们的磁带。按一下，就播放。

利用社会认同来谋取利益的不光只有电视台高管。"别人都在做的事情肯定错不了"，这种心态在很多场合都会遭到利用。每晚开始营业前，调酒师常常会在自己的小费罐子里放上几张之前客户给的票子，给后来的客人留下一个印象：把钱折起来当小费是酒吧里司空见惯的礼貌行为。出于同样的原因，教会募款员也会在筹款箱里放上一些钱，以期产生同样的积极影响。基督教传教士也有一套广为人知的做法：他们在听众当中安插"托儿"，到了特定的时间，这些托儿就走上台做见证或捐款。

广告商喜欢告诉我们一种产品"增长最快"或"销量最大"，因为这样一来，他们就没必要直接说服我们这种产品质量有多好，而只需说其他很多人是这么想的就足够了。电视慈善捐款的制作人会花上相当长的时间，不断播出已经认捐的观众的名单。这一信息显然是想告诉还没行动的观众："看哪，所有的人都决定要捐钱了。这肯定是一件正确的事情，该做。"一些夜总会的老板会在会所很空的时候，故意让门口排起长队，为自家夜总会的质量制造可见的社会认同品牌。销售员也受到指点，要多多提到已经有多少多少客户购买了自家的产品。销售兼励志顾问卡维特·罗伯特（Cavett Robert）在给销售学员的建议中准确总结了社会认同原理："95%的人都爱模仿别人，只有5%的人能首先发起行动，所以，要想把人说服，我们提供任何证据的效果都比不上别人的行动。"

研究人员也会使用以社会认同原理为基础的手法，它们有时能取得相当惊人的结果。心理学家艾伯特·班杜拉（Albert Bandura）一直在运用此类手法消除不受欢迎的行为。班杜拉和同事们介绍了一套十分简单的方法，让患有恐惧症的人摆脱极端的害怕情绪。

他们选出一些害怕狗的学龄儿童，让他们看一个小男孩快乐地跟狗玩耍，每天看20分钟。通过这样的展示，害怕狗的孩子们在反应上出现了明显变化，仅仅过了4天，67%的孩子就都愿意爬进围栏跟狗玩耍了，等其他人都离开了房间，他们仍然继续抚摸、逗弄狗。此外，一个月后，研究人员再次测试了孩子们的害怕程度。他们发现，孩子们的好转并未随着时间的推移而有所减退，还比从前更乐意跟狗互动了。

人们又对另一组极端怕狗的孩子作了实验，发现了一项极具实践价值的重要情况：要减少孩子们的恐惧情绪，不一定非得让另一个孩子在现场跟狗玩耍，播放电影片段也具有同样的效果。要是电影片段里有许多孩子跟狗的互动，效果会最好。显然，倘若很多其他人都提供了相同的行为证据，社会认同原理将最为有效。[1]

图4—1　追寻更高的意义
群体的吸引力太强大啦！

示范影片在改变儿童行为上的强大影响力，也可以用来治疗其他多种病症。心理学家罗伯特·奥康纳（Robert O'Connor）对学龄前自闭儿童的研究为此提供了一些惊人的证据。我们都见过这样的儿童：极度害羞，别的孩子玩游戏、分组活动时，他们孤零零地站在边上。奥康纳担心这种早期行为有可能是长期自我孤立模式的先兆，而人一旦自我孤立，整个成年时期都会在社交上碰到困难、无法调整。为了逆转这一模式，奥康纳作了如下实验。

---

[1] 同一种行为，做的人越多，越显得正确。要是有读者怀疑这一点，不妨来做个小实验（如图4—1所示）。站在川流不息的人行道上，找一处空空如也的天空或高层建筑，凝视它整整一分钟。这期间不会发生什么——大多数人会头也不抬从你身边走过去，几乎没人会停下来跟你一起盯着看。接下来，第二天，你到同一个地方，带上4个朋友跟你一起抬头望天。60秒内，肯定会有一群路人停下来，跟你们一起朝上仰脖子。就算行人不跟你们一起发傻，也抵挡不了暂时朝上看一看的压力。纽约的三名社会心理学家曾经做过这个实验，要是你尝试的结果跟他们一样，那么，你和朋友们能使80%的路人一起抬头朝那空空如也的地方看。——作者注

他制作了一部包含了幼儿园里 11 种不同场景的电影。每个场景都以一个孤僻的孩子观看某种集体活动开始，但让大家欣慰的是，这个孩子最终也积极地参与了进去。奥康纳从 4 家幼儿园挑选了一组自闭症最严重的孩子，给他们看这部电影。效果相当显著。看了电影之后，自闭症小朋友立刻开始跟同龄人互动起来，跟幼儿园里普通的孩子一样了。更令人吃惊的是 6 个星期后奥康纳回到幼儿园时发现的情形：没有看过奥康纳电影的孩子一如既往地自闭，可看了它的孩子们现在甚至能主动发起一定的社会活动了。

看起来，这段 23 分钟长的电影，只要看过一次，就足以扭转有可能持续一辈子的适应不良行为模式。这就是社会认同原理的威力。①

为说明社会认同的影响力有多大，这里有一个我最喜欢的例子。它的吸引力表现在以下几个方面：首先，它为参与式观察提供了一个绝佳的样本。所谓参与式观察，指的是科学家亲身涉足到某件事的自然发生过程当中，观察整个过程，但这种方法尚未得到普遍的应用。第二，这个例子能为历史学家、心理学家和神学家等不同群体提供他们各自感兴趣的信息。第三，也是最为重要的一点，它表明我们自己——是的，就是我们自己，不是别人，会怎样使用社会认同来进行自我宽慰，把幻想当成事实。

这是一个古老的故事，不妨翻翻从前的历史，它在过去数千年的宗教活动里从来就没绝迹过。各教派和邪教都有过预言：到了一个特定的日子，

---

① 不过，另一些研究表明，电影表现的社会认同也有正反两方面的作用。电影再现对儿童起到的突出作用，使得许多人很担心电视上频繁的暴力和攻击场面会给孩子造成不良影响。虽说媒体上的暴力与观众作出攻击行为之间的因果关系并不像人们想的那么简单，但有人对这一主题的 28 个不同实验作了审查，结论很叫人信服。在电影上看到别人作出攻击行为时，儿童和青少年在个人生活中也会变得更具攻击性（指跟观看非攻击行为的样本相比）。最近，美国公众对营养不良导致的肥胖问题愈发关注，卫生官员担心媒体上的快餐消费广告可能使人们出于社会认同效应，作出缺乏营养的饮食选择："要是广告里人人都订购了额外的辣鸡翅，那我也可以订。"针对亚裔、拉美裔、非裔和白人儿童所做的研究证明了这一点。一家人看到的快餐广告越多，他们吃的快餐也越多。但这并不是说，广告改变了家长对快餐的态度，而是因为家长们觉得吃快餐在自己的社区里越发普遍了，这跟社会认同机制是相吻合的。——作者注

信奉本教教义的人能获得拯救，享受极乐。所有的预言都说，这一天会发生一件重要得不容否认的大事，通常，它指的是世界末日的到来。不过，让信徒们感到绝望的是，事实证明，此类预言统统是假的。

可是，从历史记录来看，预言落空之后紧接着就会出现一种令人难以理解的情形。大多数时候，信徒们并不会因为幻想破灭而如鸟兽散，反倒信仰越发坚定。他们顶着普通人的嘲笑，走上街头，公开宣讲他们的教条，怀着强烈的热情发展皈依者。总之，哪怕教派的基本教义都成了泡影，信徒的狂热也丝毫不曾减退。公元 2 世纪的土耳其孟他努教派是这样，16 世纪的荷兰再洗礼教派是这样，17 世纪的伊兹密尔沙巴泰教派是这样，10 世纪美国的米勒教派还是这样。所以，有三名对这一现象感兴趣的社会学家认为，当代芝加哥的一支末日邪教恐怕也会这样。这三名科学家——利昂·费斯廷格（Leon Festinger）、亨利·里肯（Henry Riecken）和斯坦利·沙克特（Stanley Schachter）——当时是明尼苏达大学的同事，听说了芝加哥邪教，觉得有必要仔细做一番研究。他们决定改名假扮成新信徒，加入该邪教作调查。他们还额外出钱安插了一些观察者到里面。这样一来，对预言末日到来前后所发生的一切，他们掌握了丰富的第一手资料。

这支邪教的信徒很少，成员从未超过 30 人。为首的是一对中年男女，为方便日后发表论文，研究人员将两人分别称为托马斯·阿姆斯特朗医生、玛丽安·基奇夫人。阿姆斯特朗医生在一家大学的学生健康中心就职，对神秘主义、超自然现象和飞碟一直很感兴趣。所以，说到这些议题，他是邪教组织里受人尊重的权威。不过，基奇夫人才是大家的关注焦点，教派活动也以她为中心。这一年的早些时候，她开始收到来自其他星球神明——她称为"守护神"的信息。这些信息，通过所谓的"自动书写"设备从基奇夫人手里源源不绝地冒出来，构成了该教派宗教信仰体系的主体。"守护神"的教诲和传统的基督教思想有着或多或少的联系。

"守护神"传来的信息，本来就是教派信徒诸多讨论和阐释的主题，可等它们预言即将发生一场大灾难——一场始于西半球、最终淹没整个世界的特大洪水时，它立刻获得了新的意义。出于可以理解的原因，教众们一开始非常惊恐，可随后的信息宽慰他们说，凡相信基奇夫人所传教诲的人，都能幸免。灾难降临之前，会有太空人出现，把信徒用飞碟带去安全的地方——有可能是另一个星球。有关营救行动的其他细节很少，但信徒们要做好登上飞碟的准备，预先排练特定的口令（"我把帽子留在家里了。""你有什么问题吗？""我就是自己的挑夫。"），把衣服上的所有金属配件取下来——因为携带金属物品会使飞碟在飞行时"极其危险"。

费斯廷格、里肯和沙克特观察了教众在洪水爆发日到来之前数个星期的准备，注意到他们的行为有两个特别重要的方面。**首先，对邪教信仰体系的投入程度极高。**因为觉得就要离开即将毁灭的地球了，信徒们采取了一些无法挽回的举措。大多数信徒的家人和朋友都反对他们的信仰，可这些人却固执己见，哪怕失去旁人的关爱也义无反顾。有好几名成员的邻居和家人甚至威胁要对他们采取法律行动，宣告他们精神失常。阿姆斯特朗医生的姐姐就向法院提出诉讼，要求取消他对两名年幼孩子的监护权。许多信徒辞掉了工作，中断了学业，全职投入到邪教活动中。有些人还觉得个人财产很快就没用了，于是要么将其送人，要么将其扔掉。这些人分外肯定真理掌握在自己手里，所以他们顶住了来自社会、经济和法律等各方面的巨大压力。而在跟所有压力对抗的同时，他们对教义的虔诚信奉也随之深化。

洪水到来之前，信徒们行为的第二个重要方面是一种古怪的无所作为。毫无疑问，他们深深相信自家的教义，但却很少将其对外宣扬。虽说一开始他们公布了大难即将到来的消息，但他们并未积极尝试转化别人的观念。他们愿意发出警报，劝告那些主动作出回应的人，但至多于此。

这个小群体不愿招募新信徒的表现多种多样。除了不愿劝说别人，他们还想方设法地保密——教义若有多余的复印件，统统烧毁；制定密码和秘密手势；部分私人录音带的内容不得和外人讨论（这些录音带非常隐秘，连老信徒都不得对其做笔记），他们想方设法避免外界关注。随着灾难日的临近，聚在该教派总部（也就是基奇夫人家）外的报纸、电视台和电台记者越来越多。大多数时候，信徒们把记者拒之门外，或是置之不理。要是有人问问题，最常见的回答是"无可奉告"。有一段时间，记者们感到很是气馁，但等阿姆斯特朗医生因为搞宗教活动被大学医疗中心开除之后，他们又报复般蜂拥而至。有个记者特别固执，甚至受到吃官司的威胁。洪水来临的前一天晚上，记者们再度挤过来要信徒们透露信息，照例也被驱散了。事后，研究人员总结了教派在洪水降临日之前对公众曝光和吸纳新成员的立场："面对声势浩大的媒体宣传，他们想尽一切办法保持低调，不为名声所动。明明有无数的机会可以发展信徒，他们却回避、保密，呈现一种近乎超然的漠不关心态度。"

终于，赶走了所有的记者和想来投奔的信徒，教众们开始为登上预计在午夜到达的飞船做最后的准备。在费斯廷格、里肯和沙克特眼里，这场面简直是一出荒诞剧。本来普普通通的人——家庭主妇、大学生、高中生、出版商、医生、五金店伙计和他妈妈，却认认真真地参加演出。他们从两名定期与"守护神"联系的成员那里接收命令，除了玛丽安·基奇的书面信息，那天晚上还有"伯莎"做补充。伯莎从前是个美容师，通过她的嘴

129

巴，"造物主"下达指示。他们勤奋地排练台词,齐声呼喊飞碟到来前的口号:"我就是自己的挑夫"、"我就是自己的指南针"。此时来了一名访客,自称是"录像船长"——当时一出电视剧里的虚构人物带来了些口信。信徒们居然认真讨论起这到底是恶作剧,还是该把他说的话当成救援飞船捎来的密报。

因为不能带任何金属物品上飞碟,信徒们把衣服上所有的金属零件都取了下来。鞋子上的金属扣眼被挖掉了;妇女们要么不戴胸罩,要么扯掉了胸罩里的金属撑架;男人们使劲搞掉了裤子上的拉链,皮带也不用了,改用绳子系住裤腰。

信徒们去除金属物件的狂热情形,有一位研究者亲身体验过。还有25分钟就到午夜了,他忘了取下裤子上的拉链。这位研究者这样说:"周围的人知道这件事,立刻恐慌起来。他被推进卧室,阿姆斯特朗医生双手颤抖,眼睛每隔几秒就看看时钟,他用一把刀片把拉链割掉,又用钳子拧掉了金属扣。"紧张的行动结束之后,研究员回到客厅——身上少了些金属器件,脸色却更加苍白了。

很快就要到预言里离开地球的时间了,信徒们安静下来,无声无息地期待着。幸运的是,训练有素的科学家们详细地记录下了这一重要时间段里发生的事情。

最后10分钟,客厅里的信徒分外紧张。他们什么也没做,只是把外套放在膝盖上,坐着等待。在紧张的沉默当中,两座时钟滴答滴答地走动,声音十分响亮,有一座钟比另一座快了10分钟。走得快的那座钟指向了12点零5分,一位观察员(也即在场的科学家)大声地指出了这个事实。人群齐声答道,午夜还没到呢!鲍勃·伊斯曼肯定地说,走得慢的那座钟计时准确,因为他下午才亲手校准过。而从钟上看，还有 4 分钟就到午夜了。

这 4 分钟在一片死寂中流逝，没有一丝杂音冒出来。壁炉架上（走得慢）的时钟显示，离飞碟的预计降临时间只有一分钟了，玛丽安紧张地高声叫了一嗓子："还没有哪次安排落了空！"时钟敲了 12 下，每一声敲击都清晰得令满怀期待的信徒们痛苦万分。他们一动不动地坐着。

人们兴许指望着出现一些明显的反应。午夜过去了，什么事也没有发生。大洪水还有不到 7 小时就要来了，但此时看不见屋里的人有什么反应。没人说话，没有声响。信徒们呆若木鸡地坐着，脸部似乎凝固了，毫无表情。马克·波斯特是唯一还能动弹的人。他躺在沙发上，闭着眼睛，但没有睡觉。过了一会儿，跟他说话的时候，他能哼哼出几句单音节的回答，可还是躺着一动不动。其他人表面上没有什么变化，可后来才知道他们受了沉重的打击。

渐渐地，一种绝望和混乱的气氛在痛苦中笼罩了整个小团体。他们再三检查着预言和相关信息，阿姆斯特朗医生和基奇夫人重申信念，信徒们仔细审视了当前的困局，提出了一个又一个的解释，但都不满意。到了凌晨 4 点，基奇夫人崩溃了，痛哭起来。她抽泣着说，她知道有人开始起疑心了，但整个教派必须向最需要它的人给予支持，人们必须紧紧地团结起来。其余的信徒也逐渐沉不住气了，他们颤抖着，好多人都快哭出来了。现在将近凌晨 4 点 30 分了，解决困境的办法却还没找到。这时候，午夜飞碟没能前来营救的事儿，大部分人也都公开地承认了。教派似乎面临解体。

在一片怀疑的阴云中，信徒们的信心马上就要破碎开来，研究人员却接连目睹了两件不同寻常的事情。第一件事出现在凌晨 4 点 45 分左右，玛丽安·基奇的手突然"自动书写"，记下了天上传来的神谕。她大声地朗读出来，事实证明，这段信息为当晚发生的事情作出了优雅的解释："小教团，你们独坐了整整一晚，你们散发出的光芒，让上帝拯救了世界，使之免于毁灭。"虽然这个解释简洁有力，但本身还不够令人满意。比方说，听了神谕以后，一名信徒站起身来，戴上帽子，穿上外衣，一走了之，再也没有回来。要恢复信徒们的信心，还需要来点额外的东西才行。正是为了满足这一需求，第二件值得注意的事情出现了。在场的研究人员再一次为读者们提供了生动的描述：

教派里的气氛顿时为之一变，信徒们的行为也跟着变了。宣读了解释预言不中的信息之后，短短几分钟里，基奇夫人就又收到了一段信息，要她将该条神谕公诸于世。她拿起电话，拨打一份报纸的电话。在等电话接通的时候，有人问："玛丽安，这是你第一次亲自打电话给报纸吗？"她立刻回答："哦，是的，这是我第一回给他们打电话。以前我从来没什么可以告诉他们的，但现在我觉得事出紧迫。"整个小团体都对她的感觉有了共鸣，因为所有人都觉察出了一种紧迫感。玛丽安打完电话后，其他成员轮流给报纸、通讯社、电台和全国范围发行的杂志打电话，告知洪水未曾降临的原因。因为想要迅速而又轰动地把消息传播开来，信徒们把以前严加保密的事情公开了。就在几个小时之前，他们还使劲躲着报纸记者，觉得媒体的关注让人痛苦，现在却热心地想要曝光了。

不光长久以来的保密政策来了个大转弯，教派对转化潜在信徒的态度也完全不同了。之前，对拜访总部、有意投靠的新人，信徒们大多是置之不理、拒之门外，要不就马马虎虎地敷衍了事。可预言落空之后的这一天，一切都变了。他们接待所有的访客，回答所有的问题，努力改变来访者的信仰。信徒们招纳新成员的愿望空前高涨，最能说明这一点的，是在第二天晚上9名高中生来找基奇夫人谈话的时候。

> 他们发现，她正跟人在电话里讨论飞碟的事儿，过了一会儿才知道，她认为对方是个外星人。玛丽安既想继续跟他说下去，又急着招待新客人，于是就让他们也来参加谈话。在一个多小时里，她跟客厅里的客人和电话那头的"外星人"轮流说着话。她太想劝人改变信仰了，简直容不得放过任何机会。

信徒们在态度上发生了180度的大转弯，原因何在呢？一开始，他们沉默寡言、对上帝旨意严加保密，可仅过了几个小时，他们就成了热心的宣传家，到处传播神的福音。预言里的大洪水根本没来，不信他们那一套的人会觉得这个教派及其教条全是闹剧。是什么使得他们选择了这样一个完全不合适的时机呢？

一切的关键就发生在"洪水"之夜的某个时候，所有人都越来越清楚地意识到，预言不会实现。奇怪的是，**驱使信徒们宣扬其信仰的，并不是先前的确定感，而是一种逐渐扩散的怀疑**。他们稍微摸到了点头绪：要是飞碟和洪水的预言根本是错的，那么整个信仰体系恐怕都站不住脚。对蜷缩在基奇客厅里的人们而言，这种很快就要变成现实的前景太恐怖了。

信徒们已经走得太远了。为了自己的信念，他们放弃了太多东西，要是信念破产了，他们也完了。由此而来的耻辱感、经济成本和旁人的嘲弄，都让人承受不起。从他们自己的话里，可以看出坚持信仰是信徒们的关键需求。一位带有三岁小孩的年轻妇女说：

> 我非得相信洪水会在 21 号来袭不可，因为我已经用光了所有的钱。我辞了工作，从电脑学校退了学，我不能不信。

外星人预定到达的时间过了 4 小时之后，阿姆斯特朗医生对一位研究人员说：

> 我已经走了好长的一段路了。我几乎放弃了一切，我跟所有人都断了交，我拆掉了回头的每一座桥，我背弃了世界。我绝不能怀疑，我只能相信。事实只有这一个，其他的全是假的。

想象一下阿姆斯特朗医生及其追随者在清晨来临时陷入了什么样的窘境吧！他们为自己的信仰许下了太多承诺，容不下其他的真相了。然而，这套信仰刚刚遭到了现实的无情冲击：没有飞碟降落，没有外星人敲门，预言说的一切都没发生。既然唯一可以接受的真理被现实证据彻底否认了，教众们要摆脱困境就只有一条路可走了。它必须为信仰的有效性建立另一种证明形式：**社会的认同。**

这样就解释了他们为什么从保守秘密变成狂热宣传，同时也说明了他们态度的转变为什么会发生在这个关头——信仰直接遭到否定，最是难以说服外人的时候。他们必须冒险直面外界的嘲笑和轻视，因为宣传和吸纳新人是他们唯一的指望了。要是他们能传播神谕，告诉那些不知情的人，说服持有怀疑的人，并在这个过程中拉拢新人，那么，他们遭到威胁的宝贵信仰便能更加真实。社会认同原理这样说，认为一种想法正确的人越多，持有这种想法的人就越会觉得它正确。教派的任务很明确：既然事实证据无法更改，那就只有改变社会证据了。你能说服别人，自己也必然信服。[①]

死亡原因：不确定

本书讨论的所有影响力武器都有适用的条件，在有些条件下其效果好些，在有些条件下其效果差些。倘若我们要保护自己免受这类武器所伤，那么了解它的最佳适用条件，明确我们在什么时候最容易受它影响，也就毋庸置疑是最为重要的了。关于社会认同原理最适用的条件，我们已经可以从芝加哥教派的例子中看出一点端倪。信心的动摇，引发了他们吸纳新人的需求。**一般来说，在我们自己不确定、情况不明或含糊不清、意外性太大的时候，我们最有可能觉得别人的行为是正确的。**

在审视他人反应，消除不确定性的过程中，我们很容易忽视一点微妙而重要的事实：其他人有可能也在寻找社会证据。尤其是在局面模糊不清的时候，人人都倾向于观察别人在做什么，这会导致一种叫做**"多元无知"**的有趣现象。深入地理解"多元无知"现象，能帮我们解释一道在全国频频出现的谜题（也有人说，这叫举国之耻）：受害者迫切需要帮助，全体旁观者却无动于衷。

看客袖手旁观的经典例子，从纽约市皇后区的一起寻常凶杀案拉开序

---

① 大概是因为接下任务时太过绝望，信徒们招募新人的努力彻底失败了，他们没拉拢到一个愿意皈依的人。到了这个时候，整个教派在物质和社会上面临双重失败，很快就解体了。洪水预言破灭后不到三个星期，教派成员就如鸟兽散，只在彼此间维持着零星的沟通。预言的最后一次失灵，就是整个教派毁在了这场从未发生的洪水里，真有些讽刺。

　　不过，预言失灵的世界末日教派也不一定全是这个下场。要是它们能够行之有效地招募到新人，为自己的信仰建立起社会认同，它们还能繁荣发展呢！举例来说，荷兰的再洗礼教派预言1533年世界会毁灭，但那一年太平无事地过去了，之后，教徒狂热地招募皈依者，为此投入了前所未有的精力。据说，有个口才超人的传教士，雅各布·冯·康朋，一天之内就给100人施了洗礼。社会认同的力量如同滚雪球般越来越大，巩固了再洗礼教派的地位，并很快逆转了他们预言落空的不利局面。荷兰大城市里三分之二的人口都成了该教派的追随者。——作者注

幕。这件事在新闻界、政治界和科学界掀起了轩然大波。一位20多岁的姑娘，凯瑟琳·吉诺维斯深夜下班回家，在住所所在的街道上遭到杀害。谋杀并不是一件小事，可在一座像纽约这么大、人口这么多的城市里，吉诺维斯事件本来只能在《纽约时报》上占个小小的角落。要不是因为人们犯了一个错误，凯瑟琳·吉诺维斯的消息，本该在她出事那天——1964年3月里的一天就销声匿迹的。

《纽约时报》都市版的编辑 A. M. 罗森塔尔（A. M. Rosenthal），碰巧在一个星期之后跟市警察局长吃了个午餐。罗森塔尔向局长打听皇后区发生的另一件凶杀案，可局长以为他问的是吉诺维斯一案，就说警方调查发现了一些惊人的内情。凡是听说的人（局长也包括在内）都十分讶异，很想找出解释。原来，凯瑟琳·吉诺维斯并不是无声无息，一下子就死掉的。她遭受的攻击持续了很长时间，她受了许多折磨，弄出了很大的声响，而这一切就发生在大街上。袭击者追上她，攻击了她三次，她大喊救命，过了整整35分钟，袭击者的刀子才终于夺走了她的性命。令人难以置信的是，38名邻居从公寓的窗户里眼睁睁地看着，都不愿动动手指、打电话报警。

罗森塔尔是个从前得过普利策奖的老道记者，他一听到这故事就觉得它有报道价值。当天他就派了个记者调查"旁观者眼里的"吉诺维斯事件。一个星期之内，《纽约时报》发表了一份长长的头版文章，掀起了读者们的争论和反思。报道的头几段就为整个故事奠定了基调，确立了焦点：

> 半个多小时里，凶手在基尤加登斯跟踪一位妇女，并对其施以三次攻击，而皇后区38位尊敬的、遵纪守法的公民们却漠然视之。
>
> 有两次，他们的声音、他们卧室突然亮起的灯光打断了凶手的攻击，把他吓跑了。可两次他都回来了，重新跟上她，用刀子

刺她。惨剧发生期间，没有一个人打电话报警，直到妇女死后，才有一个目击者报了警。

那是两星期之前的事了。但负责皇后区凶杀案调查、干了25年警察工作的助理总督察弗雷德里克·卢森（Frederick M. Lussen）仍然大感震惊。

他能背出一连串的凶杀案，但基尤加登斯的刺杀案却让他极为不解，因为那么多"好人"居然都不报警。

跟助理总督察卢森一样，震惊和不解几乎是所有知晓这个故事详情的人的标准反应。警察、新闻记者和读者们先是惊讶得目瞪口呆，之后便是困惑。38个"好人"怎么可能在那样的情况下无所作为呢？没有人搞得明白，凶杀案的目击者们自己也觉得莫名其妙。"我不知道，"他们一个接一个地回答说，"我确实不知道。"有几个人给自己的袖手旁观找了些站不住脚的理由。比方说，有两三个人解释说，他们"害怕"、"不想卷入其中"。不过，稍微推敲一下，就知道这些理由并不成立：只要匿名给警察打个电话，就能救回凯瑟琳·吉诺维斯一命啊！这丝毫不会给目击者将来的安全带来威胁，也不会浪费他们的时间。不，旁观者无所作为，并不是因为害怕，也不是因为害怕给自己的生活添乱。这里头别有内情，只是他们自己也说不清。

但困惑是出不了好新闻的，所以，《纽约时报》和其他媒体——几家报社、电视台和杂志社在跟进后续报道时都强调了当时找得出来的唯一解释：和我们大多数人一样，目击者们漠不关心，根本不想卷进这种事情；美国变成了一个自私自利、麻木不仁的国家；现代生活——尤其是城市生活的冷峻，把人变成了铁石心肠，他们成了"冷漠社会"的一分子，面对同胞的困境，他们表现得无情而又麻木。

为支持这一阐释，详尽描述公众麻木冷漠的新闻报道隔三岔五地刊登出来。不切实际的社会评论家们也发表了一系列的议论，支持此种论调。这群人面对媒体的时候，似乎从来就不承认自己也感到困惑不解过，同时他们还认为吉诺维斯一案有着重大的社会意义，他们都用了"冷漠"这个词。值得注意的是，《纽约时报》头版报道的标题也是"冷漠"，尽管大家对冷漠的成因各有看法。有人认为冷漠是电视大肆宣扬暴力所致，有人认为是人的攻击性受到了压抑。但大多数人扯出了都市生活的"人格解体"，"特大型都市社会"中"个体与群体的疏远"，就连头一个报道这条新闻、后来还就该主题写了一本书的记者罗森塔尔，也赞同城市导致冷漠的理论。

没人说得出为什么 38 名目击者看到吉诺维斯小姐遭到攻击，却不曾拿起电话，因为他们自己也不知道原因。但可以设想，他们的冷漠的确是大城市的一个特点。要是数百万人围着你，挤着你，那么为了避免他们不断地侵犯你，唯一的办法就是尽可能地无视他们。这几乎是一种心理生存策略了。在纽约和其他大城市的生活当中，人会条件反射般地对邻居和他们的麻烦置之不理。

随着吉诺维斯事件的热炒——除了罗森塔尔的书，它还成了众多报纸和杂志文章的焦点，几段电视新闻纪录片也是围绕它拍的，它还被排成了一场百老汇的演出——两名纽约心理学教授，比布·拉坦纳（Bibb Latane）和约翰·达利（John Darley）对这件事产生了职业上的兴趣。他们翻检了吉诺维斯事件的报道，根据社会心理学的知识，提出了一种看起来最让人难以置信的解释：目击者都没报警，恰恰是因为当时有 38 个人在场。之前的报道都在强调，38 个人袖手旁观，没有采取任何行动。拉坦纳和达利却认为，没人帮忙，正是因为有这么多的旁观者。

两位心理学家推测，**现场有大量其他旁观者在场时，旁观者对紧急情况伸出援手的可能性最低**，原因至少有两个。第一个原因很浅显，**周围有其他可以帮忙的人，单个人要承担的责任就减少了**，"说不定其他人会帮忙或打电话，说不定其他所有人已经这么干了。"因为人人都想着会有别人帮忙（或者别人已经帮了忙），结果人人都没帮忙。第二个原因从心理学的角度来看更有意思，它建立在社会认同原理之上，并涉及到多元无知效应。**很多时候，紧急情况乍看起来并不会显得十分紧急**。倒在小巷里的男人，是心脏病发作了，还是只是喝醉了酒？隔壁的喧闹是需要报警的暴力打斗，还是只是夫妻俩在吵吵闹闹，外人干涉不必要也不恰当？到底是怎么回事？碰到这种不确定的情况，人很自然地会根据周围其他人的行动来加以判断。我们可以根据其他目击者的反应方式，得知事情到底够不够紧急。

可我们很容易忘记，其他旁观该事件的人恐怕也正在寻找社会证据。因为我们所有人都喜欢显出一副镇定自若、从容不迫的样子，我们可能只是暗中瞟着周围的人，不动声色地寻找证据。这样一来，在每一个人眼里，其他的人全都是镇定自若的，没打算采取什么行动。于是，在社会认同原理的作用下，人们觉得这起事件没什么紧急的。根据拉坦纳和达利的说法，这就是所谓的"多元无知"状态，"**每个人都得出判断：既然没人在乎，那就应该没什么问题。与此同时，危险也有可能累积到这样一个程度：某一个体不受看似平静的其他人所影响，采取了行动**"。[1]

---

[1] 芝加哥合众国际社发表的一篇报道，彻底阐明了多元无知现象有可能导致的悲剧性后果：

警方周六说，一名女大学生在本市最受欢迎的一处旅游景点，于光天化日之下遭到殴打并被勒死。

周五，一名12岁男孩在艺术学院围墙边的浓密灌木丛中玩耍，发现了23岁的李·亚历克西斯·威尔森的裸尸。

警方推论，她遭到袭击时，有可能正坐在或站在艺术学院南广场的喷泉附近，而后，行凶者将她拖进了灌木丛中。警方说，她明显遭到了性侵犯。

警方表示，有好几千人从案发地点经过，一名男子曾报告说在下午两点前后听到一声尖叫，但并未深究，因为似乎没有其他人注意到。——作者注

　　拉坦纳和达利的推论得出了一个有趣的结果，即对紧急事件的受害者而言，"人越多越安全"的想法有可能完全错误。跟一群人在场比起来，要是当时的旁观者只有一个，说不定急需救助者的生存概率反而更大一些。为了验证这一不同寻常的论点，达利、拉坦纳和他们的学生、同事展开了一次系统化的感人研究项目，得出了一组明确的结果。实验的基本程序是模拟紧急事件，只不过有时候是让一个人看到，有时候是让一群人看到。而后，他们记下紧急事件受害者在两种情况下所得到的援助次数。他们的第一次实验是让一名纽约的大学生假装癫痫病发作。要是在场的只有一名旁观者，85%的时候他都得到了帮助，而有5名旁观者在场时，"病人"得到帮助的概率就降到了31%。既然几乎所有单个的旁观者都出手帮了忙，说我们处在一个不关心他人痛苦的"冷漠社会"就显得不那么理直气壮了。很明显，是其他旁观者的在场，使得人们施以援手的概率降到了可耻的水平（如图4—2所示）。

图4—2　受害者？

　　类似图中的这种情况，无法肯定当事人是否需要紧急救助，因此就算此人真的需要帮助，人群中恐怕也很难有人会伸出援助之手。想想看，如果你是图中的第二个过路人，恐怕你也会受第一个过路人的影响，觉得倒在地上的人并不需要帮助。

还有些研究考察了旁观者的普遍冷漠态度在多大程度上是社会认同导致的。研究人员在紧急事件的目击者里安插"内鬼"，要他们装成什么事也没发生的样子。例如在纽约的另一次实验中，看到门缝里冒出烟雾，75%的单个旁观者报了警；而对于同样的事情，要是有三个人同时旁观，报警的概率则是38%。要是这三个人里有两个都是"内鬼"（研究人员事先就告诉他们别插手），则采取行动的旁观者人数最少，报警的概率只有10%。多伦多也进行过一项类似的研究，单个旁观者提供紧急救助的概率是90%；可要是一个旁观者旁边有两个不动声色的旁观者，给予救助的概率则仅为16%。

旁观者什么时候会提供紧急援助，社会学家们现在认识得很清楚了。首先，跟"我们成了一个冷酷无情的社会"这种看法不同，目击者们只要确信出现了紧急情况，就很可能会出手相助。在这种情况下，旁观者自己帮忙或叫人帮忙的数目，都是颇令人感到欣慰的。以佛罗里达州的4次独立实验为例。研究人员模拟事故现场，让一位维修工人出演。前后作了两次实验，当该名男子明明白白地受了伤，需要帮忙时，100%的旁观者都出了手。在另外两次实验里，要帮忙，就有可能会触电，但仍有90%的旁观者伸出了援手。而且，不管旁观者是一个人还是一群人，主动帮忙的概率都很高。

可要是旁观者无法肯定看到的是不是紧急情况，局面就大不相同了。此时，单个旁观者比一群旁观者（尤其是当这群人互不相识的时候）更有可能帮助受害者。**多元无知效应似乎在陌生人里显得最为突出：因为我们喜欢在公众面前表现得优雅又成熟，又因为我们不熟悉陌生人的反应，所以，置身一群素不相识的人里面，我们有可能无法流露出关切的表情，也无法正确地解读他人关切的表情。**因此，潜在的紧急事件得不到应有的关注，受害者倒了霉。

仔细观察这一连串的研究结果，就能发现一个模式颇具启示意味。降低紧急事件受害者获得旁观者救助概率的所有条件，多见于城市，而少见于农村地区：

- 城市里喧嚣、吵闹、变化更快的地方多，在这些地方，人们很难确定发生的事件是什么样的性质。
- 城市里人口更多，目击潜在紧急事件时，多个人在场的概率更大。
- 跟小镇相比，城市居民认识邻居的比例要低得多，因此，城市居民更有可能跟一群陌生人共同目睹一起紧急事件。

城市环境的这三种自然特征——混乱、人口众多、相识度低，极为吻合研究所揭示的降低旁观者出手救助概率的因素。故此，我们用不着什么"都市人格解体"和"城市居民疏远"等可怕概念，就能解释城市里为什么会出现如此之多旁观者不作为的例子。

以不那么险恶的术语解释了现代都市生活的危险性，并不意味着这种危险就消除了。更何况，随着世界人口加速向城市转移——未来10年里，全人类有一半都将生活在城市当中，降低此类危险的需求越来越大。好在我们对旁观者的"冷漠"有了新的理解，带来了真正的指望。靠着这一科学认识，紧急事件的受害者可以极大地提高自己获得他人救助的概率。这里的关键是意识到，**旁观者群体没能帮忙，不是因为他们无情，而是因为他们不能确定**。他们不帮忙，因为他们无法确定紧急情况真的存在，也无法确定此时是否需要自己采取行动。只要他们明确地意识到自己有责任插手干预紧急事件，他们是一定会作出反应的。

既然我们现在知道，敌人只是单纯的不确定状态，那么，紧急事件的受害者就有可能通过减少不确定性保护自己。设想一个夏天午后，你在公园里参加音乐会。音乐会结束的时候，人们开始离场，你发现自己的一只胳膊略感麻木，但你以为没什么好大惊小怪的。然而，当你随着人群朝远处的停车场走去时，你感觉麻木在扩展，手也僵了，半边脸也硬了。你困惑不解，决定靠在树下休息片刻。很快，你意识到麻烦大了。坐下来没有丝毫帮助，事实上，你的肌肉控制力和协调力越来越差，你逐渐连嘴巴都难于动弹，快说不出话来了，你想站却站不起来。一个可怕的想法冒出来："啊，天哪，我中风了！"人们成群结队经过你身边，可大部分人都没注意到你。少数几个人注意到了你跌倒在树下的古怪样子，或是你脸上难看的表情，但他们看了看周围的人，想寻找社会证据，却发现其他人并没露出关心的样子，也就觉得没出什么事儿，径直走开了。

　　要是你发现自己处在这样的困境里，你该怎么做来克服不利于获得救助的困难呢？由于你的身体能力正在退化，抓紧时间至关重要。要是你在引人前来救助之前丧失了说话能力、行动能力，甚至连意识也没了，那你获得帮助、恢复健康的概率必然大幅下降。因此赶紧得到帮助非常重要。那么什么样的求救形式最有效呢？呻吟、叹息或喊叫恐怕无济于事。它们能让别人注意到你，但其信息量还不足以让路人确信存在真正的紧急情况。

　　如果光是呼喊难以引来过路群众的援手，你恐怕应该更有针对性一些。事实上，你要做比尝试吸引注意更多的事情，你应当清楚地喊出你需要帮助。你不能让旁观者来判断你的情况，不能让他们认为你没什么要紧的。要用"救命"这样的字眼表现你需要紧急救助，别担心会不会是自己搞错了。这里，尴尬是你要镇压的头号敌人。如果你认为你中风了，那你可没功夫去管自己是不是把问题说得太严重了。你是愿意承受一时的尴尬，还是愿意就这么死掉，或是终身瘫痪？

　　就算是高声呼救，也不见得是最有效的。它或许可以让旁观者不再怀疑此刻是否存在紧急状况，但却无法消除他人心目中另外几个重要的疑点：

你需要什么样的救助？我应该上前帮忙，还是让其他更有资格的人来做？是已经有其他人去找专业人士来帮忙了，还是该我去找？旁观者怀着这些困惑茫然地望着你，对你来说生死攸关的时间就这样转瞬即逝。

很明显，身为受害者，除了提醒旁观者你需要紧急救助之外，你还必须多做点什么——你要消除他们的不确定性，告诉他们怎样提供救助，谁该提供救助。什么样的办法才最有效、最可靠呢？

根据我们已经看过的研究结果，我的建议是从人群里找出一个人来，盯着他，直接指着他说："你，穿蓝夹克的那位先生，我需要帮助。请叫救护车来。"这样一句话，消除了一切有可能阻碍或拖延救助的不确定性，你把穿蓝夹克的先生放在了"救助者"的位置上。他现在应该明白，紧急救助是必要的；他也应当理解，负责提供救助的不是别人，而正是他本人；最后，他还应该很清楚自己要如何提供救助。各项科学证据表明，只要你这样做，你就应该会得到快速、有效的帮助。

因此一般而言，在需要紧急救助的时候，你的最佳策略就是减少不确定性，让周围人注意到你的状况，搞清楚自己的责任。尽可能精确地说明你需要什么样的帮助，而不要让旁观者自己判断，因为尤其是在人群里，社会认同原理以及由此产生的多元无知效应很可能会使他们认为你的情况并不紧急。在本书提到的所有顺从技巧里，这一条恐怕最为重要，必须记住。毕竟，要是没得到紧急救助，你说不定就没命了。

不久以前，我为这一观点找到了一些第一手的证据。

> 我在十字路口发生了一场严重的车祸。我和对方司机全都受了伤：他倒在方向盘上昏迷不醒，我脚步踉跄地下了车，血滴滴答答地洒在路上。周围的汽车慢慢从我们身边开过去，司机们目瞪口呆，

却并未停车。我突然想起："哦，对了，这不是跟研究的结果一样吗？他们全都走开了！"很幸运，身为社会学家，我对旁观者的研究有所了解，及时地想到了这一点。我从研究发现的角度反思了一下当前的困境，马上知道该怎么做了。我站直身子，好让别人能把我看得清楚些。接着，我径直指着一辆车的司机："打电话报警。"又指着第二辆和第三辆车的司机："停车，我们需要帮助。"不光他们飞快地过来帮了忙，人们的善意也传染开来，更多的司机自发停了车，去照看另一位受害者。

社会认同原理现在发挥作用了，这个窍门让帮助我们的雪球滚动了起来，一旦实现了这一点，剩下的事情就全交给社会认同原理的自然动力去完成了。

有样学样

正如我之前所说，跟其他影响力武器一样，社会认同原理也有最适用的条件。我们已经探讨了这些条件中的一个：不确定性。毫无疑问，人们在不确定的时候，更容易根据其他人的行为来判断自己该怎么做。除此以外，还有一个重要的适用条件：相似性。**我们在观察类似的人的行为时，社会认同原理能发挥出最大的影响力。**这类人的行为让我们意识到自己该怎样做才正确。因此我们更倾向于仿效相似的人，而不是跟我们不同的人。

我认为，近来电视上普通人做的广告越来越多，原因就在这里。广告客户现在知道，要向普通观众（这些人构成了最大的潜在市场）推销一种产品，最好的办法就是表现其他"普通人"喜欢它，爱用它。所以，我们频繁看到电视上的老张、老李、老王盛赞某个品牌的软饮料、止痛药或洗衣粉。

科学研究为我们提供了更多有力的证据，说明相似性在决定我们是否仿效他人行为中的重要意义。几年前，哥伦比亚大学的心理学家作了一次很有意思的实验。

研究人员把钱包放在曼哈顿市中心的几个不同的地方，观察人们发现它们之后会怎么办。所有的钱包里都装着两块钱现金、一张26.30美元的支票、写有"钱包主人"姓名和地址的资料。除此之外，钱包里还有一封信，说明这个钱包不是掉了一回，而是两次。信是先前找到钱包的人写给"失主"的，他正打算归还钱包。信里说，他很乐意能帮到忙，有机会以这种方式助人为乐，他感觉非常好。

只要有人找到这样的钱包，他马上就能明白，这个好心人在去邮局的路上又把钱包弄丢了，因为钱包装在写有失主地址的信封里。研究人员想知道，在捡到钱包的人里，有多少会仿效前一个人的行为，把它物归原主。不过，研究人员在把钱包放到地上之前，对那封信作了一些手脚。一封信看起来是普通的美国人用标准英语写的，另一封信里则写着蹩脚的英语，写信人自称是刚来美国的外国人。换句话说，从这封信来看，最初那个虚构出来的拾到钱包并打算归还的人，一部分就像是普普通通的美国人，另一部分则不像。

现在出现了一个有趣的问题：如果头一个捡到钱包的人跟普通美国人相似，那么，发现信和钱包的曼哈顿人是否更容易受到他的影响呢？答案一目了然：倘若头一个捡到钱包的是外国人，只有33%的人归还了钱包。可要是后头捡到钱包的人觉得前一个好心人跟自己一样，归还钱包的可能性就变成了 70%。这些结果清晰地显示了社会认同原理发挥作用的一个重要条件：**我们会根据他人的行为来判断自己怎么做才合适，尤其是在我们觉得这些人跟自己相似的时候。**

　　不光成年人有这样的行为倾向，儿童也一样（如图 4—3 所示）。例如，健康研究人员发现，在学校开展反吸烟活动时，只有当同龄的孩子头儿以身作则时，活动才能实现持久的效果。另一项研究发现，看过表现一个小孩主动去看牙医的影片之后，跟片中小孩同龄的儿童去看牙医时的焦虑感大幅降低。几年前，我曾想方设法减少我儿子克里斯的另一种焦虑情绪，要是那时候我就知道后一项研究结果就好了——虽说那时它还没有发表。

图 4—3　年轻人的独立思考

　　我们经常认为，青少年思想叛逆而独立。然而，我们必须认识到，这种态度只针对家长。在同龄人群体里，青少年同样要根据社会认同来判断自己怎么做才合适。

　　我住在亚利桑那州，家家户户后院都有泳池。遗憾的是，每一年，总有几个孩子跌入无人看管的泳池溺水而死。所以，我下定决心，要趁早教会克里斯游泳。克里斯倒是不怕水，相反，他还很喜欢水；问题在于，不带上游泳圈，他就不肯下泳池。不管我怎么劝他、哄他、羞他，他还是不肯放弃游泳圈。我白忙活了两个月，什么进展也没有，就雇了我的一个研究生来帮忙。虽说当过救生员和游泳教练，但他也跟我一样失败了，他甚至没法劝克里斯脱下游泳圈划一下水。

就在这个时候，克里斯参加了一次户外野营，组织者提供了一系列的活动，包括到一个大型游泳池去游泳，克里斯小心翼翼地没敢去。有一天，就在我的研究生无功而返之后没多久，我去营地接克里斯，却惊讶地看到他从跳板上纵身一跃，栽进了深深的游泳池里。我惊慌失措地赶紧脱了鞋，想跳进去救他，结果他顺顺当当从水里露出脑袋，划到了泳池边上——那里站着目瞪口呆、手里提着鞋子的我。

"克里斯，你会游泳了！"我兴奋地说，"你会游泳了！"

"是呀，"他若无其事地回答，"今天刚学会的。"

"太了不起啦！太了不起啦！"我兴高采烈，手舞足蹈，"但你怎么今天不再需要游泳圈了呢？"

"我都三岁了，汤米也三岁。既然汤米可以不带游泳圈游泳，我想我也可以吧！"

我真想狠狠踹自己一脚。毫无疑问，在寻求自己能做什么、应该做什么的相关信息时，克里斯会去参考小汤米，而不是一个 6 英尺 2 英寸高的研究生。要是我好好想想，早点让小汤米来给克里斯当榜样，就用不着这么徒劳无功地忙活好几个月了。我应该早点注意到野营里的小汤米会游泳，然后跟他的父母安排一下，找个周末让男孩们在我家的游泳池玩上一下午。我猜那样那天结束之后，克里斯就能甩掉游泳圈。

既然有一种因素能让 70% 的纽约人归还钱包（或是减少孩子吸烟的概率，或是让他们不害怕去看牙医），那么我们必然觉得它十分强大。可说到社会认同对人类决定的巨大影响，研究结果只揭示了很小的一部分。在我看来，最能说明这一影响的例子，来自一则看似荒诞的统计：**每当自杀上了头条新闻，飞机——不管是私人小飞机、企业的喷气式飞机，还是商业航班就会以惊人的速度掉下天空。**

例如，研究显示，每当自杀新闻炒得热火朝天，死于商业客机坠毁事故的人数便会激增 10 倍！更惊人的是，不光坠机而死的人增多，发生致命车祸的人也急剧增多。这到底是怎么一回事呢？

有一种现成的解释马上冒了出来：能让某些人自杀的社会条件，同样也能让另一些人死于意外。比方说，面对紧张的社会压力（经济衰退、犯罪率上升、国际局势紧张等），某个人可能会以自杀来结束这一切。面对同样的事情，其他人则会作出不同的反应，他们可能会愤怒、急躁、紧张或分心。要是这样的人在驾驶、修理我们的汽车和飞机，那这些交通工具的安全性必然会有所降低，所以死于空难和车祸的人猛增。

按照这种"社会条件论"的解释，使人自杀的社会条件同样也会导致事故发生，这也是为什么自杀新闻和致命事故之间存在强烈联系的原因。可惜另一组有趣的统计数据则表明，这种解释并不正确：致命事故激增的现象，仅仅局限于自杀事件广为报道的地区。其他地方，就算存在类似的社会条件，可如果当地媒体没有宣传自杀的消息，也就没有类似的致命事故激增现象出现。而且，在报道了自杀事件的地区，曝光力度越大，其后发生的致命事故增幅也就越大。因此，刺激自杀又引发致命事故的原因，并不在社会条件上，是对自杀事件的宣传，导致了更多的车祸和坠机。

于是，又有人提出了所谓的"丧亲说"来解释自杀新闻报道和致命事故之间存在的强烈联系。它认为，由于能上报纸头条的自杀消息往往涉及广受尊敬的知名公众人物，也许他们自杀的消息让许多人感到震惊而又悲痛。如此一来，这些人因为惊讶和分神，在开车和开飞机的时候粗心大意。

所以，每当有自杀新闻上了头条，交通工具发生致命事故的情况就急剧增多。"丧亲说"诚然能解释自杀事件曝光力度和致命事故之间的联系（知悉自杀消息的人越多，悲痛和粗心大意的人也就越多），可它无法解释另一个触目惊心的事实：**要是新闻报道的是一个人自杀的消息，之后增加的也大多是一个人出事的事故；要是新闻报道的是一个人自杀并导致多人死亡的消息，之后增加的就往往是导致多人死亡的车祸或坠机事故。**倘若人单纯地因为丧亲、悲痛、出神而发生了事故，那就不可能导致这样一种模式。

这样看来，自杀新闻对车祸和坠机事故的影响还具有令人难以置信的针对性。单纯的自杀（只有一个人死掉），会带来只有一个人死掉的事故；自杀的同时又导致多人死亡的新闻，则会带来多人致死的事故。倘若"社会条件"和"丧亲"理论都无法解释这种诡异的联系，那么它到底是怎么一回事呢？加利福尼亚大学圣地亚哥分校的一位社会学家认为自己找到了答案。他叫大卫·菲利普斯（David Phillips），他认为罪魁祸首是所谓的**"维特效应"**（Werther effect）。

维特效应的故事既惊悚，又有趣。两个多世纪以前，德国大文豪歌德出版了一本小说，叫《少年维特的烦恼》。小说轰动一时，但故事以书中的主人公维特自杀而告终。它让歌德名声大震，也在欧洲引发了一阵自杀浪潮。因为影响太过强烈，好几个国家都把这本书给禁掉了。

菲利普斯对当代的维特效应作了跟踪研究。他的研究证明，只要报纸头版一登出自杀新闻，在新闻曝光率高的地区，自杀率就会激增。菲利普斯认为，一些内心饱受折磨的人读了别人自杀而死的报道，就仿效了这种做法，了断了自己。**这是社会认同原理的一个病态例证：这些人根据其他陷入困境的人如何行动，决定自己该怎么做。**

菲利普斯从美国 1947 年到 1968 年的自杀统计数据中为当代维特效应找到了证据。他发现，每当自杀事件上了头版，其后两个月里自杀的平均人数就会比通常情况多 58 个。从某个角度上来说，**每条自杀新闻会杀掉 58 个本来能够活下去的人**。菲利普斯还发现，自杀诱发自杀的倾向，主要集中在大肆报道第一起自杀事件的地方。他指出，头一起自杀事件的曝光率越大，其后自杀的人数也就越多（如图 4—4 所示）。

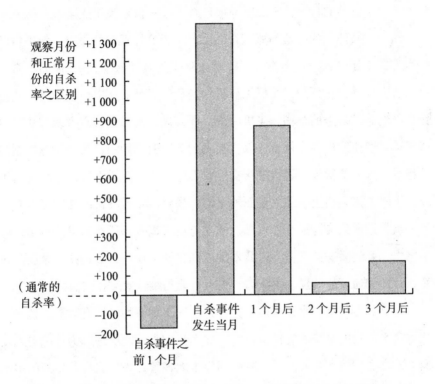

图 4—4   自杀新闻出现之前、期间和之后数个月的自杀人数

上图提出了一个重要的伦理问题。仿效新闻自杀而死的人，本来是不该死的。最初的猛增过后，自杀率虽然有所下降，但再也不会回到传统的水平。看到这样的统计，大肆炒作自杀消息的新闻编辑们应该停下来反思一下，因为相关报道有可能导致数十人的死亡。最新的数据表明，除了报纸编辑，电视从业人员也该思考一下自杀新闻造成的负面效应。不管自杀消息是出现在新闻报道、信息特写还是虚构的电影里，它都能引发自杀狂潮，有模仿倾向的敏感青少年最容易成为受害者。

你是否觉得维特效应跟自杀新闻导致陆空交通事故激增的现象未免太过相似？菲利普斯也注意到了这种巧合。事实上，他声称，轰动的自杀新闻之所以会引发事故热潮，原因其实是同一个：**模仿自杀**。知道别人自杀之后，一大批人觉得，对自己来说，自杀也是一条不错的出路。于是，有些人采取了直接的行动，不加掩饰地自杀了——自杀率就此猛增。

然而，其他一些人就不那么直白了。出于这样那样的原因（保护自己的声誉，不让家人蒙羞受伤害，让家人享受到意外保险金），他们不希望自己显得像是自杀死的，而更想显得像是死于意外。所以，他们暗中故意让自己驾驶或乘坐的车辆、飞机出事。要实现这一目的，有太多方法可以选择了：商业航班的飞行员可以在起飞的关键时刻倾斜机头，违背控制塔的指示，令人费解地把飞机降落在停着其他飞机的跑道上；开车的司机可以冷不防地撞到树上，驶入对面的车道；搭乘汽车或飞机的旅客可以弄晕驾驶员，造成致命冲撞；私人飞机的飞行员可以不顾所有通讯设备里传来的警报，栽向另一架飞机。因此根据菲利普斯的说法，轰动的自杀新闻过后，致命交通事故的发生率陡增，很有可能是维特效应在偷偷搞鬼。

我认为这种见解十分精辟。首先，它完美地解释了所有数据。倘若这些致命事故真的是隐性的模仿自杀，那么我们也就能够理解为什么自杀新闻见报之后事故率会升高了。我们同样也能理解，为什么自杀新闻闹得沸沸扬扬之后，事故率的增幅会最大。至于为什么只有在自杀新闻炒作得最厉害的地区，车祸、坠机次数才会出现猛增，单人自杀只会导致单人事故，多人死亡的自杀则会导致造成多人死亡的事故——这些谜题也全都解释得通了。**模仿是其中的关键。**

除此以外，菲利普斯的认识还有另一点重要的地方。它不仅能帮助我们解释已经存在的事实，还能帮助我们预测从来没出现过的全新事实。举例来说，倘若轰动的自杀新闻之后频频出现的反常事故真的是模仿而非意外，那么它们必然会更为严重。也就是说，想要自杀的人很可能会把事故后果安排得尽量更为致命（开车时一脚踩到油门而不是刹车上，飞机下降时机头冲下而不是朝上），这样才能死个痛快。根据这一预测，菲利普斯核查了事故记录，发现这样一种模式：较之发生在轰动性自杀新闻一周前的商业航班失事，发生在轰动性自杀新闻一个星期之后的事故，其平均死亡人数要高出三倍之多。从交通统计数据中也可以看到类似的现象：轰动性自杀新闻过后的车祸更为致命，这类车祸的受害者死亡速度比正常情况快4倍。

菲利普斯的想法还引出了另一些有趣的预测。**要是自杀新闻后增多的事故真的意味着有人在蓄意模仿，那么，这些跟风模仿者最可能效法的是跟自己类似的人。**社会认同原理指出，我们会参考他人的行为方式，判断自己该怎么做。校园慈善捐款实验也表明，我们最容易受跟自己类似的人的影响。

故此，菲利普斯推断，要是整个现象背后藏着社会认同原理，那么，轰动性自杀新闻的主角应该跟之后导致事故的人存在显而易见的相似之处。他意识到，要验证这一推断，最简单的方法是查看只涉及了单车单人的车祸记录，于是他比较了这类自杀新闻里自杀者的年龄和新闻见报后死于单人车祸的司机的年龄。他的预测再一次准得出奇：每当报纸详细报道了一名年轻人的自杀事故，其后就会有年轻司机开着车撞到树上、栽进洞里、滚下河堤；而当新闻报道的是老年人自杀，那么死于这类车祸的就是年龄较长的司机。

最后一项统计把我活生生地说服了。我完全相信了，同时也为它感到十足的震惊。很明显，社会认同原理这么普遍又有力，连是生是死这样最根本性的决定都要受它左右。菲利普斯的研究结果说明了一个令人痛心的倾向：**报道自杀的消息，促使一部分跟自杀者类似的人走向了绝路——因**

为他们现在发现自杀的念头更加站得住脚了。更可怕的是，数据显示，在这个过程中，许多无辜者白白地死掉了（如图4—5所示）。稍微看看自杀案件（尤其是还牵涉到谋杀的案件）上了头条新闻之后激增的交通事故和空难事故，就足以让我们关注自己出行的安危了。我深受这些统计数据的影响，对报纸头条上的自杀消息十分留心，并在其后的一段时间里调整自己的行为方式。我会特别注意自己车轮后面的东西，我不愿频频出差，进行长距离的飞行。要是在那段时间里我非得搭乘飞机，我会购买比平时更多的航空保险。菲利普斯博士证明，**在自杀事件上头条新闻之后的一段时间里改变出行方式，能提高我们的生存概率**。这可真是帮了我们一个大忙。对其善加利用似乎分外明智。

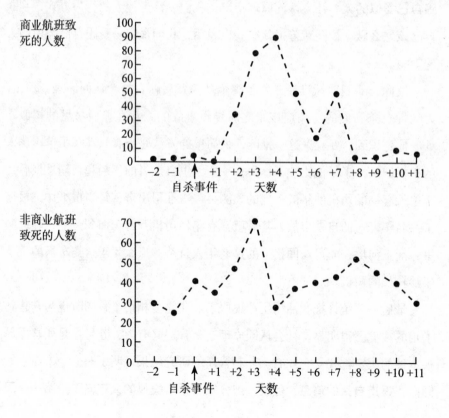

商业航班致死的人数

自杀事件　　天数

非商业航班致死的人数

自杀事件　　天数

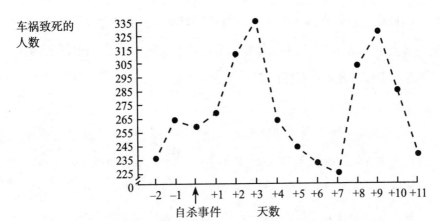

车祸致死的
人数

自杀事件　　　　　天数

图4—5　　自杀新闻上报之前、当天和之后的事故死亡人数波动情况

从上面的图中可以清楚地看出，新闻报道刊出后的3~4天最为危险。短暂回落之后，过上大约一个星期又会出现一波高峰。到第11天，维特效应消失。好几种类型的数据都表现出同样的模式，暗示隐性自杀有些值得注意的地方。想用意外来掩盖自己仿效自杀的人，要隔上几天才采取行动——兴许是为了积蓄勇气、策划事故或是安排后事。不管这一模式到底为什么呈现出这样的规律性，我们可以知道：在自杀并导致他人死亡的新闻刊出后的3~4天里，乘客的安全受到最大的威胁。之后的几天也会很危险，但程度稍低。故此，我们建议，在这些时候外出旅行要特别当心。

倘若菲利普斯提供的自杀数据还不够触目惊心，他的另一些研究或许更加发人深省：在美国，只要媒体大肆报道暴力事件，就会有人群起效法。电视台晚间新闻转播重量级拳击冠军争霸赛，似乎能显著提高全美的凶杀案发生率。对重量级拳击冠军赛（1973年至1978年）做一番分析，可以看出仿效暴力行为的一个惊人特点：每当黑人拳手输了比赛，其后10天里，黑人男青年在凶杀案里死亡的比率就会大幅上升。反过来看，要是白人拳手输了比赛，未来10天里，就会有更多白人男青年频频死于暴力事件。把这些结果跟菲利普斯从自杀数据里发现的情况结合起来，我们可以很明显地看出，**对暴力事件大加报道，会让可怕的结果落到相似的人身上——不管暴力行为的对象是自己，还是别人。**

诸如菲利普斯等人的工作可以帮助我们理解相似者行为的可怕影响

力。一旦你意识到它的强大，也就有可能理解当代最惨绝人寰的顺从悲剧——圭亚那琼斯敦发生的集体自杀事件是怎么发生的了。让我们来回顾一下这起事件的几点重要特征。

"人民圣殿教"是以旧金山为基地的一个邪教组织，成员主要来自该市的穷人。1977年，该组织无可争议的政治、社会和精神领袖——牧师吉姆·琼斯动员大部分信徒跟他一起搬到了南美圭亚那的一处丛林里。在那里，人民圣殿教的活动是相对低调的。直到1978年11月18日，众议院的利奥·瑞安率领的调查小组的三名成员，在准备搭乘飞机离开琼斯敦的时候遭到杀害，"人民圣殿教"才成了大众目光的焦点。琼斯确信自己肯定会被逮捕，牵连到凶杀案里，到时候，"人民圣殿教"自然也难免解散，便决心照自己的方式来控制整个教派的结局。他把教派的所有信徒全召集到身边，要大家采取统一行动，集体自杀。

头一个响应者是个年轻的女性，她平静地走到带有草莓味（现在这一点是尽人皆知了）的毒药桶跟前，先给孩子喂了一勺，自己也喝了。之后，她坐在地上，两人抽搐了4分钟，死了。其他人也一一效法。尽管有少数人逃跑了，据说还有几个人作了抵抗，可按幸存者的说法，910名死者里；绝大部分人是心甘情愿、秩序井然地赴死的。

这一事件震惊了全世界。广播媒体和报纸提供了全方位的报道、跟进和分析。好些天，人们的谈话都围绕这个主题："他们现在发现死了多少人了？""有个逃掉的家伙说，他们像是受了催眠一样把毒药喝了。""他们到底在南美洲干嘛呀？""真是太难以置信了，怎么会这样呢？"

是的，"怎么会这样呢"的确是最关键的问题。我们该如何说明如此惊人的顺从行为呢？人们给出了各种各样的解释：有的侧重于吉姆·琼斯的个人魅力，说他有一种风度，能让信徒像爱戴救世主一样爱戴他、像信任父亲一般信任他、像对待帝王那么对待他；另有解释指出，"人民圣殿教"吸引的教徒是有共同特点的——大多数是穷人，没受过什么教育，愿意放弃他们思考和行动的自由去一个安全的地方，让琼斯代他们作一切决定；还有的解释强调"人民圣殿教"的准宗教本质，这种组织最推崇的就是对邪教领导者不容怀疑地效忠。

毫无疑问，琼斯敦之所以发生惨剧，上述每一个特点都或多或少地起到了推波助澜的作用，但我认为，光是它们还不够。毕竟，全世界到处都有领导者魅力惊人、追随者盲从盲信的邪教组织。更何况，这类环境在历史上也从不少见。然而，我们却几乎找不到任何证据，说明这类团体发生过哪怕是与琼斯敦事件类似的惨剧，肯定还有别的什么因素才是关键。

有个特别能说明内情的问题给了我们一条线索："要是这个团体依然留在旧金山，人们还会服从牧师琼斯下的自杀命令吗？"显然，这完全是一个推测性的问题，但最熟悉"人民圣殿教"的专家却确凿地知道答案。时任加州大学洛杉矶分校精神病学和生物行为学系主任兼神经精神病学研究所主任的路易斯·乔利恩·韦斯特（Louis Jolyon West）博士，是研究邪教的权威人士。在琼斯敦惨剧发生之前，他曾观察了"人民圣殿教"8年时间。事后不久我采访了他，他指出："这件事不会发生在加利福尼亚。可他们是住在一个怀有敌意的国家，丛林里又与世隔绝。"

尽管惨剧发生后，各路评论铺天盖地，几乎叫人没了头绪。可在我看来，韦斯特的意见，再加上我们对社会认同原理的现有认识，似乎能为教众们顺从地走向自杀提供一个满意的解释。我认为，信徒们之所以能盲目顺从牧师琼斯，贡献最大的一点就在于"人民圣殿教"于一年之前搬到了

157

一个人地两生的丛林国家。倘若我们相信吉姆·琼斯真的具有邪恶的天分，那么，他必然完全理解这样的举动会给信徒们造成多大的心理冲击。突然之间，他们来到了一个一无所知的陌生地方。南美洲，尤其是圭亚那的热带雨林，跟他们在旧金山的生活环境完全不同。他们落入的环境——包括自然和社会环境必然显得极具不确定性。

不确定性——这可是社会认同原理的左右臂膀啊！我们已经看到，人们在不确定的时候，会根据他人的行动来指导自己的行动。故此，在圭亚那的陌生环境里，教派成员会很乐意追随别人的领导。也正如我们所知，人们最容易效法的是一种特别的人——跟自己类似的人的行为。这才是牧师琼斯搬迁战略里最可怕的地方。在圭亚那这样的国家，琼斯敦的居民们没有类似的人可以效法，只有琼斯敦的其他居民。

教派成员怎样做才正确，在很大程度上全由受琼斯影响极深的其他教派成员所决定。从这个角度看，这些人井井有序、毫不惊慌、镇定自若地走向毒药桶、走向死亡，似乎更容易理解了一些。他们并不是被琼斯催眠了，只不过，琼斯和社会认同原理（这一点更为重要）说服了他们：自杀是正确的做法。最初听到死亡命令，他们肯定感到疑心重重，也必然会东张西望，想从他人身上知道自己怎样做才恰当。

值得特别注意的是，他们找到了两条令人印象深刻的社会证据，每一条都指着相同的方向。首先，有些人立刻心甘情愿地喝下了毒药。在所有由强势领导人掌控的群体里，总会有少数狂热追随的人。在本例中，不管这些人是事先听从了专门的指示来充当榜样，还是本来就最顺从琼斯的意愿（我们现在已经很难知道了），都没有关系，这些人的行为，给他人造成的心理影响不容小视。既然新闻报道里同类人自杀的消息都能让陌生人自寻死路，可以想象，在琼斯敦那样的地方，自己的邻居毫不犹豫地踏上黄泉路，会带来怎样巨大的心理冲击。第二点社会证据来自人群本身的反应。从当时的情况看，我怀疑那儿是出现了一场大规模的多元无知现象。琼斯敦的每个人都观察周围人的行动来评估当前局势，在他们眼里，其他所有人都挺平静（其实这些人也不过是在不动声色地暗暗观察、评估罢了）。于是，他们"得知"，耐心地排队等死是正确的行为。显然，正是因为人们对社会证据作出了以上可信但却错误的解读，才导致了圭亚那丛林里的可怕一幕：所有人异常镇定、有条不紊地走向死亡（如图4—6所示）。

图4—6 琼斯敦的成排尸体
这张照片向我们展示了顺从行为在当代酿造的一幕最大惨剧。

依我看，对琼斯敦惨剧的大多数分析，都太过强调吉姆·琼斯的个人素质了。毫无疑问，他的确是个罕见的煽动家，可他运用的力量，与其说是来自他独特的个人风度，倒不如说是来自他对心理学基本原理的认识。身为领导者，他真正的天赋体现在他意识到了个人领导的局限之处：没有哪个领导者能单枪匹马地说服群体里的所有成员，然而，一个强有力的领导者应该能说服群体里占相当大比例的一部分成员。"大量群体成员已经被说服了"这一天然信息，本身就足以令剩下的人信服。所以，**影响力最**

强的领导者是那些知道怎样安排群体内部条件、让社会认同原理朝对自己
有利方向发挥作用的人。

琼斯似乎正是从这一点上汲取了灵感。他的神来之笔是决定把"人民
圣殿教"总部从旧金山市搬到遥远的南美洲，在那个地方，不确定性和教
派成员独一无二的相似性可以让社会认同原理发挥出最大的功效。光靠一
个人的个性力量一般是难以掌控上千名居民的，可因为圭亚那特殊的地理
环境，上千名居民从追随的信徒变成了一群牲口。经营屠宰场的人早就知
道，靠着从众心理，管理牲口很容易。只要你能让一部分牲口照着预期的
方向走，其他牲口就能机械地跟上去。与其说这些牲口是在跟随打头的，
倒不如说它们是随波逐流，让大部队拖着走罢了。因此要理解牧师琼斯的
神奇力量，不光要看到他独特的个人风度，还要看到他对四两拨千斤的社
会柔道术掌握得炉火纯青。

如何拒绝

本章由笑声音轨这个相对无害的做法说起，进而讲到了凶杀和自杀的
例子——它们全都可以用社会认同原理来解释。如此之多的行为，其中都
渗入了这种影响力武器，我们怎么才能抵挡它呢？更叫人头痛的是，大多
数时候，我们并不愿防范社会认同提供的信息。它提供的行为方式信息，
通常是正当且有价值的。靠着它，我们可以自信满满地在生活里穿梭自如，
作出无数决定，而不必费劲儿考察每个决定的优劣利弊。

从这个角度来看，社会认同原理为我们配备了一种奇妙的自动导航
仪，就跟大多数飞机上装的那种差不多。

但自动导航偶尔也会出问题。倘若输入操控机制里的飞行信息是错的，
这些问题就冒出来了。这时候，我们会偏离航线。误差的大小决定了不良
后果的严重程度，但由于社会认同原理提供的自动导航仪更多的时候是朋

友而非敌人，我们并不想彻底切断它。所以，我们面对的是一个经典的问题：怎样使用一台既对我们有好处、也对我们有坏处的设备呢？

好在这里有一条走出困境的道路。由于自动导航仪的弊端主要出在控制系统输入错误数据的时候，那么识别错误数据，就是我们对抗其弊端的最佳方式。要是能敏锐地察觉出社会认同自动导航仪采用失准信息时的状态，我们就可以在有必要的时候关了它，自己接管控制权了。

不正确的数据导致社会认同原理导航失准，这分为两类情况。一类情况出现在社会证据是蓄意伪造而来的时候。这种情况全是牟利者制造出来的，他们想给我们留下一种印象——很多人都在怎样怎样做（实际上可能根本不是这么一回事），而他们正好也希望我们那样做。情景喜剧节目里放的"罐头笑声"就属于此类伪造的数据之一。同类的伪造数据还很多，大部分假得一目了然。

举例来说，罐头式反应从来不是电子媒体、甚至电子时代独有的产物。事实上，贯穿大型歌剧——人类最古老、最庄严的一种艺术表现形式的历史，大肆利用社会认同原理的例子比比皆是。这就是所谓的"捧场"现象，据说它是由1820年巴黎歌剧院的一对常客首创的，这两人名叫索通和波奇尔。不过，这两人可不光是歌剧看客，他们还是生产掌声的商人。

> 他们成立了一家叫做"歌剧演出成功保险公司"的组织，向希望得到积极观众反响的歌手和剧院经理提供服务。索通和波奇尔极为成功地靠着预先安排的反应激发出观众的真正反应，没过多久，"捧场"（一般是有个"首席喝彩"，再加上几个附和的）就变成了整个歌剧世界的惯例和传统。

音乐历史学家罗伯特·萨宾（Robert Sabin）指出："到了1830年，捧场制度达到全盛时期。各家机构白天收钱，晚上鼓掌，一切都在光天化日之下进行……但不管是索通，还是他的盟友波奇尔，都没想象过自己设计的这套付费鼓掌的做法，会在歌剧界蔓延到如此轰轰烈烈的程度。"

随着捧场制度的成长和发展，从业者们开始提供形式和强度不一的各种服务项目。如今的笑声音轨制作人会分别聘用擅长傻笑、轻笑和捧腹大笑的人，当年的捧场客也一样，逐渐分化出了专业——有能一声令下说哭就哭的"哭娘"；有能用狂喜的声调高喝"再来一个"的"喝彩人"；还有如今录制笑声音轨的演员的老祖宗，笑声极具感染力的"笑匠"。

不过，从作对比的目的出发，捧场和当代"罐头笑声"最相似的地方，还在于它们都"假"得一目了然。捧场客们似乎从不觉得有必要换人或乔装打扮，他们经常坐在相同的位置，在从业已经 20 年的"首席喝彩员"的带领下，一年又一年、一场演出接一场演出地跟着鼓掌叫好，就算是做金钱交易时也从不背着人。实际上，在捧场诞生 100 多年以后，伦敦《音乐时代》的读者还能在广告里看到意大利式捧场的费率呢（如图 4—5 所示）！所以，不管是在《弄臣》（*Rigoletto*）还是在电视情景喜剧的世界里，**利用社会证据的人总能成功地操纵观众，哪怕这些证据是赤裸裸地伪造出来的。**

登台时一位男士给掌声，25 里拉

登台时一位女士给掌声，15 里拉

演出中的寻常掌声，每次 10 里拉

演出中的长时间掌声，每次 15 里拉

持续时间更长的掌声，17 里拉

加入"太棒了"、"好样的"等喝彩，5 里拉

"再来一次"，50 里拉

狂热的叫好喝彩，价格面议

图 4—5　广告中意大利式喝彩的费率

从"寻常掌声"到"狂热叫好"，喝彩员毫不避讳地当众提供这项服务——刊登上述广告的报纸，有许多他们想要影响的读者。

索通和波奇尔意识到，**人是机械地照着社会认同原理做的**。这一点，当代的好些牟利奸商也都知道。他们提供的社会证据是伪造出来的，可在他们看来，隐瞒这一点毫无必要——看看电视里笑声音轨的平均素质就知道了。他们完全晓得我们的尴尬感觉，得意得不得了：我们要不就让他们骗，要不就必须放弃宝贵的自动导航仪，正因为有了这些导航仪，我们才在他们要的把戏面前一筹莫展。不过，这些人太自信了，自信到犯了一个致命的错误。他们伪造社会证据也太漫不经心了，给了我们还击的漏洞。

由于自动导航仪可以随意切换和取消，我们可以按照社会认同原理设计的路线巡航游荡，但要是我们发现它使用了不正确的数据，我们完全可以接管控制权，对错误信息作出必要的修正，重启自动导航仪。由于伪造的社会证据大多一目了然，我们很容易知道该在什么时候执行这一简单的调整。**面对明显是伪造的社会证据，我们只要多保持一点警惕感，就能很好地保护自己了。**

让我来举个例子吧！前阵子，我注意到在街上拉普通人做广告的做法很是流行，也就是找许多普通人大谈一种产品的好处，他们一般并不知道自己说的话被录了下来。根据社会认同原理，我们可以预料到，这些来自"跟你我一样的普通人"的推荐能发挥相当有效的广告作用。但实际上它们对现实作了较为微妙的歪曲：我们只听到了那些喜欢该产品的人的意见。由此我们所得的印象也存在着可以理解的偏差。但最近，广告商们甚至开始违背商业道德，赤裸裸地造假了。拍广告的人一般根本不去找真正的消费者做评价，他们直接雇人扮演普通消费者，让他们在接受采访时假装成没彩排过的样子。这些"即兴采访"的广告假得叫人目瞪口呆，整个背景明显是做过布置的，谁都能一眼看出参与者是演员，对白也毫无疑问是事先写好的（如图4—6所示）。

戴夫·巴里
（Dave Barry）

最近我看电视，总会插进一个广告，播音员用一种"波斯湾又发现大油田了"的兴奋声音说道："现在消费者可以向安杰拉·兰斯伯里提出有关巴菲林镇痛药的问题啦！"

身为一个正常的人，听到这样的说法，自然的反应大概会是："啊？"也就是说："安杰拉·兰斯伯里跟巴菲林有哪门子的关系？"但在这段广告里，几个一看就是从大街上随便拦下的消费者，居然都有关于巴菲林的问题要问安杰拉·兰斯伯里。基本上，他们问的问题是这样：

"兰斯伯里小姐，巴菲林这种产品，我买合适吗？"诸如此类。

这些消费者看起来很热切，就好像他们好几个月以来都坐立不安，死死绞着双手说："我有一个关于巴菲林的问题！让我问问安杰拉·兰斯伯里！"

我们在这里看到的是一个日益严重的问题。长久以来，我国都把这个问题用地毯遮起来，假装看不见——这就是火星消费者入侵的问题。火星人看起来像是人类，但不像人类那么做事，而他们现在正接管了地球！

图4—6　大街上只是普通的火星人

显然，不光只有我注意到了近日来假冒"即兴赞美"的广告越来越多。幽默作家戴夫·巴里也注意到了它们的流行，并把广告里的路人称为"来自火星的消费者"，我喜欢这个说法，自己也忍不住用起来。它能帮忙提醒我，买东西时可别考虑这些人的奇怪口味，毕竟，他们是打火星来的，不是地球人！

每当碰到这类有人想愚弄我的情况，就会有一道清晰的指令叫我转入警惕状态："当心！当心！遭遇假冒社会认同，暂时切断自动导航仪。"这是很容易的，我们只需要有意识地警惕造假的社会证据即可。平常的时候我们尽可以放松心情，等识别出奸商显而易见的造假，我们就可以还击了。

还击的时候要咄咄逼人。我说的可不光是无视对方的误导，尽管这种防御性策略很有必要，我说的是主动反击。只要有可能，我们就应该狠狠地戳一下那些伪造社会证据的人。我们绝不应当购买打虚假"即兴采访"广告的产品，而且，我们还应该向制造这些产品的厂家写信抗议，建议他们别再跟做这类广告的机构合作。

当然，我们并不总需要依靠他人的行动来指导自己怎么做，尤其是在事情很重要，必须亲自权衡优劣得失的时候，或者我们本身就是该领域专家的时候。但还有很多场合，我们的确需要把别人的行为当成有效的信息来源。要是我们发现自己处在这种证据经人蓄意篡改，信息不可靠的情况下，我们应当做好还击的准备。我个人碰到这类事情，会觉得比单纯的上当受骗还讨厌。一想到有人利用我应对繁忙现代生活的决策捷径把我逼得无路可走，我就怒发冲冠。只要有人胆敢尝试，我一定会厉声怒斥，并从中感到一种伸张正义的崇高感。如果你跟我一样，那你也应当这么做。

除了人为伪造社会证据的情况，还有另一种时候社会认同原理会导向失误。此时，一个纯属无心的失误会像雪球一样越滚越大，逼使我们作出错误的决定。多元无知现象——明明出现了紧急事件，可人人都觉得没什么好惊慌的，就是这种情况下的一个例子。然而，据我所知，最好的例子来自我的一个学生所讲的故事，他是高速公路上的巡警。

有一回，我们在课堂上讨论了社会认同原理之后，他留下来跟我聊了一番。他说，以前有一种交通事故总让他摸不着头脑，现在总算明白了。

这种事故一般出现在交通高峰期的城市高速公路上，所有车道上的车都平稳而缓慢地行驶着。导致事故发生的起因是这样的：一前一后的两辆车同时打起了信号，想要驶出本身所在的车道，到相邻的车道去。短短几秒钟，一长串的司机都跟在这两辆车后面变道，以为车道前面出了什么事——有车抛锚了，或是正在施工。由于大家一窝蜂地想往隔壁车道开，碰撞事故频频发生。

按照这位巡警的说法，最奇怪的是，大多数时候，最初的车道上并没有什么需要躲避的障碍，而且到事故发生的时候，只要稍微看一下，谁都应该知道这一点。他说，这种情况他碰到不止一回了，明明眼前有一条畅通的大道，可那倒霉的司机仍然强行变道，结果便被撞上了。

通过巡警的讲述，就人们对社会认同的响应方式，我们有了更进一步的认识。**首先，我们似乎持有这样的假设：要是很多人在做相同的事情，他们必然知道一些我们不知道的事情。尤其在我们并不确定的时候，我们很乐意对这种集体智慧投入极大的信任。其次，人群很多时候都是错的，因为群体的成员并不是根据优势信息才采取行动，而只是基于社会认同原理在做反应。**

因此，要是高速公路上刚好有两名司机同时打算变车道，紧跟在他们之后的两名司机很可能也会照着做，因为他们以为前车司机肯定是发现路上有障碍才变道的。由此而来的社会证据对更后面的司机造成了有力的影响：前后相继的4辆车，都打起了转向灯，想要切到旁边的车道里，于是更多的人打起了转向灯。此时的社会证据大到不容否认的地步了，后面的司机一点儿也不会怀疑变道的正确性了："前面那些家伙肯定知道些什么。"于是他们连真实路况都懒得看就径直变道了。司机们排着长队从侧面加塞儿，总会有一两个倒霉家伙撞在一起。

这里有一点教训：**人绝对不应该完全信任类似社会认同这种自动导航装置，哪怕没有坏分子故意往里面添加错误信息，它自己有时候也会发生故障。**我们需要不定时地检查这台机器，用该环境下的其他证据来源——客观事实、先前的经验、我们自己的判断与之进行对比，确保它没有出乱子。幸运的是，以上预防措施并不需要花很多精力，也不需要用太多时间，只要抽空迅速打量一下周围就行了。花点功夫采取这个小小的预防措施，是物有所值的，一根筋地依赖社会证据，有可能导致极为可怕的后果。

社会认同现象的这个特点总让我想起一些印第安部落猎野牛的办法。北美野牛特别容易受社会证据的误导，因为它们有两个特性：一是它们的眼睛长在头部两侧，所以它们总是容易往两边看，而不是往前看；二是它们跑起来的时候（比方说受了惊吓）脑袋是低着的，所以看不到前面出了什么情况。于是，印第安人意识到，只要把牛群往悬崖边上赶，就有可能猎到数量庞大的野牛。一旦这种动物对身边的社会认同作出响应——却从来不曾抬起头来看看前面到底有些什么，他们就大功告成了。曾有人对这种猎牛法做过观察，描述了野牛过分信任集体智慧的致命后果：

通过这种办法，人能把牛群骗到悬崖边上，让它们一起跳下去。领头的牛是被后面的牛顶下去的，其余的牛则是自愿跳下去的。

显然，就算飞机上装着自动导航仪，飞行员最好还是偶尔看看仪表盘和窗外。同样道理，在我们采纳群体证据时，有必要周期性地四处看看。面对误导的社会认同，不使用这种简单的防护措施，我们很可能会跟高速公路上变道的驾驶员或北美野牛落得一个下场：撞毁。

读者报告

在一家跑马场工作的时候，我洞悉了一种伪造社会证据牟取私利的方法。为了降低风险，赚更多的钱，有些投注者能煽动公众把赌注压在劣马身上。

跑马场的赔率是根据马身上下的赌注来确定的，一匹马身上压的钱越多，赔率就越低。好多赌马的人对赛马或下注策略的知识少得可怜，因此，尤其是当他们对参赛的马匹没什么了解的时候，他们就会把注下在最受欢迎的那匹马上。由于记分牌每分钟都会更新赔率，公众随时都能判断出目前哪匹马最受欢迎。赌马老手改动赔率的手法其实非常简单，这家伙早就看准了哪匹马的赢的机会大，接着，他挑选一匹赔率很大（比如 15:1）、根本没机会赢的马，下注的窗口一打开，这人就把 100 美元投在这匹劣马上，于是计分板上显示的赔率一下就降到了 2:1，创造出"这匹马很受欢迎"的假象。

现在，社会认同原理开始发挥作用了。不确定把钱压到哪匹马上的人会观察记分牌，根据先前赌客的投注判断哪匹马最受欢迎，然后跟进。等其他人继续把钱压在这匹"最受欢迎"的马身上，滚雪球效应就出现了。此时，赌马老手可以回到投注窗口，在他真正看中的马身上下重注，现在，这匹马的赔率会比较高，因为"新的最受欢迎赛马"已经出现在计分板上了。要是这家伙赢了，先前的 100 美元投资就能赚回好多倍。

我亲眼见识过这套把戏。记得，有一回，一个人将 100 美元压在了赛前赔率是 10:1 的一匹马上，把它弄成了初期的大热门。赛场上流传起了谣言，说最早下注的家伙有内幕消息。接下来的事情你应该猜得到，人人（我也在内）都在这匹马上压钱。结果它跑了最后一名，还把腿给跑瘸了。很多人亏了大把的钱；可有人却赚了个盆满钵满。我们永远不会知道那人是谁，但他一个人把所有的钱都捞走了。这家伙把社会认同理论吃得很透。

作者点评： 我们再一次看到，对那些在特定环境下感到不熟悉、不肯定的人来说，社会认同最有说服力，因为这些人必须观察周围，寻找自己该怎么做的证据。

辩护律师的主要任务就是让
陪审团喜欢他的客户。

——克拉伦斯·达罗

第5章

Influence 喜好

The Psychology of Persuasion

|友好的窃贼|

我们大多数人总是更容易答应自己认识和喜欢的人所提出的要求。对于这一点，恐怕不会有人感到吃惊。令人吃惊的地方在于，有些我们完全不认识的人，却想出了上百种方法利用这条简单的原理，让我们顺从他们的要求。

据我所知，"特百惠①聚会"就是一个专门利用喜好原理的很明显的例子，我认为它属于典型的依从环境。凡是熟悉特百惠聚会那套手段的人都认得出我们先前讨论过的几种顺从武器：

- **互惠** 一开始，去参加聚会的人玩游戏，赢奖品。没中奖的人可以从一个袋子里摸奖，这样所有人还没买东西就都得到了一份礼物。
- **承诺** 聚会上，参与者要当众介绍自己发现特百惠塑料器皿有怎样的用途，带来了哪些好处。
- **社会认同** 买卖拉开序幕之后，每一笔做成的生意都在强化、巩固以下的观点——其他类似的人都想要这种产品，因此它一定很不错。

所有的影响力武器全都上场了，为的是让事情进行得顺顺利利。但特百惠聚会最厉害的一招还在于，它根据喜好原理作了一种特殊的安排。虽

---

① 特百惠是一家生产、销售塑料保鲜器皿的直销公司。——作者注

说特百惠的推销员讨人喜欢，说服能力也很强，但这个陌生人并不会向潜在买家提出真正的购买请求，负责做这件事的是房间里所有人的一位共同的朋友。也就是说，特百惠的销售代表可以要求参加聚会的人下订单，可真正给大伙儿造成更大心理压力的却是坐在一边说说笑笑、端茶送水的那位。她就是主办聚会的女主人，是她叫朋友们到家里来看特百惠的产品展示的，而且人人都知道这次聚会上每卖出一件产品，她都能够从中抽成。

通过让女主人分成的做法，特百惠家庭聚会公司让客户从朋友手里买东西，看在朋友的面子上买东西。这样一来，友谊的吸引力、温情感、安全感和义务感全都被带到了销售环境当中。事实上，消费研究人员曾检验过家庭聚会销售环境下女主人和参加者之间的社会纽带，肯定了该公司策略的有效性：**在决定是否购买该产品时，社会纽带的影响要比消费者对产品本身的好恶强两倍**。这一招的确效果惊人。根据最新的估计，特百惠的日销售额已经超过了 250 万美元！而且，特百惠还把这套做法搬到了欧洲、拉丁美洲和亚洲，同样取得了巨大的成功。在这些地方，人在朋友和家庭关系网里的地位要比在美国重要得多。所以，如今特百惠在北美的销售量还不到其总销售量的四分之一了。

有趣的是，客户们似乎完全明白特百惠聚会中喜欢和友谊所造成的压力。对此有些人似乎并不介意；有些人虽然介意，但似乎并不知道如何避免这样的压力。我曾跟一位女士聊过，她用一种相当沮丧的声音描述了自己的反应：

现在我已经到了痛恨受邀参加特百惠聚会的地步。我早就有了我所需要的各类容器。要是我真的想要，我也会到商店里选其他更便宜的品牌。可当朋友打来电话时，我却觉得必须得去。等我到了那儿，又觉得必须买点什么才好。我能怎么做呢？那可是我的朋友呀！

由于找到了友谊这个无比强大的盟友，特百惠公司放弃了零售网点，转而大力推动家庭聚会的概念。2003 年，特百惠公司作了一件大事，挑战了几乎所有的商业逻辑：它断绝了跟零售商塔吉特（Target）的关系。因为他们的产品在塔吉特卖得太疯狂了，这样一来，塔吉特的零售就对举办家庭聚会的次数造成了威胁，所以特百惠不得不中止双方的合作。统计显示，特百惠聚会每 2.7 秒就举办一次。当然，其他各类顺从专业人士也意识到了友谊给人带来的压力。比方说，越来越多的慈善组织开始让志愿者到自己家附近的地区拉票、募捐。他们完全晓得，我们有多难拒绝来自邻居或朋友提出的慈善请求。

其他顺从专业人士还发现，朋友哪怕不在场也能发挥作用，很多时候，稍微提一下朋友的名字就够了。专攻上门推销各类家居产品的嘉康利（Shaklee）公司就建议销售人员采用"无穷链"方式寻找新客户：只要客户承认自己喜欢某件产品，就可以向他施加压力，问他还有哪些朋友可能喜欢这种产品。之后销售人员就去找他的朋友们，他的朋友们又推荐其他朋友，其他朋友再推荐更多的潜在客户，如此形成一条"无穷链"。

这套方法成功的关键是，销售员每次上门拜访新的潜在客户，总会报出此人一位朋友的名字，说"是他建议我来找您的"。人们很难在这种情况下把销售员拒之门外，因为这简直就像是在拒绝自己的朋友。嘉康利公司的销售手册主张，员工们务必要使用这种方法："它的价值说得再高也不为过。打电话或拜访潜在客户时，要是你能说是他的一位朋友建议你来找他的，那简直相当于进门之前就成功了一半。"

顺从业者对朋友间喜好纽带的普遍利用，说明了喜好原理在促人答应请求时的力量是多么强大。事实上，我们发现，哪怕是在根本没有现成的友谊可供利用的时候，这些专业人士也能靠这条原理获得好处。在这类情

175

况下，他们采用一条相当直接的顺从策略来利用喜好纽带：**先令我们喜欢他们。**

> 底特律有个叫乔·吉拉德（Joe Girard）的人，专门利用喜好原理销售雪佛兰轿车。他凭这个发家致富，每年赚上好几十万。听到这么高的薪资，人们大概会猜他是通用汽车的高层主管，或是雪佛兰经销店的老板。事实并非如此，他就是一个基层推销员。但他的业绩惊人。整整12年里，他连续夺得"头号汽车销售员"的称号，他平均每天能卖掉5辆汽车和皮卡，"吉尼斯世界纪录"称他是世界上"最伟大的汽车销售员"。
>
> 他取得了这么大的成功，采用的办法却出奇地简单。无非是向顾客提供两样东西罢了：一个公平的价格，一个人们乐意从他那儿买东西的家伙。"就是这样，"他在接受采访时说，"找个他们喜欢的推销员，再加上优惠的价格。要是你两者皆有，那生意就成了。"

乔·吉拉德的策略告诉了我们喜好原理对他的业务有多重要，但说得还不够清楚。至少它并没有告诉我们，较之其他报出了公道价格的销售员他为什么更受顾客喜欢。这里有一个关键、迷人的概括性问题，乔的策略未作解答：是什么因素让人喜欢上某个人？要是能够知道这个问题的答案，我们也就朝前迈出了一大步，就有希望搞懂乔这样的人是怎么让人们喜欢上他的了。同样的，我们也会明白该怎样做好安排，以令别人喜欢上我们。幸运的是，社会学家们几十年来一直在研究这个问题。他们收集了很多证据，确认了一系列能导致喜欢的可靠因素。从中我们可以看到，为了让我们走上答应他们请求的道路，每一个因素都被顺从专业人士巧妙地利用上了。

我喜欢你的理由

外表魅力

虽然人们普遍承认长得好看的人在社会交往中占有优势，可最近的调查结果显示，对这种优势到底达到了何种程度，我们恐怕低估得太厉害了。碰到漂亮的人，我们似乎同样会报之以"按一下就播放"的反应，而且同样是不假思索地自然作出来的。这种反应就属于社会学家口中的"光环效应"。光环效应指的是，**一个人的一个正面特征就能主导其他人看待此人的眼光**。现有证据清楚地表明了，大多数时候外表魅力就是这样的一个特征。

研究表明，**我们会自动给长得好看的人添加一些正面特点，比如有才华、善良、诚实和聪明等。而且我们在作出这些判断的时候并没有意识到外表魅力在其中发挥的作用**。"好看就等于好"这种无意识假设造成的部分后果把我吓了一跳。举例来说，

针对加拿大联邦选举的研究发现，富有魅力的候选人得到的选票比没吸引力的候选人多两倍半。除了这些英俊政治家受偏爱的证据，后续研究还表明，选民们并没有意识到自己的偏爱。事实上，在受访的加拿大选民中，73% 的人措辞强硬地否认自己投票会受到候选人外表吸引力的影响，只有14% 的人认为有可能存在这种影响。选民们尽管可以否认外表魅力对选举结果的影响，但越来越多的证据证明，这种恼人的倾向的确存在。

招聘的时候也存在类似的效应。一项研究模拟了招聘面试，发现应聘者能否获得聘用，打扮是否得体要比工作资历占的比重更大——只不过面试官承认外表确实对他们的选择有小小的影响。

还有一项研究同样令人不安：我们的司法程序也很容易受身体尺寸和骨头结构的影响。目前看来，长得好看的人在法律制度里获得有利处理的可能性更大。例如，

在宾夕法尼亚州，曾有研究人员趁官司开庭之前，给 74 位男被告的外表魅力打了分。一段时间之后，研究人员核对了法庭记录和审判结果，发现英俊男人所得的刑罚明显轻得多。具体说来，有魅力的被告没入狱的概率要比长得不好看的被告高两倍。[①] 另一项研究考察了模拟过失审判中的损失赔偿费，在被告长得比受害的原告好看的情况下，法庭评定的平均赔偿额是 5 623 美元；可在受害的原告长得比被告好看的情况下，平均赔偿额则为 10 051 美元。而且，男女陪审员都表现出了同样的外貌偏袒。

宾夕法尼亚州实验数据的意义在于，它暗示，把整容手术当成让犯人重返社会的手段这种观点兴许存在缺陷。把丑陋的罪犯变得更好看，并没有降低他们犯下另一起罪案的概率，而只是减少了他们因为犯罪再次被送进监狱的概率。

---

① 这一发现——长得好看的被告就算被判有罪其入狱的可能性也较低，有助于解释犯罪学上一次有趣的实验。纽约市一些面部有缺陷的犯人在入狱期间作了整容手术；另一些面部同样有缺陷的人则没做。两个小组的部分成员接受了旨在帮助他们重归社会的服务（如咨询、训练等）。经核查，犯人释放一年后，作了整容手术的罪犯重新入狱的概率明显要低得多（海洛因瘾君子例外）。这一发现最有趣的一点是，不管犯人是否接受了传统的训导服务，情况都是这样。有些犯罪学家认为，很明显，对相貌丑陋的犯人来说，监狱最好是放弃昂贵的回归社会服务，转而提供整容手术。整容手术至少效果差不多，而且又不那么昂贵。——作者注

其他实验还证明，**长相好看的人更容易在需要的时候获得帮助，在改变听众意见时也更具说服力**。这里，男女两性的反应仍然是一样的。在本森等人有关帮助的研究中，好看的男女接受到的帮助次数更多，连同性成员也不吝援手。当然，要是外貌好看的人被视为直接的竞争对手——尤其是被当成了情敌，这个规则也会出现例外。不过，除了上述情况，在我们的文化里，长得好看的人明显占有极大的社会优势。他们更招人喜欢，更有说服力，更频繁得到帮助。在他人眼里，他们还具备更理想的人格特质，更高明的知识能力。而且好看的社会效益很早就开始积累了。对小学儿童的研究表明，长得好看的小孩子作出好斗的行为，成年人不会觉得他太淘气。另外，教师还相信长得好看的孩子比长得不好看的孩子更聪明。

这也就难怪外表魅力的光环会为顺从专业人士所利用了。因为我们喜欢漂亮的人，也因为我们容易顺从自己喜欢的人，这不足为奇，销售培训课程里总会包含教人打扮的环节，时尚服装商会挑选好看的人充当基层销售员，男女骗子大都长得比较好看。

相似性

如果外表占的分数不多呢？毕竟，大多数人的长相都很普通。还有其他因素能让人产生好感吗？没错。正如研究人员和顺从专家所知，这样的因素有好几个，相似性就是其中影响力最大的一个。

我们喜欢与自己相似的人。不管相似之处是在观点、个性、背景还是生活方式上，我们总有这样的倾向。故此，一些别有用心的人可以假装在若干方面跟我们相似，有意识地讨我们喜欢、要我们顺从。

穿着打扮是个很好的例子。很多研究都表明，我们更喜欢帮助那些衣着跟我们类似的人。

有一项实验是在 20 世纪 70 年代初做的，当时的年轻人要么做"嬉皮"打扮，要么做"传统"打扮。实验人员便分别穿成这两种样子，在校园里找大学生要一毛钱打电话。倘若实验者跟学生的打扮一样，这个要求得以满足的概率在三分之二；而当两者穿着风格不同的时候，学生掏钱的概率不到一半。

另一项实验则表明，**我们会下意识地向跟自己相似的人作出正面反应**。参加反战示威游行的人更愿意签署跟自己穿着类似的人递过来的请愿书，而且，他们签名的时候往往连请愿书的内容都懒得读一下。好一个"按一下就播放"啊！

请求者还有另一种利用相似点提高好感、增加顺从概率的办法：他们假装跟我们有着相似的背景和兴趣。例如，训练汽车销售员的时候，公司会要他们注意观察客户旧车上的蛛丝马迹。要是货箱里有野营器材，过一会儿，销售人员或许就该说起自己总是一有空就到远离城市的地方去；要是车子后椅上放着高尔夫球，那就不妨说但愿今天别下雨，因为自己下班后还安排了打 18 洞的球呢；要是注意到汽车是在其他州买的，就可以问客户是打哪儿来的，并装作惊讶地说其实自己（或自己的配偶）也是在那地方出生的。

这些相似之处看起来微不足道，却很管用。一位研究员核对了保险公司的销售记录，发现要是销售员在年龄、宗教、政治立场、吸烟习惯等方面跟顾客相似，那么顾客购买保险的可能性会更大。由于很小的相似之处也能有效地带来他人积极的回应，又因为编造一个相似之处很容易，所以我建议要特别当心那些声称"跟你一样"又对你有所求的人。老实说，提防跟你看起来相似的推销员是很明智的。好多销售培训项目现在都敦促

学员"模仿和迎合"顾客的身体姿态、语气和口头表达风格（见图 5—1），
因为这些方面的相似之处都能带来积极的结果。①

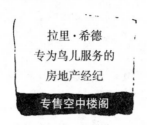

图 5—1　叽喳房地产公司
顺从专家们早就摸清了相似性对销售的潜在影响。

恭维

演员麦克莱恩·史蒂文森（McLean Stevenson）曾描述他妻子是怎么
"骗"他结婚的："她说她喜欢我。"虽然这只是句玩笑话，但这种幽默却
颇有启发性。利用"喜欢我们"这一微不足道的信息，人们就能有效地诱

---

① 另一些研究认为，在应对跟我们相似的顺从业者时，要当心的原因还有一点：我们通常容易
　低估相似性影响好感的程度。——作者注

使我们还以好感、答应请求。所以，很多时候，别人恭维我们、亲近我们，其实是有求于我们。

还记得世界上"最伟大的汽车销售员"乔·吉拉德说他成功的秘诀就是让客户喜欢他吗？他会做一些表面上看起来愚蠢又麻烦的事情。每个月，他都会给自己13 000多位老客户寄送印了字的节日贺卡。节日贺卡的名目每个月都不一样（新年快乐、情人节快乐、感恩节快乐等），但印在封面上的信息却从不改变，上面写着"我喜欢你"。乔·吉拉德解释说："贺卡上什么也没有，除了我的名字。我只不过是告诉他们，我喜欢他们。"

"我喜欢你"这句话被印在贺卡上，每年向13 000多人寄出12次，次次不落，像钟表一样精准。这么一句话，说得丝毫没有人情味，显然是专门用来卖车的。它真的有用吗？乔·吉拉德认为的确有用。既然一个像他这么成功的人都这么想，那么我们恐怕也有必要重视起来。乔·吉拉德搞懂了人性中的一个重要事实：**我们特别喜欢听人恭维奉承**。尽管有时候我们也没那么好骗——尤其当我们很清楚恭维者是在利用我们的时候。可一般来说，我们总会相信别人的赞美之辞，喜欢上那些擅长说好话的人。

北卡罗来纳州对一群男士所做的实验就能说明我们面对赞美的时候是多么丢盔弃甲、溃不成军。

参加实验的人听到了另外一个人对自己的评价，而后者需要前者给予帮助。一些受试者只听到了积极的评论，一些只听到了消极的评论，还有一些好坏评论都听了。实验发现了三件有趣的事情。首先，只给了称赞话的评估者最为受试者们喜欢。其次，哪怕受试者完全明白那人拍马屁只是为了讨好自己，也还是最喜欢那个人。最后，和其他两类评论不同，单纯的赞美无须准确。积极的评价，不管是真是假，都能让人产生对恭维者同等程度的喜欢。

既然我们面对恭维会作出这种无意识的正面反应，就难怪会受靠恭维交换好感的人利用了。从这个角度来看，每年打印、邮寄13 000多份"我喜欢你"的贺卡，似乎显得不像先前那么蠢，那么无用了。

接触与合作

大多数时候，我们都喜欢自己熟悉的东西。我们不妨做个小实验来证明这一点。找一张拍下了你正脸的照片底片，然后一正一反冲出两张照片来：一张是你实际的样子，一张是你的脸反过来的样子（也就是左右脸换了个位置）。现在选一张你更喜欢的照片出来，再让你的好朋友选一下。研究人员曾对密尔沃基的一群女性作了这个实验。要是你跟她们一样，你应该会注意到一件怪事：你的朋友更喜欢你正脸的那张照片，你却喜欢左右脸反过来的那张。为什么会这样呢？因为你们俩都是在积极回应自己更熟悉的面孔——你的朋友平常看到的都是你的正脸，而你则是每天从镜子里看到自己。

由于熟悉会影响人的喜好，因此它对我们的各类决定都发挥了一定的作用，包括选举哪一位政客。很多时候，选民在投票站往往只是因为候选人的名字看着眼熟，就作出了选择。几年前，俄亥俄州发生了一次有争议的选举。有个人竞选该州的检察长，本来他获胜的希望极为渺茫，可选举前夕，他把自己的名字改成了布朗——俄亥俄州的政治望族大多姓这个，结果居然赢了。

怎么会发生这样的事情呢？一部分答案藏在熟悉对喜好的潜意识影响上。通常，我们根本意识不到自己对某种东西的态度是受了先前接触它次数多少的影响。例如，有一次实验是这样的：

屏幕上飞快地闪过几个人的面孔，因为速度太快，看到这些面孔的受试者根本记不得自己见过。然而，一张面孔在屏幕上闪现的次数越多，受试者在随后的互动交流中真正遇到这个人，就越是喜欢他。又因为越是喜欢，社会影响力也就越强，所以，一个人的面孔在屏幕上闪现次数最多，他的意见观点也就越是容易说服受试者。

　　既然我们对自己接触过的东西会更有好感，基于这样的证据，有人建议用"接触"法来改善种族关系。他们认为，只要让不同种族背景的人多跟其他族群平等接触，大家就会很自然地逐渐喜欢上彼此。然而，当科学家对学校的融合教育——这是检验接触法的最佳场合——进行考察的时候，却发现了完全相反的模式。黑人白人同校就读，并未减少两个族群之间的偏见，反而起到了反效果。

　　让我们多谈谈学校种族融合这个问题吧！不管那些倡导用单纯的接触来实现种族和谐的人用心是多么良苦，这个方法都不会收到良好的成效，因为它的论点建立在了错误的基础上。首先，研究表明，学校环境并不是一个孩子们乐意和其他种族成员交流互动的大熔炉。学校正式取消种族隔离制度之后，社会融合并没什么进展。学生们还是只跟同一种族的孩子玩耍嬉戏，基本上不跟其他种族待在一起。其次，研究表明，即便种族交流的机会更多了，通过反复接触熟悉某样东西，也并不一定会带来更多的好感。事实上，在不愉快的条件下（如挫折、冲突和竞争）持续接触某人或某物，反而会减少好感。典型的美国课堂恰恰孕育了这些不愉快的条件。

　　心理学家艾略特·阿伦森应得克萨斯州奥斯汀学校管理部门之邀，就当地学校存在的问题写了一篇发人深省的报告。他所描述的课堂教育方式，几乎可见于美国的每一所公立学校：

一般而言，事情是这样运作的：老师站在教室前面，提出一个问题。6~10个孩子伸直了背，迫切地朝老师挥手，渴望老师点他们的名，借此显示自己有多聪明。其他的孩子则安安静静地坐着，垂着眼睛，竭力想变成隐形人。老师叫一个孩子起来回答问题的时候，你能看到其他举手学生脸上的失望和沮丧神情，因为他们又错过了一个获得老师表扬的机会；你也能看到其他不知道答案的孩子一脸如释重负的表情……这场比赛竞争激烈，风险极大，因为孩子们的世界里无非只有两三个最重要的人，而他们正在争夺其中之一的爱和赞许。

更何况，孩子们保准无法从这样的教学过程里学会如何彼此喜欢和理解。回想一下你自己的经历吧！如果你知道正确的答案，老师却叫了别人，你或许指望起来回答的这个孩子出错，好让你有机会展示自己的知识。如果老师叫了你，你却没回答正确，或是你根本没有举手参与这轮竞争，你恐怕会嫉恨知道答案的同学。在这套体制里，失败的孩子会嫉妒、怨恨成功的同学，说他们是老师的跟屁虫，甚至在操场上用暴力欺负他们。反过来，成功的学生也大多对不成功的孩子怀有蔑视的态度，说他们是"呆瓜"或"猪脑子"。

这样看来，学校严格执行种族融合政策——不管是靠校车跨区运送学生、重新划分学区，还是关闭部分学校——往往恶化而非改善了种族偏见，也就不是什么奇怪的事情了。既然孩子们在各自的族群里享受着愉快的社会交往、与他人建立起友谊，却只在竞争激烈的课堂里反复接触到其他种族的孩子，那么我们也实在不能指望得到什么更好的结果。

那要怎么才能解决这个问题呢？一条途径是结束学校种族融合的进程，但这很难行得通。就算我们不考虑取消种族融合会给法律造成多大的挑战，会在社会上引发多大的争议，至少也要看到推进这一实践本身存在站得住脚的理由。举例来说，学校融合之后，尽管白人学生的成绩保持在稳定水平，但对少数族裔学生而言，90%的人成绩出现了大幅提高。

在处理学校种族融合问题时，我们必须采取极为谨慎的态度，这样才不会在倒洗澡水的时候把孩子也一起倒出去。这里的关键当然是光倒出脏水，而把宝宝漂漂亮亮地留在澡盆里，尽管此刻我们的宝宝正泡在种族敌视日渐增长的工业废水里。幸运的是，根据教育专家对"合作学习"概念的研究，真正有望消除敌意的方法正一步步浮现出来。课堂种族融合之所以加剧了种群偏见，大多是因为学生把其他族群的成员看成是竞争对手所导致的。于是这些教育工作者开始尝试一些新的学习形式，让孩子们通过合作而非竞争来学习。

要理解合作法的逻辑，不妨来重温一下出生于土耳其的社会学家穆扎费尔·谢里夫（Muzafer Sherif）及其同事在40年前完成的一个有趣的研究项目——露营研究。出于对群体冲突的好奇，研究小组决定到男生夏令营去做一番调查。男孩们本身并未意识到自己参与了一场实验，可谢里夫和同事们却不断以巧妙的手法操纵了夏令营里的社会环境，并观察它给群体关系造成的影响。

研究人员发现，要让男孩们对彼此产生某种敌意很容易。只要把男孩们分到两个宿舍就足以激发出一种"我们对他们"的感觉；再让男孩们给两间宿舍起个名字（老鹰和响尾蛇），竞争意识便进一步加剧。男孩们很快就开始贬低对方一组人的素质和成绩。不过，这一阶段的敌意还算不了什么。等实验人员有意识地引入一些竞争性的活动，两组人之间的敌意就更深了。宿舍之间的寻宝、拔河、体育比赛，造成了孩子们之间的谩骂和对抗。在竞争过程中，男孩们叫对方宿舍的成员"骗子"、"小偷"和"讨厌鬼"。之后，男孩们又频频翻抄对方的宿舍，偷走、烧毁对方的旗帜，张贴威胁性的字条，午餐时打架斗殴。

此时，谢里夫明显看出了问题的症结所在——想引发不和简单得很：只要把参与者分组，让他们自发形成小圈子意识。之后，再把他们混在一起，用竞争的火焰烤上一烤。这样不同群体之间的恨意就会像烧开了的水一样沸腾起来。

接着，一个更具挑战性的问题摆到了实验者面前：如何消除眼下双方根深蒂固的敌意？他们先是试着让两组人加深接触。可即便是进行令人愉快的联谊活动——如看电影、社交等，最终结果也不尽如人意。去野餐，男孩们为争夺食物打起了架；娱乐活动变成了吵闹竞赛；午餐排队时推推搡搡。谢里夫和研究小组开始担心自己是不是创造了一种没法控制的"科学怪物"。不过，在争斗进入白热化阶段的时候，他们尝试了一种简单而又有效的策略。他们设计了一系列的环境，在这种环境下，两组人要是继续竞争，每个人的利益就都会受损，只有合作才对大家都有好处。

在一次郊游中，唯一能载人进城买食品的卡车"坏掉"了。男孩们集合起来，又是拉又是推，直到卡车上了路。还有一次，研究人员中断了夏令营的供水管道。夏令营的水来自远处的蓄水池，靠管道输送过来。面对这场共同的危机，男孩们意识到了团结行动的必要性，于是融洽地组织起来，在夜幕降临之前修好了管道。另一次要求合作的情况是：营地方面告诉男孩们，有一部很好看的电影正在出租，可费用太高，组织者负担不起。男孩们意识到唯一的解决办法就是整合资源，于是凑钱把电影租下来，共同度过了一个美好的夜晚。

这些合作活动的效果虽说过了一段时间才显现出来，可却相当惊人。为了成功实现共同的目标而齐心协力，这样的体验慢慢弥合了两组人之间的裂痕。没过不久，男孩们的口头叫骂就消停了，排队时也不再推推搡搡了，就餐时他们也开始混着坐了。研究人员又要男孩们列出自己最好朋友的名单，好多人的单子上都出现了另一组成员的名字。而最初所有人列的名单上都只有自己这组人的名字。一些孩子甚至为有机会重新评价朋友而向研究人员表示感谢，因为现在他们的想法有所改变，跟第一次列名单的时候不一样了。还有一个小插曲很能说明问题：篝火晚会之后，男孩们搭乘同一辆公车回的宿营地。搁在过去，他们肯定会吵作一团，但这一次却是男孩们主动要求的。公车停在一处饮料摊时，一组男孩还拿出仅剩的 5 块钱公费，买来冰激凌奶昔款待另一组人——就在不久之前，他们还是互相恨得牙痒痒的仇敌呢！

我们可以找出这种惊人转折的根源——那就是男孩们不再把彼此视为敌人，而是盟友的关键时刻。这其间的奥妙又在于实验人员为两个群体设定了共同的目标，而实现这些目标需要合作。于是这些竞争群体的成员便不得不把彼此视为理性的同伴、重要的帮手、朋友，或是朋友的朋友。等大家通过共同的努力成功完成目标之后，任何一个人就很难再以敌意对待这些曾跟自己一同战斗过的队友了。

露营过后，让我们再回到学校。学校废除种族隔离制度反而导致种族局势更为紧张，一些教育心理学家开始注意到课堂教学和谢里夫等人研究的关系。倘若通过修正学习体验，让全班同学至少可以偶尔通过跨种群合作实现共同的成功，那么跨种群友谊兴许便能找到生长的土壤。好些州都开展了类似的项目，其中以艾略特·阿伦森及其同事在得克萨斯州和加利福尼亚州采用的方法最为有趣，它叫做"拼图教室"。

拼图学习法的本质是要求学生们一起合作，掌握考试里将会出现的问题。 为此，老师先把学生们分成合作的小组，每个学生只获得信息的一部分——即"拼图"的一块。而要通过考试，学生必须掌握全部的信息才行。这样一来，每个学生都必须互相帮助，互相指导。要想考得好分数，人人彼此需要。跟谢里夫实验里的夏令营成员们必须联手合作才能取得成功一样，学生们也变成了盟友而非敌人。

研究人员在新的种群混编课堂上采用这种新方法，效果相当突出。研究表明，与同一学校使用传统竞争教学法的其他班级相比，拼图学习让不同族群的同学结下了更深的友谊，减少了种群偏见。除了敌意的明显减少，它还另有优点：少数族裔学生的自尊心、对学校的好感和考试成绩都提高了。白人学生同样受益，他们的自尊心、对学校的好感亦有提高，他们的考试成绩至少跟传统班级里的白人学生一样好。

拼图学习法取得了这么大的成功，需要我们给出更为详细的解释。拼图教室里到底发生了什么，带来了这么好的效果呢？我们实在很久都不曾指望公立学校作出什么好成绩了。阿伦森提供的一个案例研究有助于我们更好地理解这一成功。

这个案例研究的主人公是个美籍墨西哥裔的小男孩，他叫卡洛斯。卡洛斯在拼图教学法小组里头一回发现了自我。他的任务是了解约瑟夫·普利策（Joseph Pulitzer）的中年生活经历，并将所得信息告知队友。队友们很快就要迎来一场有关这位著名报人一生经历的考试。阿伦森描述了整个过程：

卡洛斯的英语说得不怎么顺溜，因为那是他的第二语言，而且，在说英语时，他总会遭到别人的嘲笑，所以过去几年里，他学会了在教室里保持沉默。我们甚至可以说，卡洛斯和老师就这个问题达成了一种默契。他一言不发，把自己埋在教室活动的喧嚣中，再也不会因为回答不上问题而感到尴尬；反过来，老师也不会抽他回答问题了。老师下这样的决定，出发动机或许十分单纯：不想让他蒙受羞辱，或是看到其他孩子取笑她。但通过忽视卡洛斯的存在，老师实际上是把他给"勾销"了。她暗示不值得为他烦心，至少其他孩子得到的信息是这样的：既然老师都不叫卡洛斯回答问题，那一定是因为他笨。有可能连卡洛斯自己都得出了这么个结论。

很自然地，卡洛斯对新体系十分不适应，因为他必须向队友们讲话，而他很难做到这一点。他结结巴巴，犹犹豫豫，紧张得要死。其他孩子也完全不帮忙，他们按自己原先过分熟悉的老习惯作出反应。当一个孩子，特别是一个他们觉得是笨蛋的孩子回答不出老师的提问时，他们只会奚落他，嘲笑他："啊，你根本就不知道，你是个笨蛋，你太笨了，都不知道自己在干嘛！"

我们中有个人受指派列席旁观，倘若这个人听到这样的嘲讽，可以插嘴提些建议："好吧，要是你愿意，尽管取笑他好了，如果你觉得有趣的话。但它没法让你了解普利策的中年生活经历。你得记住，再有一个小时，考试就要开始了。"请注意这个人是如何改变强化事件的：羞辱卡洛斯得不到什么好处，而且还有可能遭受更大的损失。几天之后，多经历几次这样的情况之后，孩子们逐渐明白，要想学到卡洛斯掌握的那部分知识，只能留心听懂他在讲些什么。

意识到这一点之后，孩子们渐渐变成了非常好的采访员。他们不再取消或忽视卡洛斯，而是试着让他把话讲出来，问一些更方便他大声加以解释的问题。卡洛斯也变得更放松了，而放松又改善了他的沟通能力。过了几个星期，孩子们得出结论，卡洛斯并不像他们想得那么笨，他们从他身上看到了一些以前没看到的东西。他们喜欢上了他。卡洛斯也更喜欢上学了，他不再把白人同学当成噩梦，而是当成朋友了。

看到"拼图教室"取得了这么积极的成效，人们很容易对这种方法怀有太高的热情，以为光靠它就能解决一个大难题。但经验告诉我们，要解决这样的难题光靠一个简单的补救办法是远远不够的。毫无疑问，种族融合也是如此。就连合作学习法本身也还存在着不少复杂的问题有待探讨。在我们真正适应拼图法或类似改善学习、加强好感的方法之前，我们还需要做很多的研究，确定合作策略的适用情况：它的适用频率是多高？适用规模是多大？它适合哪个年龄段的孩子？它适合哪些群体？如果教师们都愿意采用新方法，我们还需要了解他们采用新方法的最佳途径。毕竟，合作学习法跟大多数教师更熟悉的传统教学方法不一样。它把大部分传道授业的指导工作交给了学生，有可能对教师在课堂里扮演的主导角色造成威胁。最后，我们还要认识到，竞争也有其积极的一面。它可以激发学生作出恰当的行为，培养学生树立自我意识。故此，我们的任务不是要消除学业竞争，而是要打破它在课堂上的垄断地位，定期采用合作学习法，让各族群的学生全都参与进来，取得成功的结果。

尽管还有以上种种限制条件，我仍然为迄今为止所找到的证据感到欢欣鼓舞。每当我跟自己的学生、邻居和朋友谈起合作学习法的前景，心底总会浮起一种乐观情绪。长久以来，公立学校总是传出来各种沮丧的消息——考试成绩越来越差，教师筋疲力尽，犯罪现象日益增多，当然种族冲突更是少不了。现在，至少这一片黑暗里总算透出了些许光芒，我真的很兴奋。

我们跑题跑了这么远，大谈学校种族融合及种族关系问题，有什么特别的用意呢？用意有两点：**第一，虽然接触带来的熟悉往往能导致更大的好感，可要是接触本身蕴含了让人反感的体验，就会起到适得其反的作用。**因此，当不同种族的儿童被投入标准美国课堂那种连续不断的严酷竞争中时，我们肯定会看到敌意的加深——事实也正是如此；**第二，有证据表明，以团队为导向的学习能缓解这种混乱状态。**通过这一点，我们可以看出合作对喜好过程有着强大的影响力。

在我们认定合作是导致好感的强力因素之前，不妨用一个我眼中的严峻考验来测试一下：顺从专业人士是否系统化地使用合作以令我们喜欢他们，答应他们的请求呢？要是环境中自然地存在着合作关系，他们是否会向我们指出来呢？他们是否会竭力放大原本甚为薄弱的合作关系呢？最重要的一点是，要是不存在合作关系，他们会不会硬生生地蓄意制造呢？

事实证明，"合作"顺利地通过了这场考验。**顺从专业人士从来都在努力建立一种"我们和他们在为同一目标而奋斗"的氛围，这样我们必须为了共同的利益"团结一致"；他们其实是我们的"战友"。**这里可以举出很多很常见的例子，比如新车销售员会站在我们这一边，向老板力争给我们一个优惠的价格。[①]还有一个例子，能一眼看出的人就比较少了，因为本例中的顺从专业人士是警方的审问员，他们的任务是让犯罪嫌疑人如实招供罪行。

近年来，法院对警察接触犯罪嫌疑人的方式方法作了诸多限制，对获取口供的要求尤其严格。过去可以让嫌疑人招供的许多做法现在都不能用了，因为警察们担心整个案件都会被法院驳回。然而，对于警察们在审问过程中使用微妙的心理学方法，法院并不觉得有什么不合法。基于这个原因，所谓的"好警察/坏警察"这套手法在刑事审讯中用得越来越多。

好警察/坏警察的工作原理如下：假设有个年轻的抢劫嫌疑犯在听过自己的权利之后一直说自己是清白无辜的。他被带入房间里，房里有两名警官负责审问他。一位警官扮演坏警察的角色（姑且不管是这角色适合他，

[①] 事实上，这种时候销售员进了经理的办公室，根本不会有什么"力争"的举动。通常，销售员很清楚他能给出的价格底线，所以他跟上司甚至话都用不着说。在为这本书作调查时，我曾打入一家汽车经销店。在这家店里，情况大多是这样的：销售员跑到经理办公室静静地喝上一杯饮料，或者抽上一支烟，而上司照常工作。过上一段合适的时间之后，销售员松开领带，回到客户身边，露出一脸疲惫的样子，拿出他刚刚"力争"来的好价钱——其实，这个价钱在他走进老板的办公室时就想好了。——作者注

还是仅仅因为这回轮到了他）。犯罪嫌疑人还没坐下，坏警察就对着他来上一大堆"你这个狗娘养的"之类的咆哮。在接下来的审讯里，这个警官叫骂连连；狠踢嫌犯的椅子，加强语气吓唬嫌犯；看嫌犯的时候，用的是看"社会垃圾"的眼神。要是嫌犯反驳他的指责，或是拒绝回答，他会满脸铁青，怒气直升。他赌咒发誓，说要想尽办法让嫌犯获判最高刑期。他会说，他在地方检察官办公室有朋友，而那朋友要是晓得嫌犯这么不合作，一定会按重罪提起诉讼。

在坏警察刚开始表演的时候，他的伙伴——好警察坐在后面，并不怎么说话。但接下来，好警察逐渐开始插嘴了。他先是试着宽慰坏警察，平息后者的怒气："冷静，弗兰克，冷静。"但坏警察吼着说："这小子当面对我撒谎，别跟我说什么冷静！我痛恨这些说谎的混蛋！"过了一会儿，好警察开始帮犯罪嫌疑人说话了。"轻松些，弗兰克，他只是个孩子。"尽管和支持还差得远，但跟坏警察的咆哮相比，好警察的这些话在嫌犯听来简直像是动听的音乐。可坏警察一点也不给他面子："孩子？他才不是什么孩子。他是个无赖！他根本就是个无赖！我还要说，他已经满18岁了。就凭这个，我就能一脚把他踢进监狱里去，叫他们打着灯笼也找不着这小子！"

现在好警察开始直接跟嫌犯说话了，叫他的名字，并指出案件里对嫌犯有利的细节："我要告诉你，肯尼，你的运气不错，没人受伤，而且你没有携带武器。这样上法庭的时候，你会显得挺不错。"如果犯罪嫌疑人还是坚持自己无罪，坏警察就拉开另一轮咒骂和威胁。这一次，好警察阻止了他，"好啦，弗兰克，"他塞给坏警察一些钱，"去给我们弄点咖啡来，一人一杯，买三杯怎么样？"

等坏警察走了，就轮到好警察演大戏了："你看，老兄，我也搞不懂为什么我的同事这么不喜欢你。他会想方设法地针对你的。他做得到这一点，因为现在我们手里掌握了足够的证据。而且，他说检察官会对不合作的家伙提起最严厉的起诉，那可不是假的。你恐怕会被判上 5 年，伙计，整整 5 年哪！我并不想你落个这么惨的下场。所以，要是你趁他还没回来，承认在案发地点抢劫了，我会负责你的案子，给地方检察官说些好话。要是我们合作的话，5 年说不定能减成两年，甚至一年。肯尼，帮咱俩一个忙吧！只要告诉我你是怎么抢的，我们就一起想法挨过难关。"这之后，嫌犯大多会一五一十地全部交代。

好警察 / 坏警察的做法之所以管用，有若干原因：靠着坏警察的威胁，嫌犯的心里很快就注满了对长期监禁的恐惧情绪；知觉对比原理（见第 1 章）也发挥了作用，相较于满嘴胡言乱语的坏警察，好警察显得像是个特别讲道理的好人；又因为好警察屡次帮嫌犯说话，甚至还自己掏钱为嫌犯买咖啡喝，互惠原理令嫌犯感到了压力，让他想要回报好警察的好意。然而，这种刑讯手法见效的主要原因在于它让嫌犯感觉有人站在自己这一边，有人为自己着想，有人愿意跟自己合作。就算在正常的环境下，这样的人也会显得特别好心肠。更何况此时抢劫嫌疑犯陷入了大麻烦，这样的人简直就是大救星了。用不了多久，在嫌犯眼里，好警察就会从大救星变成值得信赖的告解神父，连所做的坏事都可以向他忏悔了。

条件反射和关联

"为什么他们要怪我呢，博士？"本地电视台的一位气象播报员声音颤抖着，给我打来了电话。他对这个问题已经迷惑不解很久了，近来更是为了它备感困扰和沮丧。他打电话向我所在的大学心理系求助，想知道谁能解开这个谜，人们便把我的号码给了他。

"我的意思是，这太疯狂了，对不对？人人都知道，我不过是预报天气，又不是吩咐天气，对吧？所以，天气糟糕的时候怎么会有那么多人怪罪我呢？去年发洪水的时候，我收到了满怀恨意的邮件。有个家伙还威胁我，说要是我不让雨停下来，就要开枪打死我。老天爷，就为了这个，我现在还提心吊胆的呢！连我在电视台的同事们也这样！有时，就在我做现场直播的时候，他们会因为热浪来袭一类的事儿嘘我。他们显然知道这跟我无关，可还是这么做。你能让我搞懂这一点吗，博士？我真的很沮丧。"

我们约好在我的办公室聊聊。我试着向他解释说，人很容易觉得事物之间只存在单一的联系，这是一种古老的"按一下就播放"式反应，而他不幸成了这种反应的受害者。这类例子在现代生活里不胜枚举。为了宽慰这位沮丧的天气预报员，我想起了历史上的一个例子。我要他想想古波斯帝国信使的悲惨命运。倘若信使的任务是传递军事信息，那他一定怀着私心，希望波斯王这一边取得胜利。因为要是他带来的是捷报，到了宫殿后就能享受英雄一般的待遇，美食美酒都任他选。可要是他带来的是失利的消息，结局就完全不同了：他会立刻被杀掉。

我希望天气预报员别误解这个故事的中心思想，也希望他明白一个不管是在如今还是在古波斯都存在的事实：**糟糕的消息会让报信人也染上不祥。人总是自然而然地讨厌带来坏消息的人，哪怕报信人跟坏消息一点关系也没有。光是两者之间存在联系，就足以引发我们的厌恶了。**

我还希望天气预报员能从这段历史故事中了解一点别的东西。他的困境不光几百年来的"报信人"遇到过，而且跟其他一些人比起来（比如古波斯的信使），他算是很幸运的了。在我们会面结束时，他说了一句话，让我晓得他完全明白了这一点。"博士，"他一边说一边往门外走，"我对自己的工作感觉好多了。我是说，幸好我待的地方是凤凰城，每年有300天都艳阳高照。谢天谢地，我不是在水牛城播报天气呀！"

天气预报员临别的一席话说明他彻底搞懂了影响观众对他好感的原理。跟坏天气联系在一起会带来负面影响，跟好天气联系在一起却能提高他的声望和人气（见图5—2）。没错，联系原理是一条普遍性的概念，好坏联系都归它管。不管是好事还是坏事，只要跟我们偶然联系在了一起，就都会影响人们对我们的感觉。

天气预报员成了气候变幻莫测的替罪羊
大卫·兰福德
美联社

电视气象预报员靠着谈论天气能过上蛮不错的生活，可当大自然母亲投出变幻莫测的曲线球时，他们也会成为替罪羊。

这个星期，我跟全国各地几个老资格的天气预报员聊了聊，听他们说了好些有趣的故事：天气不好的时候，会有老妇人用雨伞打他们，在酒吧里遭到酒鬼挑衅，莫名地挨了雪球和雨靴的"空袭"，收到死亡威胁信，被人控诉"假扮上帝"。

"我接到过一个人打来的电话，他对我说，要是圣诞节敢下雪，我就活不过新年。"鲍勃·格雷戈里说。他在印第安纳波利斯的WTHR电视台作了9年的天气预报工作。

大部分天气预报员说，当天的天气预报能有80%~90%的准确率，但长期预报就难说了。大多数人承认，他们只是照本宣科罢了，真正的信息源头，是电脑、国家气象局或者其他私营机构某个不具名的气象学家。

可上电视抛头露面的毕竟是这些天气预报员。

汤姆·博纳，35岁，在阿肯色州的小石城作了11年的天气预报。他记得有一回，在酒吧里，一个从洛诺克来的魁梧农民，喝得醉醺醺地走向他，用指头戳着他的胸口说：

"你就是那个派龙卷风卷走我房子的家伙……我要把你的脑袋拧下来。"

博纳说，他当时到处找酒吧的保安，可一时没见着人影儿，只好急中生智地回答说："你说得没错，而且我还要告诉你点别的消息。要是你不退后，我就再派一场龙卷风来。"

几年前，一场大洪水把圣迭戈的使命谷给淹了，城里的水足有10英尺深。一位妇女走到KGTV的迈克·安布罗斯的汽车前边，用雨伞猛砸他的挡风玻璃，说："这场大雨都怪你。"

印第安纳州南本德WSBT电视台的查克·惠特克说："有位小个子老太太打电话报警，要他们把我逮起来，因为是我这个天气预报员引来了这么大的雪。"

有个妇女对女儿婚礼碰到下雨感到很不愉快，打电话给纽约州水牛城WKBW电视台的汤姆·乔尔斯，把他狠狠地骂了一顿。"她觉得我应该为这事儿负责，要是她碰到我，很可能还会揍我呢！"乔尔斯说。

WJBK电视台的桑尼·艾略特在底特律地区播报了30年的天气。他记得几年前的一天，自己播报了城里要下2~4英寸厚大雪的消息，结果雪下了整整8英寸厚。为了报复，电视台的同事们设计了一套机关，趁他正要播报第二天天气的功夫，往他头上"淋"了两百多只雨靴。

"我说的句句是真，不信你瞧，现在，我脑袋上的肿包都还没消呢。"他说。

图5—2 饱经风霜
请注意到我办公室来的气象预报员及其同行的共同遭遇。

我们对负面联系留下的最初印象，似乎主要是父母教的。还记得他们总是警告我们别跟街上的坏孩子玩吗？还记得他们是怎么说的吗——我们做没做坏事无关紧要，可在邻居眼里，我们跟坏孩子玩，就是坏孩子一伙的。父母把关联原理带来的负面效应教给了我们，他们说的没错，人们的确有**"物以类聚，人以群分"、"近朱者赤，近墨者黑"**的想法。

至于说正面的关联，则是顺从专家教会我们的。他们不断尝试把自己或自己代理的产品跟我们喜欢的东西联系在一起。你有没有想过，为什么汽车广告里总站着一堆漂亮的女模特？广告商希望她们把自己积极的特性——漂亮、性感投射到汽车身上。广告商认为，只要漂亮模特跟自己的汽车联系在一起，我们对汽车的反应就变得跟对女模特的反应一样——果不其然，我们的反应正中他们下怀。

有一项研究是这样：同一款汽车打广告，一个广告里有性感的女模特，另一个广告里没有性感的女模特。男性普遍觉得前一种广告里的车速度更快、更讨人喜欢、显得更名贵、设计更精致。可事后问起的时候，男人们拒不相信漂亮姑娘影响了他们的判断力（见图5—3）。

图5—3　性感的病床

研究显示，漂亮模特站在汽车旁边，会让这辆车显得更值得拥有。一些广告商显然是觉得这条原则用到什么产品上都管用。

由于关联原理的效果如此之好，又如此神不知鬼不觉，**制造商们总是急着把自己的产品跟当前的文化热潮联系起来**。美国人第一次登上月球期间，从早餐饮料到除臭剂，所有商品都忙不迭地跟太空项目攀亲戚。每逢开奥运会的年份，美国体育代表团指定用什么发胶和纸巾我们都会知道。[①]20 世纪 70 年代，最流行的文化概念是"自然"，所以"自然"的大部队也是浩浩荡荡。有时候，跟自然的联系根本就不靠谱：一个大受欢迎的电视广告上说，"自然地改变你的发色"。

把产品跟名人联系在一起，是广告商利用关联原理赚钱的另一种办法。他们付钱给职业运动员，把跟运动员角色直接相关（如运动鞋、网球拍、高尔夫球等）或不相关（如饮料、爆米花、连裤袜等）的东西联系起来。对广告商来说，重要的是把联系建立起来，合不合逻辑无关紧要，只要是正面、积极的关联就行了。

制造商还乐意花大价钱让自己的产品跟流行艺人联系起来。最近，政治家们也意识到，跟名人拉好关系方便拉选票。总统候选人总会找来一大堆无关政治的知名人物，有些人是该政客竞选活动的积极参与者，有些人则只是借出自己的名号罢了。就算是州和地方一级的政治造势活动，也要玩这类把戏。这里有个好玩的证据：洛杉矶的一位妇女曾向我表达了她对加州限制在公共场所抽烟政策公投的矛盾心情——"真难决定啊！有些大明星支持这么做，有些却又反对它。简直不知道该怎么投票了。"

倘若说政客们在利用名人拉拢选民支持方面还相对算是新手，那么说到以其他方式利用关联原理，他们就是个中高手了。比方说，国会议员总会抢先向媒体透露，联邦政府启动了这样那样能给自己家乡带来就业或其他好处的项目。哪怕这个议员从来没有出手推动过这个计划，甚至还对此

---

① 想获得进行这类关联的权利，代价可不菲呢！企业会花上数百万美元竞夺奥运会赞助权。而说到宣传自家产品使其跟奥运赛事联系所需的费用，几百万美元最多算得上个零头。但这些企业赞助商卖东西所得的利润却比上述数字大得多。《广告时代》的一项调查发现，三分之一受访的消费者都说自己更愿意购买一种跟奥运会联系在一起的产品。——作者注

投过反对票。

尽管政治家们素来不遗余力地让自己跟母亲、祖国、苹果派等东西靠拢，但最后一种联系——也即跟食物的联系恐怕才是他们最擅长设计的。举例来说，白宫一直有个传统，靠一顿美餐来拉拢摇摆不定的议员的选票，它可以是一顿室外午餐、一顿丰盛的早宴，或是一场优雅的晚宴。总之，每当重要的法案需要拉选票的时候，精致的银质餐具就摆出来了。近来政治筹款活动也照例要吃吃喝喝。还要注意，在典型的筹款晚宴上，呼吁人们进一步捐款、再接再厉的演说从来不会在餐点还没上桌前开始，而只会出现在宴会当中或众人吃喝完毕的时候。这么做大有好处：一来节省时间，二来利用了互惠原理。但这其中最不为人所知的一点好处，恐怕还要算20世纪30年代杰出心理学家格雷戈里·拉茨兰（Gregory Razran）在研究中发现的那个。

拉茨兰把这套手法叫做"午宴术"，他发现，**受试者对就餐期间接触到的人或事物更为喜爱。**跟我们的论述最相关的一个例子是这样的：研究人员给受试者看一些他们从前批评过的政治声明。在实验结束的时候，所有的声明都罗列完毕，拉茨兰发现，受试者只对很少的一部分声明改变了看法——也就是那些他们吃饭时过目的声明。受试者似乎是在无意识中改变态度的，因为他们根本记不得自己在就餐期间看过哪些声明。

拉茨兰是怎么想出午宴术这一招的呢？是什么让他觉得这一套能管用呢？答案可能跟他在事业生涯里扮演的双重学者角色有关。他不仅是一位受人尊敬的独立研究员，还是最早把俄国开创性心理学文献带入英语世界的翻译之一。这部分文献恰好跟关联原理的研究有关，并主要来自杰出的学者伊万·巴甫洛夫。

巴甫洛夫是一位兴趣广泛的天才科学家，曾因研究消化系统得过诺贝尔奖，但他最重要的贡献还在于他通过一些极为简单的实验一目了然地论证了事实。他证明，他能让动物冲着一些跟食物完全无关的东西（铃铛）

产生对食物的典型反应（分泌唾液）——只要把这两样东西在动物的体验中关联起来就行了。倘若端食物给狗的时候总是伴随着铃铛的响声，过不了多久，狗一听到铃铛响就会分泌唾液，哪怕根本没见着食物。

从巴甫洛夫的经典示范转到拉茨兰的午宴术，用不着花多大功夫。显然，对食物的正常反应可以通过原始的关联过程转换到其他东西上。拉茨兰认为，除了分泌唾液，对食物的正常反应还有许多，其中之一就是赞许、舒服的感觉。故此，把这种愉快的感受、这种积极的态度转向跟美食紧密相联的东西（政治声明只是其中之一）上是有可能的。

从午宴术过渡到顺从专家的一点认识也并非难事：那就是各种美好的东西都可以拿来替换食物的角色，把它们讨人喜欢的特质"出借"给人为跟它们联系在一起的东西也没有一个长期的午餐术步骤。这就是为什么杂志广告里总站着漂亮的模特，电台播音编排师总会在播放热门歌曲前插入本电台的主题音乐。这也就是为什么在特百惠家庭聚会上，妇女们在玩"疯狂农场"游戏冲到房间中央拿奖品时，嘴里会不喊"中奖啦"，而喊"特百惠啦"！其实玩家喊的是"特百惠啦"，可公司却"中奖啦"。

我们经常在无意识里成为顺从专家和关联原理的"受害者"，但我们并非不懂它是怎么回事，事实上，我们自己也经常用它。有充分的证据表明，我们完全明白古波斯帝国信使或当今气象预报员传来坏消息时所面对的尴尬处境。事实上，我们甚至会采取措施，避免自己碰到类似的麻烦。佐治亚大学做过一项研究，看人碰到传递好坏消息的任务时会如何操作。

实验一开始，等候的学生会接到一项指派的任务：去通知一名同学，说有一通重要的电话，半数的电话带来的是好消息，半数是坏消息。研究人员发现，根据消息的好坏，学生传达信息的方式很不一样。倘若碰到的是好消息，传话的学生保准会提到这一点："快去接电话，你有好消息啦，快去找实验负责人打听详情吧！"倘若消息不好，传话的学生就闭口不提了："有电话找你。详细情况你最好是去找实验负责人问问。"显然，学生们早就明白，要想得到他人的好感，必须把自己跟好消息联系起来，躲开坏消息。

　　人们深明关联原理的奥妙，并努力把自己跟积极的事情联系起来，跟消极的事情保持距离——哪怕他们并非事情的起因。好多奇怪的行为都可以用这一点来解释。这类行为里最怪异的一部分，发生在竞技体育的大世界里。不过，这里要说的不是运动员们的行动。毕竟，在激烈的比赛交手当中，偶尔作出些古怪举动无可厚非。更多的时候，暴躁狂怒、失去理性而又热情无限的体育迷们才显得怪不可言。欧洲爆发的体育骚乱，南美疯狂的足球迷杀死了球员和裁判（见图5—4），还有球迷在特殊日子给本来就很有钱的球员赠送奢侈的礼品，这些事情要怎么理解呢？用理性的眼光来看，这一切毫无道理。只是一场比赛而已，对不对？

图5—4　致命的体育狂热

　　这幅照片反映的是发生在秘鲁体育馆的暴乱场面。在一场足球比赛中，裁判判阿根廷队获得胜利，现场立刻陷入混乱。这次暴乱造成318人死亡，400多人受伤。大部分伤亡是践踏和窒息所致。

非也非也。体育和狂热粉丝之间的关系，远不止一场比赛那么简单，这种关系严肃、紧张、高度个人化。我很喜欢的一段轶事就是很恰当的例证。

第二次世界大战结束后，一名老兵退伍回到巴尔干的家乡，没过多久就不说话了。医生给他作了健康检查，找不出毛病来。没有伤口，没有脑损伤，声带也没有受损。他能读、能写、能理解对话、能服从命令，但就是不说话——不跟医生说，不跟朋友说，也不跟苦苦恳求的家人说。

医生困惑而又生气，就把他转移到另一座城市，安置到了一家退伍军人医院。在那里，老兵待了整整30年，从来不曾张口，过着与世隔绝的生活。后来有一天，他病房里的收音机刚好调在了一个转播足球比赛的波段，当时那场比赛又正好是他家乡的球队在跟老对头打。在比赛的关键点，裁判判沉默老兵家乡队的球员犯规，老兵气得从椅子上跳起来，瞪着收音机，30年来头一遭开了口："你这个蠢蛋！"他大叫道，"你是想让他们赢比赛吗？"说罢，他又坐回了椅子，重新回到了一贯的沉默当中，再也没开口。

从这个真实的故事里，我们可以了解到两件重要的事情。**一是体育运动蕴含着惊人的力量。**老兵希望家乡球队获胜的欲望是如此强烈，光是这一点冲动，就让他打破了自己多年来顽固坚持的生活方式。体育事件对粉丝长期生活习惯的影响，绝不仅限于老兵医院这一个例子。1980年冬奥会期间，美国冰球队击败了夺冠大热门前苏联队之后，守门员吉姆·克雷格（Jim Craig）从来滴酒不沾的老爹，喝完了整整一瓶酒。"我一辈子滴酒不沾，"他在事后说，"但我身后有个人递过来一瓶干邑白兰地，我就喝了。

没错，我真的喝了。"这类反常行为不光发生在运动员的父母身上，新闻还报道了冰球场外球迷们的狂喜表现："他们拥抱，他们唱歌，他们还在雪地里打滚。"连那些不在冬奥会现场的球迷也因为胜利而欣喜若狂，并作出好些古怪的行为来表明自己的骄傲。在北卡罗来纳州的罗列市，听说冰球队获胜之后，一场游泳比赛暂时中断，运动员和观众齐声高喊"美利坚！美利坚"，直喊到声嘶力竭才罢休。而在马萨诸塞州的剑桥市，一家安静的超市在胜利的消息传来之后突然沸腾起来，卫生纸和餐巾纸做成的条幅漫天飞舞。超市的员工和经理也很快加入了顾客们的狂欢活动——之后甚至带起头来。

毫无疑问，体育运动的力量深入人心，势不可挡。但倘若我们回头再来看看沉默老兵的故事，就能发现体育运动和粉丝之间关系的另一点本质特征：**体育运动和粉丝之间的关系是非常个人化的。**不管沉默老兵的个人认同残缺到了什么程度，足球比赛仍能让他感同身受。经过病号房里 30 年的无声自我放逐，不管他的自我已经虚弱到了什么程度，比赛结果仍然牵动着他的心弦。为什么会这样呢？因为要是家乡队输了，他个人会觉得消沉；要是家乡队赢了，他的自我则会提升。何以如此呢？关联原理在搞鬼。他与故乡的关系，把他跟一场球赛的胜利或失败捆在了一起、包在了一块、系在了一处。著名作家艾萨克·阿西莫夫（Isaac Asimov）描述过我们观看比赛时的反应：

> 倘若其他的条件全都一样，你铁定会支持跟自己同样性别、来自同一文化、同一地区的队伍……你想要证明自己比另一个人更优秀。你支持的一方就代表了你，它赢了，你就赢了。

从这个角度来看，体育迷的狂热就变得有意义起来。**我们观看比赛，并不是为了它固有的表现形式或艺术意义，我们是把自我投入了进去。**这就是为什么球队主场获胜以后，粉丝们会投以那么强的崇拜和感激之情。这也是为什么球队主场失利之后，同一批粉丝会马上翻脸不认人，恨不得把球员、教练和官员生吞活剥了。

球迷们对失败的零容忍，甚至还能缩短本来相当成功的球员和教练的职业生涯。以弗兰克·雷登（Frank Layden）为例。雷登是 NBA 犹他爵士队的教练，爵士队在中西部赛区正处于领先地位时，他却突然辞职了。他率队的成绩不错，为人热情幽默，还是盐湖城地区出名的慈善活动家。可这一切都无法抵挡爵士队输球后一些球迷对他的怨念。他碰到过多起球迷泄愤事件，有一回输球以后，有个球迷等了他一个多小时，专为了狠狠骂他一顿。雷登如此解释自己辞职的决定："有时候，在 NBA，你会觉得自己像条狗。有人朝我吐口水；有人走过来对我说'我是个律师，来打我，打我呀，这样我就好告你了'。我觉得美国人太拿体育比赛当真了。"如前面所说，我们想要自己支持的运动队赢得胜利，是为了证明自己的优越性，那我们是想向谁证明呢？当然是向我们自己，也是向其他所有人。**根据关联原理，倘若我们能用一些哪怕是非常表面的方式（比如我们的居住地）让自己跟成功联系起来，我们的公共形象也会显得光辉起来。**

难道球迷们真的觉得，哪怕从没出过拳、接过球、得过分，甚至从来没上过场，自己也能从主队的胜利中分享到荣耀吗？我想的确是这样。证据也支持他们的看法。还记得吗？打败仗跟古波斯帝国的信使毫无关系，坏天气不是天气预报员造成的，巴甫洛夫的铃铛也带不来食物。它们之间有联系，这就足够了。

出于这种原因，要是南加州大学赢得了全美大学生橄榄球赛的"玫瑰碗"，肯定会有人想方设法地强调自己跟南加州大学之间关系的可见性。

有一项研究表明，衣着打扮能用于实现这一目的。研究人员清点了 7 所大学（亚利桑那州立大学、路易斯安那州立大学、圣母大学、密歇根大学、俄亥俄大学、匹兹堡大学及南加州大学，它们是全美大学生橄榄球赛的主要参赛队）的学生周一早晨穿本校橄榄球队队服的人数。结果发现，要是本校队伍在上周六赢了比赛，周一早晨穿校队队服的人就会更多。此外，获胜时比分悬殊越大，穿获胜队队服的人越多。可以说，学生们穿校队队服，不是因为校队打了一场势均力敌、辛苦取胜的比赛，而是因为压倒性的胜利带来了不容否认的优越感。

人们会公开吹嘘与其他成功者的关系，沾染反射而来的荣誉光彩，同样，人们也会避免跟失败者搭上关系，免得遭了霉运。1980 年橄榄球赛季，新奥尔良圣徒队的主场上出了件怪事。那年，圣徒队很不走运。买了季票的球迷们出现在看台上时，都开始用纸袋蒙起脸来。球队的比赛越输越多，蒙脸的球迷也越来越多。电视台的摄像机经常录下这一壮观场面：一大群人头上戴着棕色的纸袋，只露出鼻子尖，谁也分辨不出谁是谁。可我觉得最好玩的一回，是在那年赛季末的一场比赛里。那次圣徒队明显能赢上一回了，球迷们纷纷摘掉纸袋，重新把脸露了出来。

这一切说明，我们会有意识地操纵我们跟输赢双方的联系，这样，在目睹这些关联的人们眼里，我们会显得更好看些。**我们展示积极的联系，隐藏消极的联系，努力让旁观者觉得我们更高大，更值得喜欢。**我们这样做的方式方法多种多样，但最简单也最常用的一种就是巧妙选择代名词。举个例子，你有没有注意过，主队胜利后，总有狂热的球迷冲进摄像机镜头，高高地伸出食指，大声叫道："我们是第一！我们是第一！"请注意，球迷喊的不是"他们是第一"，也不是"我们队是第一"。这里用的代名词是"我们"，意在尽可能地拉拢跟得胜球队的距离和认同（见图 5—5）。

图 5—5　我们，赢了!

　　时隔几十年后，费城队终于再次赢得世界职业棒球联赛冠军，全城150万居民中有110万人走上了街头，趁着英雄们进行胜利大游行时，齐声高呼"我们是第一"。

　　与之相反，碰到输球的时候，可不会出现类似的事情。没有哪位电视观众听到球迷大叫："我们是倒数第一! 我们是倒数第一! "要是主队失利，我们最好是跟它保持距离。这种时候，代名词"我们"就不如疏远的"他们"好了。为了证明这一点，我曾在亚利桑那州立大学的学生中做过一个小实验。

　　我给他们打电话，要他们描述一下几周前校队打橄榄球赛的结果。有些学生被问到的是一场校队输了的比赛；有些学生被问到的则是赢了的比赛。我和同事阿夫里尔·索恩（Avril Thorne）把他们说的话录音,记录学生使用代词"我们"的比例。统计出来的结果很明显,学生会在自己校队获胜的时候使用代词"我们",把自己跟成功联系起来:"我们打败了休斯顿,17:14",或是"我们赢了"。可输球的时候,学生就很少用"我们"了。相反,他们会有意识地让自己跟输掉比赛的校队保持距离:"他们输给了密苏里队,30:20",或是"我不知道具体的比分,但亚利桑那队输了"。有个学生的评论绝妙地把亲近赢家、疏远失败者的双重愿望暴露无遗。他先是冷冰冰地报出了主队失利的分数,"亚利桑那输了,30:20"——接着分外痛苦地脱口而出:"他们断送了我们夺取全国冠军的机会!"

如果我们真的会千方百计地跟成功拉关系、沾光彩,好让自己显得更好看,那么有一点可以断定:倘若我们觉得自己看起来不怎样,那么我们就很有可能使用这一方法。**每当我们的公众形象受损,我们就会产生强烈的欲望,宣扬自己跟其他成功者的关系,借此恢复自身形象。同时,我们还会小心避免暴露自己与失败者之间的关系。**在亚利桑那州立大学进行的电话采访也支持上述看法。在向受试学生询问校队比赛输赢之前,研究人员先要他们做一次综合知识测试。测试本身是动了手脚的,这样一来,一部分学生的分数会很糟糕,另一部分学生却能考得非常好。

等要他们描述橄榄球比赛得分情况的时候,一半的学生没能通过测试,感到自己的形象受了损害。这些学生表现出十分明显的需求:想通过操纵与球队的关系来挽回颜面。如果问他们的那场比赛打输了,只有17%的人会使用"我们"这个词。如果是赢了,则有41%的人会说"我们"如何如何。

但对那些考得很好的学生来说,情况则完全不同。不管球队的比赛是输是赢,他们提到"我们"这个词的概率都是一样的。这些学生用成绩树立起了良好的形象，不需要通过其他人的成就给自己打气。这一发现说明，**在我们以个人成就为傲的时候，我们不会沾别人的光。只有当我们在公在私的威望都很低的时候，我们才会想借助他人成功来恢复自我形象。**

我认为，1980 年冬奥会美国冰球队获胜之后，国内非比寻常的热闹情形也跟当时美国人声誉下降有关：美国人质被扣在了伊朗，前苏联又入侵了阿富汗，面对这些突发事件，美国政府无能为力。身为美国公民，这正是需要靠着冰球队胜利、展现甚至操纵自己与这一胜利之间关系的时候。所以对美国队赢了前苏联队之后，冰球场外黄牛党手里的剩票都能卖上 50 美元一张的情况，恐怕谁都不会感到吃惊。

虽说所有人都或多或少想沾染一点荣耀的光彩，但有些人似乎走得太远了些。是什么样的人呢？倘若我猜得不错，这些人不光是热情的体育迷，也是一些有着隐性人格缺陷的人：自我意识太差。他们内心深处的个人价值感过低，没办法靠推动或实现自身成就来追求荣誉，只能靠着吹嘘自己与他人成就的关系来找回尊严。我们的文化中有好几类这样的群体。爱跟名人套近乎，每次说起名人总是假装很熟的样子，这是典型的一类。此外还有摇滚明星的"骨肉皮"、"果儿"，她们不惜出卖肉体，只为能在朋友面前炫耀自己跟某某歌星"好过"一阵子。不管采取什么样的形式，这类人的行为都具有一个共同的特征：他们的成就并不来自本身。这可真是一种可悲的认识啊！

这类人里有些还会以一种略有不同的方式来运用关联原理。他们并不尽力抬高他人成功与自己之间的可见联系，而是尽力抬高与自己有着明显联系的人的成功。最明显的例子大概要数那些一心想让自家孩子变成大明星的"星妈"了。当然，这么做的也不光是女性。几年前，在艾奥瓦州的达文波特，一位妇产科医生中止了对三名学校官员妻子的服务——有个妻子当时已经怀孕 8 个月了，据说是因为他儿子在学校篮球比赛里没有获得足够的上场时间。

由于跟丈夫的职业地位相关，医生的妻子们也经常感受到强大的争夺荣誉的压力。约翰·派克南（John Pekkanen）写过一本名为"全美最佳医生"的书。据他说，很多对他名单提出抗议的，不是名字没上榜的医生，而是这些医生的妻子。关联原理对这些妻子的影响达到何等程度了呢？有一个例子表现得最为明显。派克南收到过一名疯狂妻子的来信，随信附有丈夫理应上榜的证据：一张她男人跟著名主持人梅尔夫·格里芬（Merv Griffin）的合影。

如何拒绝

因为用很多手段都可以增加好感，所以，要招架采用喜好原则的顺从专业人士，方法反倒十分简单，短短一条就够了。影响好感的途径多种多样，逐一设计反击策略是毫无必要的。指望这种一对一的策略把每条路都堵死简直不现实。此外，一些导致好感的因素，如外表魅力、熟悉感和关联，都是在潜意识中影响我们，我们不太可能找出一种合适的防御措施。

我们需要的是一种通用的方法，所有借助好感因素来影响我们顺从决策的手腕，都能靠它挡在门外。这种方法的奥妙在于**使用的时机**。我们不需要识别出所有导致好感的因素，严防死守不让它们对我们发挥作用。恰恰相反，我建议你听之任之，顺其自然。顺从专家用来诱使我们产生好感的东西，不必提防，只要当心它们带来的过度好感就行。一旦我们觉得自己对顺从专家的好感超出了该场合下的正常程度，就是唤出防御机制的时机了。

把注意力放在效果而非成因上，我们就用不着去辨别、转移针对好感的多种心理影响力了——这本来也是一个近乎不可能完成的繁琐任务。在跟顺从专业人士接触的时候，我们只需关注跟好感有关的一件事就行：我们是不是觉得自己超乎寻常地迅速、热烈地喜欢上了对方？只要发现这种感觉，我们就该警惕了，他可能采用了某种手法，而这时我们就可以采取必要的反击对策。请注意，我建议使用的策略其实就是顺从专业人士自己最青睐的社交柔道术：**不去压抑好感因素产生的影响力，听凭这些因素发挥力量，然后用这股力量反过来对付那些想从中获利的人。**这股力量越大，其反作用也就越明显，对我们的戒备防御也就越有帮助。

假设我们正跟交易手丹商谈一辆新车的价格。丹是继乔·吉拉德之后有望摘取"最伟大的汽车销售员"称号的谈判高手。谈了一会儿，磋商了一阵，丹想要结束交易了，他希望我们打定买车的主意。在作出这类决定之前，我们首先要问自己一个关键的问题："认识这家伙才不过25分钟，我是不是有点超乎预期地喜欢他了呢？"如果答案是肯定的，我们兴许还会回想一下丹在这期间的表现。我们大概会想起他给我们递了吃的（咖啡、甜甜圈），恭维我们选择的配件和颜色，逗我们笑，帮我们一起对付销售经理，为我们争取更优惠的价格。

这样把事情从头到尾地回顾一番，或许能提供不少信息，但这并不是保护自己不为喜好原理所动的必要步骤。一旦我们发现自己对丹产生了超乎预期的好感，我们并不见得非得知道为什么。了解这种好感来历可疑就足够我们作出反应了。反应之一是逆转这一进程，主动地讨厌丹，但这对他或许不大公平，也不符合我们的利益。毕竟，总有些人天生就讨人喜欢，丹说不定就是其中之一。非要讨厌那些碰巧很招人喜欢的顺从专业人士，好像不大对头。再说，为了自己考虑，我们并不想断绝跟这些好人的商业关系，尤其是在他们能给我们最划算的生意的时候。

我推荐采用另一种反应。倘若我们对关键问题的回答是"没错，在当前这种情况下，我挺喜欢这家伙的”，那么这应该是一个迅速采取还击策略的信号：是时候在心智上把丹和他销售的丰田或雪佛兰区分开来了。这时你务必要记住，要是我们选择了丹的车，把这辆车从经销商店里开出去的人可是我们，而不是丹。不管出于什么原因，我们喜欢上了丹——他长得好看，他好玩，他对我们的个人爱好感兴趣，他有亲戚住在我们的老家凡此种种，都跟我们是否作出了明智的购车决策完全不相干。

因此我们恰当的反应，就是有意识地把注意力放在这笔生意的好处上，放在丹推荐给我们的这辆车的优点上。在我们作出顺从决定时，把提出请求的人和请求本身从感性上分开，这是很明智的。可一旦跟提出请求的人有过亲身的社交接触（哪怕时间十分短暂），我们就会很容易忘掉这其中的区分。在我们对请求者没什么感觉的情况下，忘掉两者的区别不会造成什么太大的偏差。可要是我们喜欢那个提要求的人，分不清界限就有可能酿成大错了。

这就是为什么有必要当心对顺从专业人士的过度好感。意识到这种好感，能提醒我们把交易者和交易分开，只根据生意本身的好坏作决定。如果我们都能遵循这样的做法，我敢保证，我们会对与顺从专业人士的交易结果更为满意——当然，我猜交易手丹就不那么满意了。

读者报告

来自芝加哥的一位先生

尽管我从没参加过特百惠聚会，可最近我受到了一种同类的友谊压力。当时，我接到一通长途电话公司推销员打来的电话。她告诉我，我的一位好朋友把我的名字列进了“美国长途电话公司 MCI 朋友和家人通话圈”。

我这位朋友——布拉德，跟我一起长大，去年为了工作搬到了新泽西。他经常跟我通电话，打听老朋友们的新消息。推销员说，他给"通话圈"名单上的人打电话，能省下 20% 的电话费，但前提是这些人都得是 MCI 电话公司的用户。她问我想不想换用 MCI 电话公司，享受各种服务的好处，这样布拉德给我打电话时也可以省 20% 的钱了。

哼，我才不在乎 MCI 服务能带来的好处呢！我对现在用的这家长途电话公司非常满意。但"布拉德给我打电话能省钱"这部分真的打动了我。要是我说我不想加入他的"通话圈"，不希望他省点钱，他听了肯定觉得很受侮辱。所以为了不让他受伤害，我告诉电话推销员，我愿意换用 MCI。

我以前很好奇，为什么妇女们去了特百惠聚会，会只因为主办者是自己的朋友就买下一大堆并不想要的东西，这下我算是明白了。

作者点评：能够证明"MCI 通话圈"概念里蕴含着强大友谊压力的，不光只有这位读者。《消费者报告》杂志曾调查过这一做法，他们采访的 MCI 公司销售人员简洁明了地回答："十次有九次都能成功。"

跟着权威走。

——维吉尔

第**6**章

Influence 权威

The Psychology of Persuasion

|教化下的敬重|

　　假设你在翻看本地报纸的时候，留意到一则招募志愿者到附近大学心理学系参加"记忆研究"的广告。又假设你觉得这个实验会很有趣，你便联系到研究负责人斯坦利·米尔格拉姆（Stanley Milgram）教授，安排好去参加一小时的实验。你刚到实验室，就碰到两个男人。一个是负责实验的研究员，他身上穿着的灰色实验室大褂和带着的记录板清楚地表明了这一点；另一个是跟你一样普普通通的志愿者。

　　你们稍稍作了一番问候和寒暄，研究员开始解释要遵循的程序。他说，该实验的目的是研究惩罚对学习和记忆有什么样的影响。一位参与者要完成的任务是学习一张超长清单上的成对单词，直到能把每对单词都完美地记住，这个人叫做"学生"。另一名参与者的任务则是检验学习者的记忆进度，每当后者犯错就加强电击力度，这个人叫做"老师"。

　　听到这个消息，你有点紧张。跟你的搭档抽签之后，你更恐慌了：你抽到了"学生"的角色。你从没想过参加这个实验还要挨电击，所以有那么一瞬间你想到了离开。但你转念又一想，真有必要的话，你随时都能走，再说一道电击能有多强呢？

　　等你学了一阵单词之后，研究员用皮带把你绑到了一张椅子上，让"老师"看着，将电极插入了你的胳膊。这下你当真担心起电击的强度了，你提出了严厉的质询。研究者的态度反倒更令你恐慌了。他说，电击确实有

215

可能让你非常疼痛，但不会给你"造成永久性的组织损伤"。说完，他就和"老师"离开了，只剩你一个人在房间里。他们在隔壁，"老师"通过对讲装置向你提问，每当你回答错误，就用电击你，算是惩罚。

随着实验的进行，你很快认识到"老师"使用的模式如下：他提出问题，并等你回答。一旦你出了错，他就会宣布你要接受的电击伏特数，并拉下电闸惩罚你。最叫人紧张的是，你每多犯一次错，电击强度就会增加15伏。

测试的第一部分进行得还算顺利。电击有点烦人，但还可以容忍。但过了没多久，你犯的错误越来越多，电击强度也随之攀升，此刻的惩罚强得足以扰乱你的注意力，令你犯下更多的错误，承受越来越痛苦的电击。等到了75伏、90伏和105伏时，你已经痛苦得呻吟起来。到了120伏，你冲着对讲系统痛苦地大叫，电击真的很痛了。你又呻吟着接受了一轮惩罚，你拿定主意不再忍受下去了。等"老师"按下150伏的电压后，你向对讲机喊叫道："够了！让我离开这里，让我出去。"

"老师"并没有如你预期的那样宽慰你说，他和研究员马上就来放你出去，相反，他只是提出了下一个问题，要你回答。你在惊讶和困惑中念叨出最先冲进脑子的答案。当然，它是错的，"老师"压下了165伏的电击。你尖叫着要他住手，放你出去。他却只用下一道试题来回应你，你疯狂的答案当然是不正确的，他就又给了一轮电击。你再也压抑不住恐慌了，此刻的电击已经强得让你全身扭曲和厉声尖叫了。你踢墙，你要人来放你，你求"老师"帮帮忙。但测试却照常进行下去，可怕的电击强度也在继续增大——195伏，210伏，225伏，240伏，255伏，270伏，300伏。你意识到自己绝无可能正确地回答问题，于是你向"老师"大吼，你不再回答他的问题了，可一切还是照旧。"老师"把你的默不作声视为回答错误，又放出了一道电击。酷刑就这样持续着，直到电击的强度令你几乎昏迷过去。你再也叫不出声了，也不再挣扎了。你只能感觉到每一轮可怕的电蛇撕咬。也许，你想，"老师"看到你都不动弹了，总该停止了，没有理由再把实验进行下去了吧！可他却毫不留情地照章办事，提出试题，报出可怕的电击强度（这时已经在400伏以上了），并拉下电闸。你在混乱中想，这个人到底是什么样的魔鬼啊？他为什么不帮我？他为什么不停下来？

权威高压的力量

对于我们大多数人来说，以上的场景听起来十足是一场噩梦。可要说它到底有多可怕，我们只要明白一点就行了：大体而言，这一切都是千真万确的。名叫米尔格拉姆的心理学教授的确做过这么一个实验——确切地说，是整整一个系列的实验（见图6—1）。实验里扮演老师一角的参与者真的会向尖叫、挣扎、哀求的"学生"施加连续不断的强烈电击，电击强度足以令人致死。实验只有一个地方跟前面的描述不同："学生"并不是真的挨了电击，那个痛苦呼喊、哀求怜悯的人不是真正的受试者，而是演员，假装挨了电击。米尔格拉姆研究的真正目的并不是惩罚对学习与记忆的影响，相反，它涉及一个完全不同的问题：一个普普通通的人在履行职责的时候，会愿意向完全无辜的其他人施加多大的痛苦？

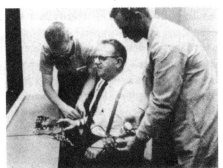

图6—1 米尔格拉姆实验

图为"学生"被绑在一张椅子上，身着实验室大褂的研究人员和真正的受试者正把电极安装到他身上。

答案极其令人不安。处在跟前面那场"噩梦"一模一样的情形下，大部分"老师"都会把折磨施加到可用的最大限度。米尔格拉姆实验里三分之二的受试者都没有听从受害者的请求，而是把面前整整30挡强度的电闸全部按了个遍，直到按下最后一挡（450伏），研究员结束实验为止。更可怕的是，从受害者最开始要求放了自己，到稍后他苦苦哀求，再到每一次电击都令他"发出绝对的厉声惨叫"（米尔格拉姆的原话），该研究中的40名受试者几乎都无动于衷，不曾主动放弃"老师"之职。

这样的结果把参与该项目的每个人都吓坏了，米尔格拉姆本人也不例外。事实上，研究开始之前，他分别要同事、研究生和耶鲁大学（实验就是在这里进行的）主修心理学的学生看该实验的程序说明，并估算有多少受试者会按下最后一挡电闸（该挡的电击强度为450伏）。大家给出的答案基本上都在1%~2%之间。米尔格拉姆甚至找了39名精神科医生，根据他们独立作出的预测，1 000个人里只会有一个人愿意把电闸按到底。也就是说，受试者在实验中真正表现出来的行为模式是谁也没有料到的。

我们该如何解释这种惊人的行为模式呢？有些人认为原因可能有如下几种：所有受试者都是男性，而众所周知，男性全都有侵略倾向；又或者，受试者们没有意识到那么高的电压会带来什么样的潜在伤害；再不然就是，受试者是一群变态的疯子，很享受折磨人的机会。但证据充分驳斥了这几种可能性。首先，后继实验表明，受试者是否愿意一次次地电击受害者跟性别无关；女"老师"采取相同做法的可能性跟米尔格拉姆实验中的男性受试者们一样高。

另一项实验针对"受试者没有意识到电击对受害者的危险性"这一看法作了研究。在本轮实验中，受害者会说自己有心脏病，他的心脏承受不起这么强的电击："够了！快让我出去。我告诉过你，我有心脏病。我的心脏开始难受了，我拒绝继续进行实验，快放我出去。"可结果还是一样，

65%的受试者忠实地履行了自己的职责，依次按到了电闸的最大挡。

最后，说米尔格拉姆找来的受试者全是心理扭曲的虐待狂，不能代表普通公民——这个借口也是不成立的。看了米尔格拉姆广告来报名参加"记忆"实验的人涵盖了各个年龄、职业和教育程度。而且，实验之后他们还作了一系列的人格测试，测试显示这些人心理十分正常，并不是一群疯子。事实上，他们就跟你和我一样。套用米尔格拉姆的说法，他们就是你和我。倘若他的看法没错，那么，我们每个人都有可能作出实验中那样可怕的事情来。这就引出了一个更加令人感到不舒服的问题："什么能让我们作出这样的事情来呢？"

米尔格拉姆确信自己知道答案。他说，这必然跟我们对权威根深蒂固的责任心有关。根据米尔格拉姆的观点，实验的真正罪魁祸首出在以下这一点上：受试者没办法公然违抗自己的上级，也就是那些穿实验室大褂的研究员。研究员竭力吩咐受试者履行职责，完全不管这么做会给他人造成情绪和身体上的伤害。

米尔格拉姆的这套"服从权威"解释，得到了强有力的证据支持。首先，事情很清楚，没有研究员的指示，受试者们很快就会中止实验。他们痛恨自己的所作所为，并为受害者遭受的折磨感到痛苦。他们恳求研究员让自己停下来。研究员拒绝之后，他们继续照他的吩咐做，可在此期间，他们颤抖着，汗流不止，结结巴巴地提出抗议，还请求把受试者放掉。他们的指甲挖进了自己的肉里；他们的嘴唇紧咬着，都咬出血来了；他们用手托着脑袋；还有些人克制不住地紧张大笑起来。在米尔格拉姆最初进行的实验里，一名旁观者对受试者之一作了以下描述：

> 我看到一个成熟稳重的商人面带微笑，自信满满地走进了实验室。短短20分钟，他完全成了另一副模样。他颤抖不停，说

话结结巴巴，似乎马上就要精神崩溃了。他一个劲儿地扯着耳垂，拧紧双手。有一回，他用拳头砸自己的脑袋，喃喃自语："哦，天哪，让我们停下来吧！"可研究员所说的每一句话，他都照作了，而且一路服从到底。

除了上述观察，米尔格拉姆还提供了更确凿的证据，证明受试者的行为是顺从权威的结果。例如，在稍后的一轮实验中，他要研究员和受害者交换台词，也就是研究员告诉"老师"，停止电击受害者，而受害者却勇敢地让"老师"继续。结果再清楚不过了：面对另一名受试者提出的要求，100%的人都拒绝再按下电闸。另一个版本的实验也出现了同样的结果：研究员和扮演"学生"的受试者互换角色，研究员被绑在椅子上，同伴受试者让"老师"不听研究员的抗议，继续电击。这一回，仍然没有任何一个受试者按下更高一挡的电闸。

还有一轮改编版实验，记录下了米尔格拉姆研究中的受试者顺从权威到了何等极端的程度。这一回，有两名研究员向"老师"下达互相矛盾的命令：一个人要"老师"在受害者大叫"放我出去"的时候中止电击，另一人却认为实验应该继续进行。这些矛盾的指示成了整个研究项目唯一可笑的地方：受试者悲喜交加，眼光困惑不解地从这个研究员身上转到那个研究员身上，不知道该服从谁才好。"等一下，等一下。这是怎么回事？一个说停，一个说继续。到底该怎么办？"趁着研究员争执不休的时候，受试者拼命想要判断谁的级别更高。最后，由于没法找出到底该服从哪一个权威，所有的受试者都听从了直觉，放弃了电击。和其他改编版实验里一样，倘若受试者本身就是虐待狂，或者具有神经质的攻击性，这样的结果是不可能出现的。[1]

---

[1] 基本版实验，以及上述改编版实验，都收录在了米尔格拉姆所著的《服从权威》一书中，这本书可读性极高。——作者注

在米尔格拉姆看来，一个令人心寒的现象反复在他积累的数据中出现。"我们的研究发现，在权威的命令下，成年人几乎愿意干任何事情。"早有一些人担心另一种形式的权威——也就是政府有能力从普通公民身上压榨出可怕的百依百顺，对他们而言，这样的结果显然具有更为严肃的引申意义。[①]更何况，它还告诉我们，权威的压力能够全然控制我们的行为。看到米尔格拉姆实验中的受试者因为良知而汗如雨下、备受折磨，但却还是不折不扣地执行了任务，还有谁会怀疑这一点呢？

可顺从权威也不是美国人的专利。后来，米尔格拉姆的基本实验程序曾在荷兰、德国、西班牙、意大利、澳大利亚和约旦等地反复进行，结果相差无几。而且哪怕时间过去了几十年，米尔格拉姆所得的结论仍然成立。[②]最近进行过的一项仿效了他实验几点特征的研究发现，米尔格拉姆的受试者和当今样本之间并无明显差异。

要是还有人表示怀疑，布莱恩·威尔逊（Brian Willson）的故事大概有些启发意义。

1987 年 9 月 1 日，为抗议美国向尼加拉瓜运输军事装备，威尔逊先生和另外两名男子跑到加利福尼亚州康科德的海军兵站，躺到了铁轨上面。示威者满心以为这么做能让当天开出的列车取消，因为他们在三天前就向海军和铁路官员说明了自己的用意。可驾驶火车的非军方工作人员却接到命令，说不能停车。所以，哪怕在 600 英尺开外就看到了抗议者，他们也未曾减慢速度。另外两名抗议者及时爬出了

[①] 事实上，米尔格拉姆最初进行这个实验，是想弄明白为什么在纳粹统治期间德国公民竟然会参与到害死上百万无辜者的集中营大屠杀中去。在美国测试了实验程序之后，他曾打算去德国进行实验，他认为，这个国家的民众肯定会表现出十足的顺从，好让他对整个概念进行完整的科学分析。然而，在康涅狄格纽黑文进行的第一轮实验让他大开眼界，他一下子明白了：到德国去的经费可以省下了，在家乡做实验已经足够了。"顺从的受试者太多了，"他说，"完全没必要要到德国去做实验。"——作者注

[②] 关于米尔格拉姆的实验以及他的人生故事可见《电醒人心》（托马斯·布拉斯著，中国人民大学出版社，2009 年）。——编者注

铁轨，没有受伤，威尔逊先生却慢了一步，两条腿从膝盖以下都被火车硬生生地压断了。由于现场的海军医护员拒绝治疗他，也不用军方的救护车把他送到医院去，围观者们——包括威尔逊先生的妻儿只好自行给他止血，直到45分钟之后，私立医院的救护车才赶到。

出人意料的是，曾在越南当过4年兵的威尔逊先生却并不怪罪火车司乘人员，也没有责怪海军医护兵。相反，他谴责的是施加压力、让人盲目顺从的制度。"他们做的事情，跟我在越南做的没什么不同。他们只是在服从一项疯狂政策下达的命令罢了。他们也是牺牲品。"尽管火车司乘班组也同意威尔逊先生的看法，觉得自己是牺牲品，但却并不像他那么有雅量。事实上，整个事件里最让人瞠目结舌的地方也出在他们身上：司乘班组对威尔逊先生提出了控诉，要求他赔偿他们的损失，因为他们"不压断他的腿就没法执行命令"，故此承受了"羞辱、精神上的痛苦和肉体上的压力"（见图6—2）。

图6—2　顺从的列车

图为加州康科德驶出的军用火车撞了布莱恩·威尔逊之后几分钟的情形。听说火车司乘班组要对自己提起诉讼，原因是此事给他们造成了巨大的心理折磨，威尔逊说："他们承受了这么大的压力，我很同情。我相信这种压力来自听从良心还是命令的冲突。但起诉我，是不可能缓解这种压力的。"

盲目服从的诱惑和危险

每当面对人类行为背后的一种强力推动因素，我们都会很自然地想到，这种推动因素的存在是有着充分的理由的。就顺从权威一例而言，稍微思考一下人类社会的组织方式，我们就能找出许多说得过去的解释。被人类普遍接受的多层次权威体制能赋予社会巨大的优势，有了它，适于资源生产、贸易、国防、扩张和社会控制的成熟社会结构才得以发展。倘若没有它，就会导致无政府状态。无政府状态对文化群体是没什么好处的，社会哲学家托马斯·霍布斯（Thomas Hobbes）就言之凿凿地说："它必然会让生活变得'孤独、贫乏、污秽、粗野和短暂'。"因此，打从出生之日起，社会就教导我们：顺从权威是正确的，违抗权威是不对的。父母的教诲、校舍里风传的小曲、故事和儿歌里，甚至我们成年后存在的法律、军事和政治制度中，都无不充斥着这条信息。而所有这些"教化"，无不将服从和忠于正当规则摆到极高的地位。

宗教教义也是一样。比方说，《圣经》开篇就提到，因为不服从至上的权威，亚当、夏娃还有整个人类失去了乐园。如果说这个隐喻太微妙了，那么让我们再来看看《旧约》。《旧约》用充满恭敬的行文讲述了一个跟米尔格拉姆实验极为接近的故事：只因上帝有了吩咐（哪怕没有半点解释），亚伯拉罕就愿意把利剑插入自己小儿子的心脏。通过这个故事，我们知道判断一个行为正确与否，跟它有没有意义、有没有危害、公不公正、符不符合通常的道德标准没有关系，只要它来自更高权威的命令，那就是对的。亚伯拉罕遭受的痛苦折磨，是考验他是否服从上帝，而他，像米尔格拉姆实验里的受试者们一样（说不定他们就是从这个《旧约》故事里学会服从权威的）通过了这场考验。

从亚伯拉罕和米尔格拉姆实验受试者的故事里，我们可以看出顺从的能量和它在文化中的价值所在。然而，在另一种意义上，这样的故事又有可能造成误导。现实当中，我们其实很少对权威的要求痛苦地举棋不定。确切地说，我们往往没怎么思考，就下意识地顺从了，颇有"按一下就播放"的势头。来自公认权威的信息能为我们判断如何行动提供宝贵的捷径。

毕竟，正如米尔格拉姆所说，**服从权威人物的命令，总是能给我们带来一些实际的好处**。从小开始，这些人（家长、老师）就比我们懂得更多。我们发现，采纳他们的建议是有益的，部分是因为他们更有智慧，部分是因为他们手里攥着对我们的奖惩。成年之后的情况也是一样，只不过此时的权威人物变成了老板、法官、政府领袖。他们因为所处地位更高的缘故，得以接触到更多的信息并掌握更多的权力，故此按照正当权威的愿望去做是有道理的。正是因为它太有道理，很多时候，哪怕权威人物说的完全没道理，我们也会照着去做。

当然，这种矛盾，正好也是影响力武器要借助的东西。一旦我们意识到服从权威在大多数情况下是有好处的，就很容易不假思索地服从。盲目服从这种机械做法，既有好的一面，也有糟的一面。盲目服从，我们就用不着思考了，省心又省力。可尽管它大部分时候能让我们作出适当行为，例外的时候也有不少。

就从生活里找个权威压力强大又明显的方面吧：医疗领域。健康对我们极为重要，因此在这个领域里掌握了丰富知识、具备强大影响力的医生，把持着受人尊重的权威地位。此外，医疗机构本身也有着等级分明的权力和威望结构。各类医疗工作者很明白自己的工作处在这个结构里的什么位置上，也很明白"医生"处在这个结构的最高层。没人能驳回医生对病例的判断，除非是另一个级别更高的医生。因此，医务工作人员素来有一套历史悠久的传统：自动服从医生的指示。

这么一来，就有可能出现这样的情况：医生犯下了明显的错误，层级较低的人却没想过要提出质疑——这是因为一旦正统的权威下达了命令，下属就不再思考，只管照着作了。这种"按一下就播放"的下意识反应跟医院这样复杂的环境结合到一起，出错简直不可避免。事实上，按照为美国国会提供医疗政策咨询的"医学研究会"所说，就诊的病患每天至少会碰到一次用药失当。患者们拿到错误的药物，原因有很多。不过，坦普尔大学药学教授迈克尔·科恩（Michael Cohen）和内尔·戴维斯（Neil Davis）却在《用药失误：成因和预防》中把大部分问题归结到对患者主治医师的盲目服从上。据科恩所说，"在一起又一起的案例中，（多是因为）患者、护士、药剂师和其他医护人员没有对处方提出怀疑"。科恩和戴维斯报告了一起"肛门耳痛"的奇怪病例。一名患者右耳感染发炎，医生给他开了滴剂，让他点入右耳。但他在处方上并未把"右耳"（right ear）这个词写完整，而是来了个缩写"Rear"（"rear"在英文中有"后部"的意思）。看到处方，值班护士立刻把规定的药水剂量点入了患者的肛门。

显然，耳朵痛却对肛门猛下药，实在不合情理，但不管是患者还是护士都没有丝毫的怀疑。这个故事给我们上的重要一课是：**很多情况下，只要有正统的权威说了话，其他本来应该考虑的事情就变得不相关了。**这种时候，我们并不从整体上来审视局面，而是只对其中的一个方面给予关注，作出反应。

每当我们的行为受这种不假思索的态度控制时，有一点保准没错：顺从专业人士会跑来利用它。说回医药领域。在我们的文化中，广告商经常利用我们对医生的尊重，找演员来假扮医生，宣传他们的产品。我最喜欢的例子是罗伯特·扬（Robert Young）[①]出演的一段广告（见图6—3）。片中，他告诫大家要当心咖啡因的危险，并推荐不含咖啡因的桑卡牌咖啡。这段广告非常成功，让桑卡咖啡一举成为畅销产品。于是，厂商把这段广

---

① 美国资深演员，曾在20世纪70年代出演过电视系列剧《仁心仁术》，在其中扮演马库斯医生。——作者注

告剪辑出多个版本，反复播放了好几年。为什么这段广告会有这么好的效果呢？为什么我们会这么相信罗伯特·扬推荐的无咖啡因咖啡呢？因为请扬出演的广告商很清楚，在美国公众的心目中，扬是跟他扮演的马库斯医生一角联系在一起的。从客观上看，我们明明知道这个人只不过是个扮过医生的演员罢了，没道理受他的意见左右，但在实践上，这位先生让桑卡咖啡卖得热火朝天。

图 6—3　我们信赖马库斯医生
本例出自桑卡咖啡的经典广告，主演为罗伯特·扬。

内涵不是内容

打从第一次看到罗伯特·扬的桑卡咖啡广告，我就觉得它最有趣的一点在于：它利用了权威原理带来的影响力，却根本不曾拿出一个真正的权威，光是看起来像权威就足够了。这说明，我们对权威人物的下意识反应有一点很重要的特性：一旦处在"按一下就播放"的模式，只要拿出权威的象征就能将我们降服了。

在没有真正权威的情况下，有几种象征权威的符号能十分有效地触发我们的顺从态度。因此，并非权威的顺从专业人士对这几种符号是爱不释手的。比如说，骗子大多喜欢给自己冠上各种头衔，做权威人士的打扮，带相关的身份标志，衣冠楚楚地从高档汽车里钻出来，自我介绍说是某某医生、法官或专员，这是他们最常用的把戏了。他们明白，一旦如此包装自己，对方顺从的概率就会立刻大大增加。让我们来分别探讨一下以上三种象征符号——头衔、衣着和身份标志，它们各自都有一大堆故事可讲。

头衔

头衔是最难也最容易得到的权威象征。正常来说，要得到真正的头衔必须付出多年的艰苦努力。然而，也有人毫不费力地给自己贴上个标签，就轻松得到了他人的自动顺从。正如我们所见，电视广告里的演员和骗子们全是这么做的，而且做得都很成功。

最近，我跟一位朋友聊天时，从他那儿听到了一个很有说服力的故事：**头衔比当事人的本质更能影响他人的行为**。我的这位朋友是东部一所著名大学的教授，他出行频繁，经常在酒吧、餐馆和机场跟陌生人闲聊。他说，从他这么多年的经验来看，最好别在谈话里透露"教授"的头衔。每当他一说自己是教授，人际交流的气氛马上就变了。前半个小时里风趣自然的聊友就像换了个人：他们对他毕恭毕敬，言听计从，乏味透顶。他的看法，先前可能引出一场热烈的讨论，现在却只能带来一连串文绉绉的附和。这个现象让他感到有些懊恼和不解，因为他说："我不还是同一个人嘛？我都跟他们聊了30分钟了，对吗？"总之，如今再碰到类似的情况，他对自己的职业是守口如瓶了。

像他这种情况其实挺罕见的，更常见的模式是，某些顺从专家谎称自己具有某某头衔，但事实上根本就没有。不管怎么说，上述两种做法都表明，权威的象征照样能影响人的行为。

头衔除了能让陌生人表现更恭顺，还能让有头衔的那个人在旁人眼里显得更高大。要是我的朋友知道这一点，不晓得他还会不会那么热衷隐瞒自己的头衔——他个头可有点矮。有人研究过权威地位会怎样影响他人对当事者身材的判断。调查表明，头衔越是显赫，别人就越觉得有头衔的这个人高大威猛。一个在澳大利亚一所大学进行的实验是这样的：

> 英国剑桥大学的一名访客来到5个不同的班级。在不同的班上，研究人员对这个人的身份作了不同的介绍。在一个班上，他是剑桥的学生；在第二个班上，他是剑桥的助教；在第三个班上，他是讲师；第四个班上，他是高级讲师；第五个班上，他是教授。当此人离开教室之后，研究人员要班上的学生评估他的身高。结果发现，他的地位每往上提升一级，他在同学们眼中的身高也平均提高半英寸。他是"教授"的时候足足比是"学生"的时候高出两寸半（6厘米多）。另一项研究发现，政治家选举获胜之后，在公众的眼中也会显得更高大。

这里，不妨多花一点时间来探讨地位和感知体格之间的有趣联系，因为这种联系有多种多样的表现方式。比方说，小孩子在判断硬币大小时，往往会高估面值最大的硬币的大小。成年人也容易犯这样的错误。有一个实验是这样的：

> 大学生从一叠纸牌里轮流抽牌，牌面上印着从 –3~3 元的面值。抽到印有 –3 元面值的牌，当事人就输3元；抽到3元面值的

牌，他就赢3元，依此类推。事后，研究人员要他们给每张牌的大小排序。尽管每张牌的大小完全相同，可受试者总觉得那些印着最大数字的牌（无论正负）要稍微大些。

故此，**我们觉得一样东西看起来大些，不一定是因为它能带给我们愉悦，而是因为它很重要。**

既然我们觉得身材体格和地位是挂钩的，那么肯定会有人靠偷天换日来获利了。在一些动物群落，动物的地位取决于它是否有能力控制其他动物。此时，动物的体格就成了决定它能否获得地位的重要因素了。[①]通常，跟对手打斗时，块头更大、力量更强的动物会赢。然而，为了避免这类肢体冲突给整个群体带来有害影响，许多物种都会采用一些打斗之外的办法来分出高下。两个对手相遇，必定会作出一些炫耀性的攻击姿态，这其中便包括一些增大块头的小伎俩。有些哺乳动物会拱起背，把毛根根竖起；鱼会张开鳍，用水把自己胀得鼓鼓的；鸟则展开翅膀，使劲拍动。很多时候，光是这么虚张声势一番，就能把对手吓跑，而人人都觊觎的地位，则落到了那个看起来个头更大、更强壮的战士手里。

皮毛、鳍和羽翼，这些最脆弱的部位却能用来给人留下强壮、有分量的印象，难道不是挺有趣的吗？从这里，我们可以吸取两点教训。**一是体格和地位之间存在联系。**故此，肯定会有人通过伪造前一种特征，营造具备后者的假象，从中渔利。这就是为什么哪怕骗子本来的身材在中等或中等偏上，也往往穿着增高鞋的原因。

另一点教训则更具概括性：**权力和权威的外部象征，说不定是靠假冒伪劣的材料编造出来的。**让我们再举一个例子，回到"头衔"这个话题上。

[①] 不光动物是这样，人也差不多，甚至当代也如此。例如，自1900年以来的美国总统选举，90%都是长得更高的候选人胜出。——作者注

据我所知，从若干角度来看，这个例子都相当可怕。有一群由医生和护士组成的研究人员，跟中西部三家医院有些联系。对于护士机械刻板地服从医生的现象，他们十分关注。他们发现，即便是高度训练有素的护士也不曾充分地应用自己的经验和技能，核对医生的判断。相反，每当医生给出指示，他们便一概照做。

正因为这样，才出现了前文谈到的往肛门里点耳用药水的案例。不过，这群中西部的研究人员把事情更深入地推进了几步。首先，他们想知道这种情况是孤立的个案，还是代表了一种普遍现象；其次，他们想看看在后果更为严重——比如说，在对住院病人开出过量的未批准药物的时候，会不会出现这种问题；最后，他们还想试试，要是权威人物根本不在现场，而只是电话里一个自称是"医生"的陌生声音（这种时候，能表明对方是权威的证据是最为薄弱的），情况会怎样。

研究人员之一给外科、内科、儿科和精神科等22个不同的护士站打去电话，内容都一样。他说自己是医院的医生，并要接电话的护士向指定病房的某个患者用20毫克的药。面对这样的吩咐，护士有4个很好的理由保持谨慎：（1）通过电话传达处方，直接违反了医院的政策；（2）这种药本身是没通过批准的，不得大范围使用，而且也不在病房用药的清单上；（3）处方的剂量明显超标，药品的容器上清楚地写着，"每日最大剂量"仅为10毫克，医生说的剂量却是它的一倍；（4）下命令的男人护士从来没见过，甚至从未在电话里跟他交谈过。然而，在95%的例子里，护士都径直奔到药房，按吩咐拿出了相应剂量的药物，就准备去病房里给药了。直到这个时候，在一旁不动声色的观察员才出手阻止了她们，并说出实验的真正目的。

这样的结果真够吓人的。95% 的正规护士毫不犹豫地服从了一道漏洞百出的指示，我们实在很有理由关注一下：毕竟，人人都可能住院看病啊！这项中西部研究表明，用药失误并不仅限于往屁股里点耳用滴剂一类琐碎小事，还可能造成更严重、更危险的后果。

在阐释上述令人不安的调查结果时，研究人员得出了如下振聋发聩的结论：

> 在实验对应的现实环境中，从理论上讲，应该是两种专业知识（医生的和护士的）结合到一起，确保采取的治疗措施对患者有好处，或至少不会有害处。可实验却清楚地表明，护士的专业知识实际上不起作用。

看起来，面对医生的指示，护士们放下了自己的"专业知识"，进入了"按一下就播放"的响应模式。对于工作的时候该做些什么，他们接受的医学训练和所学的知识完全没有派上用场。由于在他们的工作环境中，顺从正统权威总是最有效率、最受青睐的做法，他们宁愿自动顺从，不惜犯错。更发人深省的是，他们朝这个方向走得太远了：连一个最容易假冒的头衔（根本不是什么真正的权威），也能诱使他们作出错误的响应。[①]

衣着

第二种可以触发我们机械顺从的权威象征是衣着。虽说相较于头衔，这种权威的外套更实在，可要伪造起来也很容易。在警方的诈骗犯罪档案

---

① 研究人员收集的其他数据表明，护士们本身并没有充分意识到，自己的判断和行为会受到"医生"头衔多大的摆布。研究人员另外采访了 33 名护士和实习护士，问他们在相同的条件下会怎么做。他们的回答和实际调查结果相去甚远：只有 2% 的人认为自己会按电话里的吩咐去给药。——作者注

里，以换装为行骗手段的例子多的是。这些骗子像变色龙一样，一会儿穿上医院的白大褂，一会儿穿上神职人员的黑长袍，一会儿穿上军人的国防绿，一会儿又穿上警察的蓝制服。他们根据形势，穿上对自己最有利的服装。等受害人意识到衣着打扮只是像个权威并没有实质意义，往往为时已晚。

社会心理学家伦纳德·比克曼（Leonard Bickman）进行的一系列研究表明了抵挡身着权威装束的人物提出的要求会有多困难。比克曼实验的基本流程是请街上的行人照一些古怪的要求去做（比如，拾起一个废弃的纸袋，或是站在公交站牌的背面）。一半的时候，请求方是个穿着普通的年轻男性；剩下的一半，穿着警卫制服。不管他提出的是哪一类请求，穿着警卫制服时，顺从他要求的人要更多。有一个版本的实验最能说明问题：

请求方拦下路人，指着站在 50 英尺开外一处停车计费器前的男人。请求方不管穿着便服还是警卫制服，向行人说的话是一样的："你看到站在计费器前的那个人了吗？他停车超时了，可没有零钱。给他一毛钱吧！"之后，请求方便转过街角走开了，这样等行人走到计费器的时候，他已经从行人的视线里消失了。不过，哪怕他的人早就没影了，制服蕴含的力量却延续了下来：在请求方穿警卫制服时，几乎所有的行人都照着他的请求作了，而他穿便服时，照做的行人还不到一半。有趣的是，后来，比克曼要大学生评估实验中路人顺从的百分比。请求方穿便服时，大学生们的判断相当准确（他们猜测的概率是 50%，实际概率为 42%）。可他们却大大低估了请求方穿制服时的成功率（猜测概率为 63%，实际概率为 92%）。

在我们的文化中，还有一种衣着打扮，尽管内涵不如制服那么一目了然，但照样能暗示出权威的地位，那就是剪裁合体的西装。它也能唤起陌生人的顺从与尊重。例如，在得克萨斯州曾进行过一项研究，研究人员安排一名 31 岁的男人在好几处地方违反交通法规，横穿马路闯红灯。有一半时间他身着笔挺的西装，打着领带；另一半时间他穿的是工装衬衫和长裤。研究人员在远处观察，并记下有多少站在路边等候的人跟着这个人横穿了马路：他穿西服时跟着他横穿马路的人是他穿便装时的三倍半。

值得注意的是，诈骗犯在一种叫"银行核查员方案"的骗局中，将这两类经研究证明的具有强大影响力的权威装束严丝合缝地结合在了一起。诈骗的目标可以是任何人，但最受骗子偏爱的是独居老人。骗局是这样开始的：一名穿着保守得体的三件套西服的男子出现在受害者的门口，他衣着的方方面面都表明他是个有地位、受敬重的人。白衬衫是上了浆的；皮鞋尖闪闪发亮。他的西装并不时髦，但是经典款：翻领不宽不窄正好三寸；料子沉甸甸的有分量（哪怕当时是盛夏）；色调是深色——蓝色、灰色或黑色。

他向受害者（兴许是他一两天前在银行盯上，之后尾随其回家的丧夫妇女）解释说，他是银行的专业核查员，正在审计她银行的账目，并发现了一些异常。他认为自己已经找出了幕后黑手——有个银行工作人员经常篡改某些账户的交易报告。他说，丧夫妇女的账户兴许就是其中之一，但除非找到确凿的证据。他也拿不准，所以来征求她的合作，希望她能帮忙把账户里的存款都取出来。这样等嫌疑人经手交易时，核查员和银行的负责人员就能顺着线索追查了。

通常情况下，"银行核查员"的外貌和言谈都会给受害者留下深刻的印象。她根本没想过打一通电话问问真假，就立刻开车前往银行，把所有的钱都取了出来，然后回到家跟核查员一起，静待陷阱捕到猎物。最后，一名穿着制服的"银行警卫"在银行关门之后带着消息回来了，他说，账户没问题——显然，丧夫妇女的账户并没有被"坏人"篡改。"核查员"大大松了一口气，他亲切地道谢，并吩咐警卫把丧夫妇女的钱送回金库去（因为现在银行已经关门了），免得人家第二天麻烦。警卫面带微笑，跟众人一一握手，离开了。"核查员"又道了几分钟的谢，之后也消失了。自然，受害者最后终于发现，"警卫"并不是真的警卫，"核查员"也不是真的核查员。他们只是一对骗子，可他们意识到了精心打扮的制服所具有的魔力：能用"权威"的姿态轻松开启我们的顺从大门。

身份标志

衣着除了可以发挥制服的作用，还可以用于装饰性目的，表现更广义上的权威。精致、昂贵的服装承载着地位和身份的光环，珠宝和汽车等类似的身份标志也是一样。在美国，汽车作为地位象征尤其有趣，因为"美国人对汽车的爱恋"赋予了它非同寻常的意义。旧金山湾地区的一项研究显示，名车车主能得到他人的特殊尊重。

实验者发现，碰到一辆崭新的豪华车堵在绿灯亮起的路口，后面的驾驶员会等更长时间才按响喇叭，而如果是一辆旧款的经济型轿车，人们按喇叭可就按得此起彼伏了。驾驶员对经济车主没什么耐心：几乎所有人都按响了喇叭，而且大多数按了不止一次；还有两次，后面的车干脆顶上了它的后保险杠。而名车带来的光环就吓人了：50%的驾驶员会恭敬地等在它后面，直到它终于开动，也没人按过喇叭。

后来，研究人员又询问大学生碰到这种情况会怎么做。相对于实验所得出的实际结果，学生们同样低估了自己碰到豪车按喇叭的等待时间。男学生们的估计尤其不准，他们觉得自己碰到豪车会比碰到经济车更快地按响喇叭，当然，研究结果恰恰相反。请注意，在其他许多关于权威压力的研究中，这种模式也同样存在。在米尔格拉姆的研究里、中西部医院护士的研究里、警卫制服的实验里，人们都无法正确预测自己或他人面对权威的影响力会作出什么样的反应。每一次，人们都严重低估了权威的影响力。权威地位的这种性质或许可以说明把它当成顺从策略为什么会如此成功，它不仅对我们很管用，而且我们还预料不到它会这么管用。

如何拒绝

为免受权威地位的误导，防御策略之一就是提前做好心理准备。因为我们一般都会低估权威（及其象征）对自己行为的影响，一旦它出现在要求顺从的场合，我们往往会来不及提防。故此，解决这一问题的基本方法，就是提高对权威力量的警惕性。有了这种警惕性，对权威符号伪造起来很容易有清醒的认识，再碰到有人试图用权威的影响力左右我们的时候，我们就会比较谨慎了。

听起来很简单，对吧？在某种程度上的确就这么简单。对权威影响力的运作有一个更清晰的认识，理应能帮我们抵御它。可随之而来的可能会有一种并发症——这是对付所有影响力武器时都会碰到的：我们并不想彻底拒绝权威的影响，或者说，大多数时候都不想。一般来说，权威人士说的话都是很有道理的。医生、法官、企业主管、立法领袖等，这些人绝大部分都是通过丰富的知识和卓越的判断力获得当前地位的。故此，他们的意见确实具有极佳的指导作用。

这也就是说，权威大多是专家。事实上，"权威"一词在字典里也真的有"专家"的意思。在大多数场合，用我们自己欠缺知识和信息的判断来替代专家、权威的判断，未免太过自不量力。与此同时，我们又看到，不管是在街头巷尾还是在医院里，随时都依赖权威的指点也很不明智。所以这里的关键就是要用不太费劲的方式判断什么时候该遵循权威指示，什么时候该保持独立的见解。

为了帮助我们判断什么时候应该遵循权威指示，什么时候不应该，不妨向自己提两个问题。碰到貌似权威的人物在试图发挥影响力的时候，我们要问的第一个问题是："这个权威是真正的专家吗？"这个问题能让我们把焦点放在两点关键信息上：**权威的资格，以及这些资格是否跟眼前的主题相关**。通过这种简单的办法，着眼于权威地位的证据，我们就能避免自动顺从带来的大部分问题。

让我们从这个角度审视一下罗伯特·扬的超成功桑卡咖啡广告。倘若人们不是看到他就想起"哦，这是马库斯医生"，而是好好看看他的真实身份，我相信，这则广告不会播放那么长时间，效果又这么好。显然，罗伯特·扬并没接受过医生的培训，也不掌握相关的知识。他拥有的不过是个"医生"的头衔，而且还是个空头衔，是通过他在电视中扮演的角色得来的。我们完全明白这一点，可一旦按下我们的播放键，显而易见的事实就变得很容易被忽视了，非得特别注意才能意识到。

"这个权威是真正的专家吗？"这一问题的宝贵之处便在这里：它让我们把注意力放在该放的地方上。它轻轻松松地让我们从兴许毫无意义的权威符号上挪开视线，转到真正的权威资格上。而且，这个问题还逼得我们去搞清楚权威跟事情到底相不相关。在繁忙的现代生活里，碰到权威的压力，我们很容易忽视这一点，得克萨斯州的行人跟在衣冠楚楚的绅士后面乱穿马路就是个典型的例子。事实上，就算这个绅士像他的穿着打扮暗示的那样，的确是个生意场上的权威，他也无权横穿马路。在这件事上，他跟身后的行人没什么区别。

尽管如此，行人还是跟了上去，就好像绅士身上那套权威标签抹杀了相关和不相关的权威之间的区别似的。要是他们稍微费心问问自己，他是不是当时情形下的真正专家，他的行动是否暗示他掌握了丰富的知识，我想答案会完全不同。罗伯特·扬的例子也是一样。他并非不具备专业知识，他长期在一个艰辛的行业讨生活，取得了许多成就。可他掌握的是演员的技能和知识，而不是医生的。在看他那段出名的咖啡广告时，倘若把焦点放在他真正的资格上，我们很快就会意识到，他对桑卡咖啡有益健康的赞许是靠不住的，他不过是一个有名的演员罢了。

接下来，假设我们碰到了一个权威，而且的确是相关的专家。在屈从他权威的影响力之前，我们应该问出第二个简单的问题：**"这个专家说的是真话吗？"**哪怕是知识最丰富的权威，也不见得会诚实地把信息告知我们。因此，我们必须考虑一下他们在当前情形下的真实可信度。大多数时候我们都会这么做。我们一般更愿意听从那些看似公正的专家，而对那些能通过说服我们得利的专家保持戒心。研究表明，全世界的人都是这样，哪怕小学二年级的孩子也是这么做的。多想一想专家会不会因为我们的顺从而得到好处，我们就为自己又设立了一道安全网，防御权威不必要的影响。即便是某个领域的资深权威也无法说服我们，除非我们确信他们阐述的信息如实反映了真相。

在评估权威可信度的时候，我们应当牢牢记住，顺从专业人士经常会使用一种小策略，让我们相信他们真诚可靠：他们会偶尔说些有违自己利益的话。运用得当的话，这种方法可以微妙而有效地"证明"当事人的诚实。他们或许会提到其立场或产品存在某个小小的不足之处，但这一缺点必定是次要的，其他更突出的优点轻松就能克服它。看看这些广告词吧：阿维斯（汽车租赁公司）——我们是第二，但我们更努力；欧莱雅——我们价格高，但值得你拥有。"顺从专家们靠着暴露自己的一些小缺点来建立基本的诚实感，这样等之后强调更重要方面的时候，他们就显得更可信了。

绝大多数人恐怕都不觉得餐厅也属于顺从环境吧！可就在这里，我见识了上述方法取得的辉煌战果。餐厅的服务员因为底薪太低，要靠客人给的小费补足收入，这早就不是什么秘密了。除了提供良好的服务之外，大部分成功的服务员都有一些多收小费的诀窍。他们知道，顾客的账单金额越高，自己得到的小费就可能越多。于是为了提高顾客的总消费额，并提高他们给小费的比例，服务员也会定期使用顺从专家的手段。

因为想搞明白他们是怎么操作的，我到几家相当高档的餐厅应征当服务员。可惜我没有经验，只能当杂役，结果这份工作反而给了我一个很有利的位置观察和分析服务员的做法。没过多久，我就了解了其他员工都知道的一件事：这里最厉害的服务员是文森特，经他手点的菜单总是价目较高，他收到的小费也总是很丰厚。其他服务员的周薪都比不过他。

所以我开始在干活的时候溜到文森特负责的桌子边观察他采用的手法。很快我就发现，他的手法的确不拘一格。

他有一大堆方法，会根据不同的情况有针对性地使用。如果顾客来的是一家人，他会表现得分外活泼，甚至稍带滑稽。他招呼大人，也不忘孩子。如果来的是一对在约会的年轻男女，他会变得很讲礼仪，甚至有点专横地要挟男方点大餐，多给小费。这种时候，他只跟男方说话。如果来的是一对年纪较长的已婚夫妇，他仍然是彬彬有礼，但姿态会放得较低，并尊重地对待夫妇双方。要是顾客是单独一人来就餐，文森特则会选用一种友好的态度——诚恳、健谈、热情。

面对8~12个人的大聚餐，文森特的保留曲目来了：他会说些看似有违自己利益的话。他的手法精彩之极。等第一个人——通常是女性点餐的时候，他就开始行动了。不管她选什么，文森特总会作出同样的反应：眉头紧锁，手在点餐单上打转，之后飞快地扭过头去瞅一眼经理在哪儿。这一番表演之后，他稍稍朝餐桌倾过身子，用不高但整桌人都能听见的声音说："今晚这道菜恐怕不怎么好。我可以向您推荐这个或者那个吗（此时，文森特推荐了菜单上两道比顾客最初点的稍微便宜些的菜品）？它们今晚都不错。"

这套把戏调用了几条重要的影响原理。首先，就算没采纳他建议的人也会觉得文森特帮了自己的忙，提供了有助于点餐的宝贵信息。人人都很感激，因此，等到了顾客决定给多少小费的时候，互惠原理会有利于文森特。除了能提高小费的百分比之外，他的态度还可能增加这桌人点菜的总金额。他把自己打扮得像是这家店里的权威人物：清楚今晚哪样菜好，哪样菜不好。而且，他看似违背自己利益的做法在这里发挥作用了：它向顾客证明文森特是个值得信赖的内线，因为他推荐的菜比原本点的菜稍微便宜。看起来，他并非只顾着往自己兜里揣钱，而是把顾客的最大利益放在心上。

综合以上几方面，他立刻显得见多识广而又诚实起来，这就带给他很高的可信度。文森特很快就利用起这个新形象，等聚餐的众人点完菜，他会说："很好，你们愿意让我帮你们选些红酒来搭配吗？"这一幕差不多每天都要来上一回，顾客们的反应也几乎一模一样：他们微笑着点头，基本上都表示了赞同。

就算站在我的位置，我也可以从顾客们脸上读出他们的想法。"当然，"他们好像是在说，"你知道这里有什么好东西，显然你是站在我们这一边的。那就告诉我们该点些什么吧！"文森特看起来很高兴，他的确知道哪些东西好，便推荐了几种出色的红酒（当然也很贵喽）。到了饭后甜点的阶段，他也同样很有说服力。有些顾客本来并不想点甜点，或是打算跟朋友共吃一份，此刻也被文森特打动了：他对火焰冰激凌和巧克力慕斯的描述真是叫人垂涎欲滴。毕竟，有谁能比一位确凿诚实的权威更可信呢？

　　文森特通过优雅的态度把互惠原理和可信权威原理结合到了一起，既提高了顾客的消费总额，又提高了自己的小费在其中所占的比例。他靠这一手赚到的钱相当可观。请注意，他表面上作出一副不在乎自己利益的样子，其实却收获了大大的好处。看似有违他经济利益的说辞，给他带来了极佳的经济利益。

读者报告

来自一位年轻的商人

　　大概两年前，我打算把自己的旧车卖了，因为我已经买了新车。一天，我踱过一家二手车行，门口的牌子上写着："我们能帮你把车卖得更贵些。"我想，这不就是我想要的吗？于是我停下来，走进去跟店主聊了聊。我告诉他，我想把旧车卖到 3 000 美元，他说，他认为我应该再要高点儿的价钱，因为它至少值 3 500 美元。这真叫我吃惊，要知道，在他们这种寄卖行里，我的要价越高，他们卖掉车后能留下的钱就越少。所以，他告诉我可以把价格要到 3 000 块以上，实际上是等于让出了他自己的利润。当然，和你说的服务员文森特一样，他其实也是以假装不在乎自己的利益来骗取我的信任，可惜我当时并没有意识到这一点。于是，我听从了店主的建议，把车留在了那儿，要价定在了 3 500 美元。

　　几天之后，他们给我打来一个电话，说有个人对我的车很感兴趣，只是觉得价格稍微高了些，问我是否愿意降价 200 美元把车卖掉。因为我相信他们是真心为我着想，所以就同意了。第二天，他们又打来电话，说买家财务吃紧，不能买我的车了。接下来的两个星期，车行又打过两通电话，每一次都要我再降 200 美元好卖给某个家伙。每一次我都答应了，因为我对他们仍然很信任，可最后每次买卖都落了空。我渐渐起了疑心，给一个家里有人在车行工作的朋友打了电话。他告诉我说，这是老把戏了。他们用这一套让我这样的卖家把价钱降到极低的水平，这样等车最终卖掉，他们就能吞掉很大一块利润。

于是我到车行把车拿了回来。离开的时候，他们还在劝我把车留下来，说是只要我肯再降 200 美元，有个"很有希望的顾客"保准会把车买下来。

作者点评：从这篇读者报告里，我们又一次看到对比原理与首要利益原理结合起来的影响效果。本例中，在 3 500 美元的数字定下来以后，每次缩水 200 美元就显得是个小数目了。

不管是什么东西，只要你晓
得会失去它，自然就会爱上它了。

——G. K. 切斯特顿

第7章

Influence 稀缺

The Psychology of Persuasion

|数量少的说了算|

　　亚利桑那州的梅萨市，属于我所住的凤凰城地区。梅萨最引人注意的地方，大概要数当地数量可观的摩门教徒（人数仅次于全世界最大的摩门教定居点盐湖城）了。此外，市中心环境优美的地方，还耸立着一座宏伟的摩门教堂。虽说从远处欣赏过那儿的风景·和建筑，但我却从没想过走进教堂看一看，因为我对那不怎么感兴趣。可有一天，我从报上的一篇文章读到，说凡是摩门教堂，都设有一处特别的暗室，只有虔诚的教徒方可入内。哪怕是要皈依的信徒也不能去看。不过，这个规矩也有例外。教堂新修好之后的那几天，整座建筑都允许人参观，连那处暗室也不例外。

　　报道上还说，梅萨教堂刚刚翻新，按教会的标准，"翻修"也属"新建"之列。故此，未来几天里，不是摩门教徒的游客也可以看到平常禁止入内的暗室。这篇文章对我产生的影响至今我还记忆犹新：我立刻决定去看一看，可等打电话约朋友一起去的时候，我才逐渐醒悟，随即放弃了这个念头。

　　朋友拒绝了我的邀请，还很好奇我为什么会那么急切地想去参观教堂。我不得不承认，我以前从没想过要去教堂参观，我对摩门教没什么渴望解答的问题，我对宗教建筑丝毫不感兴趣，我也不指望在梅萨教堂看到比本地区其他教堂更精彩刺激的东西。我一边说，一边回过了神：那儿吸引我的唯一原因是，要是我不赶快去看一眼禁区，以后就不会有机会了。一样本来对我毫无吸引力的东西，仅仅因为以后恐怕看不到了，而立刻变得迷人起来。

物以稀为贵

亲身经历了稀缺原理之后——**机会越少见，价值似乎就越高**——我开始注意到它对我行为方方面面的影响。举例来说，我经常会中断有趣的面对面交谈，接听一通未知来电。此时，来电者拥有一种坐在我对面的客人所不具备的重要特点——如果我不接电话，我可能跟它（及其携带的信息）失之交臂。哪怕眼下的交谈是多么热烈、多么重要，又哪怕通常我接到的电话并没什么大不了的事儿，可电话铃每多响一声，我接起它的机会就少了一分。出于这个原因，在那一刻，我总是优先拿起电话。

对失去某种东西的恐惧，似乎要比对获得同一物品的渴望，更能激发人们的行动力。比如，大学生们在想象恋爱关系或考试中所失的时候，情绪波动会比想象所得的时候更强。特别是处在风险和不确定性的条件下，遭受潜在损失的威胁能强有力地影响人的决定。健康研究人员亚历山大·罗斯曼（Alexander Rothman）和彼得·沙洛维（Peter Salovey）把这点发现应用到了医疗领域。医生常常鼓励人们进行身体检查（如早期胸部肿瘤 X 光透视、艾滋病毒筛选、癌症自检等），以便及时查出疾病。由于这类检查有可能查出疾病，而查出来的病又不一定能治得好，所以，宣传时着重强调潜在损失最合适不过了。例如，建议年轻妇女自检乳房癌症的小册子，站在不这么做就有可能损失什么的立场上宣传，效果明显要比强调这么做能带来什么要好得多。商业世界的研究也发现，管理者对潜在损失比对潜在收益看得更重。就连我们的大脑似乎也是为保护我们免遭损失而进化的：阻挠着眼于损失所作出的明智决定，要比阻挠着眼于收益的决定难得多。

各类收藏家——不管是收藏棒球卡的，还是收藏古董的，都很清楚稀缺原理在决定物品价值上的影响力。如果一样东西少见，或越来越少见，那它就更贵重，规律就是这样。最能说明稀缺性在收藏市场重要地位的，是一种叫"珍贵的错误"现象。有时候，瑕疵品——模糊的邮票、冲压过重的硬币的价值最高（见图7—1）。故此，倘若一张邮票上的乔治·华盛顿是三只眼，那么虽然这在解剖学上不正确，在美学上也缺乏吸引力，但却会备受藏家追捧。讽刺的地方就在这儿：**倘若瑕疵把一样东西变得稀缺了，垃圾也能化身成值钱的宝贝。**

图7—1 幸运的瑕疵

巴里·芬缇齐手里的这张一美元钞票是他花了400美元从一个银行出纳员手里买下的。芬缇齐先生——中西部印钞公司的合伙人并非傻瓜。这张钞票既没有序列号，也没有政府印章，市场价值超过400美元。

由于稀缺原理在我们确定事物价值时有着强大的影响力，很自然地，顺从专业人士就会搞些类似的小把戏。最直截了当的做法，是所谓的"数量有限"策略：告诉顾客，某种商品供不应求，不见得随时都有。在打入各类组织研究顺从策略期间，我曾亲眼见识过它在多种环境下的应用："使用这种发动机的敞篷汽车，我们州只有不到5辆。而且等它们卖完了就真正没货了，因为这种车型已经停产了。""整个楼盘里，只剩两个角落还没卖掉了，这就是其中之一。另一个角落你肯定不想要，因为它是东西朝向的。""你大概得认真考虑一下今天要不要多买一箱，因为工厂那边已经忙不过来了，我们不知道什么时候才能再进货。"

有时，数量有限的信息是真的，可有时它完全是假的。不过，不管信息是真是假，卖家的用意都一样：让顾客相信一样东西很紧俏，从而提高它们在顾客眼中的价值。顺从业者能把这种简单的手法要出各种方式和风格来，我不得不承认，他们很叫人佩服。不过，我印象最深的还要数基本方法的一个加强版：它把这种逻辑延伸到了极端的程度，把商品在它最稀缺的点（也即卖掉之后就没有了）上卖出去。我曾暗访过一家把这一手法应用得出神入化的家电商场。那儿30%~50%的存货都打着降价出售的旗号。

假设从远处看，商店有对夫妇似乎对某样待售的物品有一定的兴趣。有很多线索能说明他们感兴趣——近距离地检查电器，翻看与该产品相关的说明书，在它跟前展开讨论，但他们并不打算找销售员进一步了解情况。观察到该夫妇的兴致颇高之后，销售员可能会走过去说："我看到你们对这台机器很感兴趣，我大概猜得出是为什么，它质量好，价格又很优惠。但很遗憾，20分钟之前，我已经把它卖给另一对夫妇了。而且，要是我没记错的话，这是最后一台了。"

顾客听后一脸失望。因为买不到了，所以这台电器突然变得更具吸引力了。一般来讲，夫妇中有一个会问，店里的库房或其他分店是否还有这一型号的机器。"嗯，"销售人员会说，"有可能。我去查查吧！但我能不能这么认为：你们真的很想要它，如果我帮你按这个价格找到多余的一台，你愿意买下来？"这套手法最漂亮的地方就在这儿。根据稀缺性原理，务必要在一件商品最不可得、故此也显得吸引力最大的时候，要顾客承诺购买。在这个奇妙的脆弱时刻，许多顾客也当真会答应购买。故此，等销售员带着好消息回来（从无例外），说找到了额外的库存，同时他们手里还握着笔和销售合同。得知想要的机器货源还很充足，实际上有可能再次让一些顾客觉得它没那么大魅力了，可这时双方的交易已经进入到大多数人都没法食言的程度了。在先前的关键点他们已经拿定了购买的主意，还当众作了承诺。所以，他们不买也不行了。

和"数量有限"技巧相对应的是"最后期限"战术，也就是对顾客从顺从业者手中获得产品的机会作出时间上的规定。就跟我想去摩门教堂密室的情形差不多，人们经常发现，仅仅因为剩下的时间不多了，自己就会跑去做本来并不太喜欢的事情。熟练的商家会利用这一倾向，对顾客设置最后期限并广而告之，激起顾客本来并没有的兴趣。这种方法主要集中在电影宣传上。最近我看到一家电影院在短短一句话的传单上就强调了整整三次稀缺原理（这么做是什么目的，我们当然都知道喽）："专场放映，座位有限，预订从速，过时不候！"

一些面对面施加高压推销的卖家十分青睐"最后期限"的各式手法，因为它规定了拿主意的最后时限：现在。他们经常告诉顾客，要赶紧下决心买，要不然之后的购买价会更高，甚至根本买不到了。销售员兴许会对有意参加健康俱乐部或购买汽车的主顾说，眼下他报出的交易很优惠，而且机会仅此一次，如果顾客放弃这个机会，交易就结束了。一家儿童肖像摄影公司力劝家长，对孩子拍下的各种姿势的照片要尽量多买，因为"我们的存储空间有限，你家孩子没卖出去的照片，24小时内就会销毁"。上门卖杂志的推销员可能会说，他们只在顾客所处的地区待一天；之后他们就走了，顾客买这份杂志的机会也就没了。我曾打入一家卖家用吸尘器的公司，他们要销售学员说"我还有很多别的客户要去拜访。每一家我只来一次。这是公司的政策，就算你之后决定要买这台机器，我也不能回来卖给你了"。这当然是无稽之谈，既然这家公司和它的销售代表是做买卖的，那么只要客户肯请他们再来，他们就会乐意之至。正如销售经理对受训学员所说，说自己不能再来，跟日程安排太紧毫无关系。这是"为了防止潜在顾客思前想后而吓唬他们，要他们相信现在不买，以后就买不到了"（见图7—2）。

骗局
作者：彼得·克尔
《纽约时报》

纽约：丹尼尔·居尔班记不得自己一辈子的储蓄是怎么消失的了。

他记得电话里传来温柔可人的声音；他记得石油和白银期货里的发财梦。但时至今日，这位81岁的电力局退休工人仍旧没搞明白骗子是怎么说服他花掉18 000美元的。

"我只是想在剩余的日子里过得更好些，"家住加利福尼亚州霍尔德的居尔班说，"可等我知道了真相，我吃不下，睡不着，瘦了整整30磅。我还是不相信我竟然会作出这样的事情来。"

居尔班是执法官所谓的"锅炉房行动"的受害者。这种骗局通常会找上几十个电话推销员，挤在小小的一间办公室，每天给上千个客户打电话。美国参议院下属的一个调查委员会在去年就此事发表报告，据它所说，这种公司每年能从上当的客户那里捞到数亿美元。

"他们会使用一个令人印象深刻的华尔街地址，说一番天花乱坠的好听话，骗人把钱投到各种冠冕堂皇的迷人计划里去。"纽约州总检察长罗伯特·艾布拉姆斯说。过去4年里，他经手了十多宗"锅炉房"案件。"有些受害者被他们灌了迷魂汤，把一辈子的积蓄都投丢了。"

据投资者保护和安全局负责人、纽约助理总检察长奥列斯特斯·米哈伊说，这类公司的操作大多分为三个阶段。首先是"开场白"。推销员说自己代表一家名字和地址听起来就很气派的公司。他只简单地询问一下潜在客户是否愿意接收自己公司的宣传资料。

第二通电话里就包含有推销的手法了。推销员先把能赚多少多少钱吹嘘一番，接着就告诉客户，可惜这个项目已经不再接受投资了。第三通打给客户的电话说，现在还有机会参加这笔交易，但时间极为紧迫。

"他们的用意是在买家眼前挂上一根胡萝卜，然后又把它拿走，"米哈伊说，"目的是让人不假思索地投资。"有时，第三通电话里的推销员会一副上气不接下气的样子，告诉客户自己"刚刚才从交易大厅回来"。

就是这种策略说了居尔班，让他把毕生的积蓄交了出去。居尔班说，一个陌生人反复打电话来，让他电汇1 756美元到纽约买白银。之后，销售员又打了好几轮电话，哄骗居尔班再电汇6 000美元买原油。他最终又汇出了9 740美元，可一分钱利润也没看到。

"我的心都碎了，"居尔班回忆说，"我并不是贪心，只是希望能过上更好的日子。"他的损失再也没能找回来。

图7—2 稀缺骗局

请注意第二通和第三通电话里应用到了稀缺原理，销售员要居尔班先生"别想太多尽快买"。

逆反心理

至此，证据已经很确凿了。顺从业者经常把稀缺性当成影响力武器，方式和用途多种多样，而且自成体系。一种原理会成为影响力武器，那么可以肯定它左右人行为的力量不容小觑。就稀缺性原理而言，它的力量主要来自两个方面。第一点我们应该很熟悉了，和其他影响力武器一样，稀缺性原理钻了我们思维捷径上的漏洞。这个漏洞本来也自有道理。我们都知道，难于得到的东西，一般都要比能轻松得到的东西好。故此，我们**基本可以根据获得一样东西的难易程度，迅速准确地判断它的质量**。这也就是说，稀缺原理成立的一个原因在于，根据它来作出判断，大部分时候是正确的。此外，稀缺性原理的力量，还有第二种独特的来源：**机会越来越少的话，我们的自由也会随之丧失**。而我们又痛恨失去本来拥有的自由。**保住既得利益的愿望，是心理逆反理论的核心**。心理学家杰克·布雷姆（Jack Brehm）提出这个理论，以此解释人类在丧失个人控制权时作出的反应。根据这个理论，只要选择自由受到限制或威胁，保护自由的需求就会使我们想要它们（以及与其相关的商品和服务）的愿望愈发强烈。因此，一旦短缺——或其他因素妨碍我们获取某物，我们就会比从前更想得到它，更努力地想要占有它，跟这种妨碍对着干（见图7—3）。

图7—3 别再等啦！
这可是翻页之前读到这篇广告的最后机会

逆反理论的核心看似简单，但它却盘根错节地交织在各种社会环境当中。不管是年轻人在花园里谈情说爱，丛林里爆发了武装革命，还是市场里的水果交易，人类的大量行为都可以用逆反心理解释。不过，在讨论开始之前，我们最好先来看看人最初是从什么时候表现出跟自由限制对着干的欲望的。

儿童心理学家把这种倾向追溯到了两岁——家长们早就晓得有这个问题，还给它起了个名字**"可怕的两岁"**。大多数家长都可以证明，自己的孩子在这一时期有着更多的逆反行为。两岁的孩子似乎掌握了抵挡外界压力——尤其是父母的技术。告诉他们这样做，他们会偏要那样做；给他们一样玩具，他们偏想要另一样；把他们抱起来，他们拼命挣扎着要你放下；把他们放下来，他们又声嘶力竭地要你抱。

弗吉尼亚州进行的一项研究巧妙地捕捉到了一群男孩在"可怕的两岁"时的行事风格。

男孩们在妈妈的陪同下，进入一个房间。房间里摆着两件同样好玩的玩具。但一件玩具放在透明有机玻璃屏障旁边，另一件则放在屏障后面。实验里的有机玻璃板有一部分只有一英尺高，算不上是真正的屏障，因为孩子们能很容易翻过它，拿到后面的玩具；另一部分却有两英尺高，足够拦着孩子让他们拿不到玩具，除非他们绕过屏障。研究人员希望看一看，置身如此条件之下，小宝宝们要多快才能接触到玩具。研究结果很清楚：在屏障矮得拦不住后面的玩具时，男孩们对两件玩具并未表现出特别的偏好，平均而言，接触屏障旁边玩具的速度跟接触屏障后面玩具的速度差不多；而一旦屏障高得成了真正的障碍，孩子们会立刻奔向被拦着的玩具，接触它的速度比接触没拦着的玩具要快上三倍。总之，在这项研究中，面对限制了自己自由的东西，男孩们表现出了典型的"可怕的两岁"做法：直接挑衅。[①]

为什么逆反心理会出现在两岁的时候呢？或许答案跟这一时期大多数孩子经历的一种关键变化有关。到了这个年纪，他们才首次意识到自己是个人。他们不再把自己仅仅视为社会环境的延伸，而是把自己视为有自我意识的、独立的个体。伴随这种自主意识的发展，自由的概念也形成了。独立的个体应当有选择的余地，一个刚刚发现这一点的孩子，迫切想要探索这种选择余地的深度和广度。故此，看到两岁的小孩总是跟我们对着干，我们其实没必要惊讶，也不必烦恼。他们正在体验一件最令人兴奋的事情：他们是独立的人类个体。在他们小小的心灵里，有那么多有关选择、权利和控制的关键问题要去问，要去答。将他们力争自由、反抗限制的倾向，理解成对信息的求索恐怕是最合适的。测试过自由的极限在哪里（顺便也测试了父母有多大的耐心），孩子们就能弄明白，在他们的世界里，自己能控制多大的地方，又有哪些地方必须受控于人。稍后我们将会看到，明智的父母总会尽力提供前后高度一致的信息。

尽管可怕的两岁可能是逆反心理最明显的时期，但面对限制行动自由的举措，我们一辈子都表现出了强烈的反抗倾向。另一个反叛倾向最为突出的年纪是青春期。一个深明此理的邻居曾经给我建议："要是你很想做什么事情，有三种选择：自己做，出大价钱找人做，要不就故意禁止你家十几岁的孩子做。"和两岁一样，个性意识萌芽也是青春期的特点。对青

[①] 本次研究中，面对更大的障碍物，两岁的女孩并未像男孩那样表现出逆反反应。另一项研究表明，女孩们不这么做，并不是因为不爱跟自由限制对着干。相反，女孩们主要是对来自他人的限制产生逆反行为，对物理障碍的反应稍逊。——作者注

少年而言，这种萌芽意味着走出儿童的角色，摆脱与此角色相伴的家长控制，迈向成人一角，获得随之而来的一切权利和义务。青少年对义务想得比较少，他们更关注身为一个年轻成年人自己所应有的权利，这没什么出奇。更不奇怪的是，在这些时候对其施加父母的权威，效果往往适得其反。家长要是企图控制他们，青少年不是阳奉阴违，就是公然对抗。

最能说明家长施压造成青少年反叛的例子，大概要数所谓的"罗密欧与朱丽叶效应"了。大家都知道，罗密欧·蒙特鸠与朱丽叶·凯普莱特是莎士比亚笔下的悲剧人物，两人相爱，两个家族却是世仇。为了反抗父母拆散他们的企图，他们双双自杀殉情，用这种最极端的悲剧方式来声张自由意志。

这对年轻人感情和行为的强烈程度，一直为该剧的观众迷惑不解。他们这么年轻，怎么会在如此短的时间里发展出非同一般的浓烈感情呢？浪漫的人或许会说他们之间是一种少有的理想爱情。可社会学家大概会说，这是父母的干涉及其带来的逆反心理所致。兴许罗密欧和朱丽叶最初的感情也没有强到能超越家人设置的庞大障碍的地步。相反，正是因为这些障碍的存在，它才发展到了白热化的程度。要是听凭这对青年男女自由恋爱，他们的浓情蜜意说不定只是初恋时短暂的冲动罢了。

因为罗密欧和朱丽叶的故事是虚构的，所以这类问题当然纯属假设，所谓的回答也只是妄加揣测。不过，对当代的罗密欧与朱丽叶们，提出并解答类似的问题倒是有可能的。少年男女碰到父母干涉，是不是会发展出更坚定的恋爱关系，爱得更深了呢？有人对科罗拉多的140对少年情侣作了研究，发现他们确实如此。研究人员发现，**尽管家长干涉会令感情关系出现某些问题——如一方以更挑剔的眼光看待另一方，更多地报告另一方的负面行为，但干涉同时也让情侣双方觉得彼此更加相爱，更想结婚了。**在研究过程中，随着父母的干涉越来越多，爱的体验也越来越强。而当干涉减少的时候，浪漫的感觉也慢慢冷却。①

虽然当代年轻人中存在的"罗密欧与朱丽叶效应"在旁观者眼里显得挺可爱，但他们的另一些逆反表现却有点可悲。在十多年的时间里，弗吉尼亚细长女士卷烟一直在一个大规模广告活动中宣扬以下信息：当代女性早已告别了社会规范要她们"软弱、文雅和顺从"的过往岁月。广告暗示，女性再不应该觉得自己的独立仍受男性沙文主义和过时限制的约束。这种信息是否成功地引起了目标受众对原有束缚的反感和抵抗呢？有一个统计数据得出了令人难以心安的答案：在该广告活动推广期间，全美国只有一个群体里吸烟者所占的比例出现了增长——那就是处在青春期的少女。

对两岁的孩子和十几岁的青少年而言，逆反心理贯穿多种体验和经历，而且总是狂躁有力的。而对我们其余大多数人来说，逆反的能量池是平平静静，隐藏起来的，只是偶尔才像喷泉一样爆发一次。尽管如此，这些爆发仍然以各种各样有趣的方式表现出来，不光研究人类行为的学者对其感到好奇，制定法律和政策的人也能从中得到些启示。佐治亚州的肯内索曾经发生过一件古怪的例子。

镇政府制定了一项法律，要求本地所有的成年居民都要持有枪支和弹药，违者入狱6个月，并罚款200美元。肯内索持枪法所具有的每一个特点，都让它成了逆反心理的大靶子。持有枪械本来是大多数美国公民长久以来认为自己享有的一项重要自由。但这项法律却硬性

---

① 出现罗密欧和朱丽叶效应，并不意味着父母必须接受、包容自家处在青春期的孩子谈恋爱。爱情是一种微妙的游戏，新入场的玩家很可能会频频犯错，故此，让更有经验、更有眼光的成年人指点一二，是有好处的。在提供这类指导时，家长应该意识到，青少年认为自己已经成年了，面对典型的家长-孩子式控制关系，他们不会作出很好的回应。尤其是在择偶这种显而易见的成人舞台上，用成年人的影响力武器（偏好和劝说）要比传统的家长控制（禁止和惩罚）效果更佳。罗密欧与朱丽叶的家族固然是极端的例子，但对年轻爱侣施以铁腕控制，很有可能把它搞成一场炽热的地下恋爱悲剧。——作者注

规定人人非得持枪不可，故此冒犯了自由。而且，肯内索议会在通过这项法律时，并未动员公众广泛参与。逆反理论预测，在这种情况下，镇上5 400名成年公民恐怕没几个会服从。然而，报道该消息的报纸却证实，该法通过以后的3~4个星期，肯内索的枪支销售的确很火爆。

我们该如何理解这个明显有违逆反原理的现象呢？答案要到那些在肯内索买枪的客人身上去找。采访了肯内索几家商店的老板之后，我们发现，原来买枪的人并不是镇上的居民，而是游客，不少人都是看到消息之后，禁不住诱惑跑来购买自己第一支枪的。唐纳·格林是一家商店的经营者，报上形容她的这家店"简直就是个军火库"，她说："生意棒极了。但大部分枪械都是镇外的人买去的。按法律规定来买枪的本地人只有两三个。"法律通过之后，购买枪支成了肯内索的频繁活动，但买枪的人却并不是那些法律有意管辖的人：当地居民大多都在消极抵抗，只有那些自由并未受到此地法律限制的人才热衷在这里买枪。

十多年前，在离肯内索几百英里以外的佛罗里达州戴德县（迈阿密）也出现过类似的情况。

当时，为保护环境，该县制定了一项条例，禁止使用和拥有含磷酸盐的洗衣剂或清洁剂。对于这项法律带来的社会影响，一项研究发现：迈阿密居民同时作出了两种反应。首先，不少迈阿密人按本地的传统开始走私。有时候，他们会跟邻居和朋友一起开着大篷车，到相邻的县大宗买入磷酸盐洗衣剂。囤积现象迅速蔓延，好些人甚至为此着了迷，吹嘘自己已经囤积了足够使用20年的磷酸盐洗衣剂。

第二种反应要比走私和囤积这种蓄意挑衅更为微妙而普遍。因为人们总是对得不到的东西更想要，迈阿密绝大多数的消费者逐渐对磷酸盐洗衣剂这种产品有了质量更好的印象。跟相邻的坦帕市居民相比（坦帕市不受戴德县条例的管辖），迈阿密市民认为磷酸盐洗衣剂更温和、在冷水中使用效果更好，增白更佳，还能整旧如新，强力地清除污渍。条例通过后，他们甚至觉得磷酸盐洗衣剂更容易从瓶子里倒出来。

这类反应对那些丧失了既得自由的人是很典型的。要理解逆反心理和稀缺原理的运作，理解这一点十分重要。**每当有东西获取起来比从前难，我们拥有它的自由受了限制，我们就越发地想要得到它。**不过，我们很少意识到是逆反心理带来了这种想要的迫切感，而只知道自己就是想要。为了解释这种莫名的渴望，我们开始给它安上各种积极的品质。在戴德县禁用磷酸盐清洁剂以及其他类似的例子中，人们的渴望和东西本身具备优点并没有什么因果关系。磷酸盐洗涤剂的清洁、漂白和流动性并没有在遭禁以后变得更好。我们之所以会这么想只是因为我们更想得到它了。

因为一样东西遭到禁止而觉得它更有价值——这种倾向不仅仅限于洗衣皂等消费品，连信息的获取也是这样。当今时代，获取、存储和管理信息的能力越发影响到了财富和权力的分配，因此，我们有必要理解，面对审查或限制人获取信息的做法，我们会作出什么样的反应；我们对有可能受审查的资料——如媒体暴力、色情图片、激进的政治言论会作出怎样的反应。这方面的数据很多，可对于我们对审查本身会有什么样的反应，相关证据却惊人地少。幸运的是，几项有关审查的研究得出了异常一致的结果：某类信息遭到禁止之后，我们无一例外地更想得到这种信息，并对其给出较被禁之前更有利的评价。

　　说到信息审查对受众的影响，最耐人寻味的一点倒不是受众比从前更渴望这些信息了（这似乎不用想也知道），而是人们对得不到的信息变得更接受、更包容了。例如，北卡罗来纳的大学生们在得知一场反对男女混住宿舍的讲演遭禁之后，对男女混住的想法越发地反对。故此，尽管从来没能听到这场讲演，学生们对它的论点却更为支持和同情了。这样一来，就有可能出现以下的情况：要是一些特别聪明的人在某问题上持有不受欢迎的立场，或其观点根本站不住脚，他们兴许会做一些刻意的安排，让自己的信息遭到禁止，从而博取我们的赞同。讽刺的是，对这类人（如一些边缘政治群体的成员）来说，最有效的策略恐怕不是大肆宣传他们不受欢迎的意见，而是让这些观点遭到官方的审查，再告知公众自己遭到封杀的消息。由此看来，美国国父们在起草宪法的时候，把保护言论自由写进宪法第一修正案，不光是在坚定地倡导自由主义，还体现了他们对社会心理也懂得不少。因为他们拒绝对言论自由加以限制，也就减少了新的政治概念通过逆反心理这一非理性过程赢得支持的概率。

　　当然，政治理念并不是唯一容易遭到限制的东西，跟性有关的素材也是一样。除了警方偶尔会打压"成人"书店和电影院之外，家长和公民团体也频频施压，要求审查教育资料（性教科书、生理卫生教科书，甚至学校图书馆收录的书籍）里有关性的内容。斗争双方似乎都有良好的用意，整件事情却很不简单，因为它牵涉到了道德、艺术、家长对学校的控制、宪法第一修正案保障的自由等方方面面的议题。不过，从单纯的心理学角度出发，支持严格审查的人不妨来仔细看看在普渡大学本科生中完成的一项研究。

　　研究人员向大学生们出示了一本小说的若干广告。一半学生看到的广告文案中说"本书仅限 21 岁以上的成人阅读"，另一半学生看到的广告则没有提及这样的年龄限制。稍后，研究人员询问学生们对这本书有什么感觉。学生们的反应就跟对其他禁令一样：较之以为能够随意阅读该书的学生，看到年龄限制的学生更想读这本书，并觉得自己会更喜欢它。

支持从学校课程里正式取缔性内容的人或许会说他们的目标是为了减少社会，尤其是年轻人的色情倾向。可从普渡大学以及其他有关禁令效应的研究来看，官方审查的手段恐怕并不能达到这一目标。倘若研究的结果可信，那么，审查反倒有可能提高学生对性资料的渴望度，令他们以为自己就是偏爱这一类内容。

蒙大拿州的乔托最近就发生了一件类似的事情。当地督学凯文·约翰（Kevin St. John）取消了史蒂夫·朗宁（Steve Running）对高中生要作的一场讲演。朗宁曾因研究气候变化带来的威胁，和其他人共同摘得2007年的诺贝尔和平奖。乔托校董会的一些成员向约翰先生施加压力，要他找个持反对意见的人来作演讲，因为他们担心朗宁博士对全球变暖的看法，会被看成是反对农业。尽管督学认为，在此种情况下，取消讲演是"中立的选择"，但我相信，他为辩论一方的获胜打下了牢固的基础——当然，是支持气候变化威胁的那一方。出于对官方审查产生的逆反心理，很有可能，乔托的绝大多数高中生——甚至大部分蒙大拿人在事后都成了朗宁博士的支持者，哪怕他们根本没有听他作讲演。事实上，有一名学生随后愤怒地写信抗议说，校董会的做法剥夺了学生的宝贵机会，让他们不能了解"事关地球未来的重要信息"；还有一名同样愤怒的作家则说，这是"不让学生知悉真相的误导举措"。

"官方审查"一般会让我们想起对政治或色情材料的限制，但还有一种常见的官方审查较易为我们忽视，大概是因为它出在事发之后吧！法庭议案时经常有这种情况：律师提出一份证据或证词，但法官却裁定它无效，还要陪审员们忽略这项证据。从这个角度看，法官就是审查员，尽管他审查的方式比较特别——他并不禁止把信息呈交给陪审团（因为已经太晚了），而是禁止陪审团使用该信息。法官下这样的规定管用吗？有没有这样的可能：陪审员认为自己有权考虑所有可用的信息，法官要他们忽视某一证据的做法激起了他们的逆反心理，于是，陪审员对遭禁的证据反而给予了更大的关注？

芝加哥大学法学院便在一次大规模的陪审团研究项目中提出了这些问题。这次研究的结果之所以极具参考价值，原因之一在于参与者不光真的履行过陪审员义务，还答应参加由研究人员组成的陪审团。实验陪审团听取从前审判时的证据磁带，对案件进行仔细的审议，就像真的要定案一样。当中有一项研究跟上文提到的官方审查制度有着最为紧密的联系。

> 30名陪审员旁听了一名妇女被一名男被告开车误撞的案件。研究所得的头一项结果并不意外：要是被告司机说自己买了责任险，陪审员对他判罚的金额要比他没买保险时平均多4 000美元（前者为3.7万美元，后者为3.3万美元）。这验证了保险公司长久以来的一个猜测：如果有保险公司埋单，陪审员会让受害者获得更高的赔偿金。第二点发现有趣多了。倘若司机说自己有保险，而法官又裁定这项证据不予承认（要陪审员无视此一证据），那么这个裁定就会收到适得其反的效果——陪审员判罚的金额平均达到了4.6万美元。

这也就是说，若是知道司机有保险，陪审团会把赔偿金提高4 000美元；但若是法官不准陪审团采纳这一事实，陪审团不但仍然会采纳它，还会把赔偿金提高1.3万美元。故此，法庭里的官方审查，哪怕是合情合理，也会给审查者带来问题。我们对信息限制的反应就跟在其他地方一样——**认为受禁的信息更有价值**。

我们看重受限的信息，一旦认识到这一点，稀缺原理就能被应用到物质商品之外的领域。信息、沟通和知识都适用这条原理。从这个角度考虑，我们可以看出，**想让信息变得更宝贵，不一定非要封杀它，只要把它弄成稀缺就行了**。根据稀缺原理，要是我们觉得没法从别处获取某条信息，我们就会认为它更具说服力。两位心理学家，蒂莫西·布罗克（Timothy Brock）和霍华德·弗罗姆金（Howard Fromkin）提出了一套对说服力进行"商品分析"的理论。他们理论的中心论点就是："独家信息最能说服人"。

据我所知，对布罗克和弗罗姆金理论最有力的支持，来自我从前的一名学生所做的一个小实验。当时，这名学生是个成功的商人，开着一家牛肉进口公司，他又回到学校学习是想在市场营销方面再接受一些深入的训练。一天，在我的办公室里，我们谈起了信息的稀缺性和独占性，他决定用自己的销售员来做个研究。

销售员照常给公司的客户——从超市或其他零售食品店卖肉的人打电话，请他们通过以下三种渠道之一购买。在下订单之前，一群客户听到的是标准销售陈述；另一群客户则除了听到标准销售陈述，还知悉了未来几个月进口牛肉有可能短缺的信息；第三群客户除了听到标准销售陈述以及牛肉短缺的消息，还了解到供应短缺消息的来源可不一般，是公司靠某条专门渠道才晓得的。[①] 所以，最后一组顾客不光认为产品的供应有限，还认为相关消息也只有少数人知道——这样就形成了一种双重稀缺状态。

实验结果很快就出来了：公司的销售人员要老板赶紧多采购一些牛肉，因为接到的订单太多，库存供应不了了。较之只听到标准销售陈述的顾客，听说牛肉即将短缺的客户买下了双倍的牛肉。但真正

[①] 出于道德上的原因，销售员向客户提供的消息是真实的。进口牛肉的确即将出现短缺，而且这个消息也的确是公司通过独家渠道得来的。——作者注

推动销售量的，还要数那些通过"独家"信息晓得牛肉供应吃紧的客户。他们购买的牛肉量，是头一种客户的 6 倍。很明显，供应短缺的独家消息显得特别具有说服力。

最佳条件

和其他有效的影响力武器一样，稀缺原理也有其最为适用的条件。因此找出什么时候它对我们最起作用就是一种重要的防御措施。通过心理学家斯蒂芬·沃切尔（Stephen Worchel）和同事设计的一个实验，我们可以了解不少这方面的信息。

沃切尔和他的研究小组使用的基本程序很简单：他们给一群消费者偏好研究的参与者从罐子里拿了一片巧克力饼干，并让参与者给饼干的质量打分。有一半的评分者看到罐子里装着 10 块饼干；另一半则看到罐子里只有两块。正如稀缺原理的预测，参与者吃的饼干属于仅有的两块之一时，给出的评价更高。较之供应富余的饼干，人们觉得短缺的饼干更美味、吸引力更大、价格更贵——虽说两种饼干根本就一模一样。

尽管这样的结果再次为稀缺原理提供了有力的证明，但它并没有透露出某些我们还不知道的东西。我们只是又一次看到稀少的东西更招人喜欢，更贵重。事实上，饼干实验的真正价值来自两点额外的发现。

第一点值得注意的结果，是在实验基本程序稍加改动之后出现的。此时，饼干的稀缺状态并不是一成不变的。

实验人员先给部分参与者看装着 10 块饼干的罐子，之后又换成装有两块饼干的罐子。故此，在张嘴咬饼干之前，有些参与者眼睁睁地看到饼干从供应充裕变成了短缺。而另一些参与者则从最开始就知道供应短缺，因为他们的罐子里本来就只有两块饼干。靠着这样的做法，研究人员想解答一个有关稀缺类型的问题：我们觉得新近变得短缺的东西更宝贵，还是一直就短缺的东西更宝贵？在稍加改动的饼干实验里，答案一目了然：较之一贯短缺，对从充裕变到短缺的饼干，人们的反应更为积极。

这个概念——新出现的稀缺更使人觉得迫切的适用范围，远远不只局限于饼干实验。举例来说，社会科学家已经确定，这种稀缺是造成国家政治动荡和暴乱的主要原因。这一观点最重要的支持者詹姆斯·戴维斯（James Davies）曾指出，一个国家在经济和社会条件改善后，要是在短期内出现剧烈逆转，最有可能爆发革命。而且，最容易起义的，不是那些传统上最受压迫的底层人民——这些人已经把自己的贫困潦倒看成社会的自然秩序了。相反，走上革命道路的，往往是至少品尝过了更美好生活的人。他们经历并习以为常的经济和社会进步突然之间可望而不可求了，于是他们对进步产生了更为迫切的渴望，甚至不惜采取暴力来保护既得的进步。例如，很少有人知道，在美国独立战争时期，移民们的生活标准在西方世界是最高的，纳税也最低。据历史学家托马斯·弗莱明（Thomas Fleming）的说法，要不是英国人想通过加税从这种普遍繁荣里分上一杯羹，北美移民根本不会造反。

戴维斯为这一新颖的论点从各地的革命、暴乱和内战中收集了一系列令人信服的证据：从法国、俄国和埃及的革命，19 世纪罗得岛州的多尔叛乱，美国南北战争，20 世纪 60 年代的城市黑人反抗斗争……在上述每一个例子当中，较长的安定发展时期后都出现了一连串紧张的倒退，并最终引发了武力斗争事件。

20 世纪 60 年代中期，美国城市的种族冲突，是一个我们许多人仍能回想起来的好例子。当时经常能听到人们问："这种事情为什么出现在这当口呢？"在美国 300 多年的历史里，黑人大部分时间都饱受奴役，生活贫困潦倒，可他们却选择在社会最为进步的 60 年代发出了反抗的怒吼。的确，正如戴维斯所指出的，第二次世界大战结束后的 20 年给黑人群体带来了巨大的政治和社会利益。1940 年，美国黑人在住房、交通和教育领域还都受着严格的法律限制，而且就算教育程度相同，黑人家庭的平均收入也只占白人家庭的一半多一点。15 年后，情况则有了很大的改观：联邦已经立法废除了学校、居民区、公共场合和工作环境下的正式及非正式种族隔离；经济状况也有了很大的改善——黑人家庭的收入已经提高到同等教育程度的白人家庭的 56%~80%。

根据戴维斯对社会状况的分析，之后出现的一连串事件阻碍了前些年因为飞速进步所带来的昂扬乐观的氛围。首先，跟政治和法律上的变化比起来，社会现实的变化落在了后面。尽管 20 世纪四五十年代通过了一系列的进步立法，大部分的街区、就业岗位和学校却仍然把黑人摒弃在外。故此，跟政治上的胜利相比，家乡的现实显得更像是一种挫败。例如，1954 年，最高法院裁定，所有公立学校都必须取消种族隔离，可在这之后的 4 年里，为了阻挠学校的种族融合，出现了 530 起以黑人为目标的暴力事件（直接威胁黑人儿童和家长的爆炸和纵火等）。暴力行为让人感觉，黑人民众的权益再一次出现了倒退。第二次世界大战之前，每年平均会出现 78 起针对黑人的私刑。但在 60 年代，黑人群体头一回担心起家人的基本安全来。新的暴力事件也并不仅限于教育领域，和平的民权示威游行也频频跟充满敌意的人群和警察发生对峙。

还有一种形式的倒退出现在黑人民众的经济状况上。1962 年，黑人家庭的平均收入下滑至同等教育程度的白人家庭的74%。按戴维斯的说法，本来，74% 这个数字代表的是第二次世界大战后长期发展的结果，可在当时的黑人眼里，它意味着 50 年代中期兴旺繁荣后的短期倒退。1963 年爆发了伯明翰骚乱，之后又断断续续地发生了多起后继的反暴力示威，最终累积导致了瓦茨、纽瓦克和底特律的大规模反暴运动。

跟革命历来的鲜明模式一样，长期的进步一旦遭到阻碍，美国黑人的反抗情绪会比进步开始之前还要强烈。这种模式为统治者提供了一条宝贵的经验：**自由这种东西，给一点又拿走，比完全不给更危险**。倘若政府想要从政治和经济上改善传统中受压迫群体的地位，问题就来了：在这么做的过程中，该群体得到了以前从来没有的自由，一旦有人想要夺走这些自由，政府就注定要付出惨痛的代价了。

到了手的自由，不经一战是没人会放弃的。这个道理不光适用于国家政治，家庭也是一样。父母随随便便地许诺权利、设定规矩，有可能在无意之间给了孩子一些自由，之后再想夺走这些自由的话，孩子们必然会反抗不休。有些家长只在想得起来的时候才禁止孩子正餐后吃零食，于是孩子觉得吃些零食是理所当然的。这时，再想定规矩不让他们吃，事情可就棘手、麻烦多了，因为孩子并非少了一种从来没享受过的权利，而是丧失了一种既得的权利。正如我们在政治自由以及（尤其切合当前讨论的）巧克力饼干的例子中所见的那样，跟一贯的稀缺比起来，一样本来有后来没有了的东西，会叫人更想要。既然如此，以下研究结果也就没什么好奇怪的了：**管教前后不一的父母，最容易教出反叛心强的孩子**。[①]

[①] 要避免此问题，家长也无需过分严格，面对规矩毫不通融。举个例子，如果孩子老是错过午餐，那么晚餐之前可以来上一份饭前甜点，因为这并不违反禁吃零食的正常规矩，也就不会确立起吃零食的自由。可要是有些日子准许孩子享受特权，有些日子又不让他这么干，而且还给不出做法前后不一的理由，那事情就难办了。这种武断的做法最容易让孩子觉得享有了某种自由，而一旦自由没有了，他们当然会作出反抗。——作者注

让我们回到饼干实验，从另一个角度来探讨我们对稀缺的反应。从实验的结果当中我们已经看到，较之供应充足的饼干，稀缺的饼干得到了较高的评价；从充足转为稀缺的饼干，所得评价更高。那么，哪些饼干得到了最高的评价呢？那就是由于需求造成供应短缺的饼干。

请记住，实验里，新出现的稀缺是这样来的：实验人员先给参与者装着10块饼干的罐子，然后再换成装有两块饼干的罐子。而这种稀缺，实验人员是通过以下两种方法之一造成的。他们告诉一部分参与者，饼干还要拿给其他评分者，以便供应本次研究中对饼干的需求。而另一部分参与者听到的说法是，饼干数量必须减少，因为研究人员犯了个错误，最开始拿来的罐子不对。结果表明，前一种参与者对饼干的喜爱程度明显高于后一种参与者。事实上，因为社会需求而导致稀缺的饼干，在整轮研究中最招人喜欢。

这一发现凸显了在追求有限资源时竞争的重要性。我们不光在物品稀缺时更想要它，而且，碰上有人竞争还最最想要。广告商经常利用我们身上的这种情况。在广告里，我们得知某样东西的"大众需求"极高，必须"赶紧来买"；我们看到商店开始营业之前，就有人群乌压压地围在门口；我们看到无数双手伸向货架，把产品一扫而空。这类图像不光是想让社会认同原理发挥作用。它传递的信息是：其他人都觉得这件产品很好，所以它肯定很好；除此以外，我们还要跟其他人竞争，才能得到这件产品。

参与竞争稀缺资源的感觉，有着强大的刺激性。情人的态度本来不咸不淡，可听说有对手出现，他们立刻热情四射。因此，恋爱中的男女常用的一个小手段，就是透露（或编造）自己有了新的爱慕者。销售人员也会对举棋不定的客户玩弄同样的手法。比方说，要是地产经纪想把房子卖给一个犹豫不决的潜在客户，他可能会告诉客户说，有新的买家来看了房子，很是喜欢，还打算第二天来商谈细节条款。这个新买家当然完全是捏造出来的，销售人员一般会说他们是很有钱的外地人，"为了避税的外州投资客"，或是"刚搬来镇上的一位医生和他妻子"。有些圈子把这一手法叫做"赶鸭子下架"，效果好到出奇。因为不想败给对手，好些迟迟不出手的买家立刻果断拍了板。

渴望拥有一件众人争抢的东西，几乎是出于本能的身体反应。按购物者的说法，碰上商场结束营业前的大规模抛售或大降价特卖会，他们简直情不自禁地就给卷进去了（见图7—4）。在热火朝天的竞争氛围下，人们一窝蜂地拼抢平时根本不想买的商品。这类行为让我想起野生动物胡吞一气的"狂喂滥吃"现象。商业捕鱼者喜欢利用这种现象。他们先冲着鱼群撒下大量的鱼饵，用不了多久，水里就满是扑腾着鱼鳍、大张着嘴巴夺食的家伙们了。等它们陷入疯癫状态，连光秃秃的金属鱼钩也往肚里吞的时候，渔民们便把空鱼钩投入水下，顺顺当当地钓起鱼来，既省时间又省金钱。

图7—4

一家运动鞋商店的店员在结业大甩卖后的一片狼藉中举步维艰。据说，当时顾客们像疯了一样，争抢彼此手中的鞋子，有时候连鞋子的尺码都不看。

蓄意在想钓上钩的对象当中掀起狂热的竞争，商业渔民和百货公司的做法颇有异曲同工之妙。为了吸引鱼群，渔民撒下切成小块的松散鱼饵。出于类似的目的，百货公司举办大减价特卖会，抛出一些价格特别优惠的商品，大肆宣传，招揽顾客。倘若这两种形式的诱饵发挥了作用，一大群饥渴的鱼（或顾客）很快就会聚集起来。受现场你争我夺的氛围影响，鱼群和人群变得急躁不安，盲目地迫切想要得分。不管是人还是鱼，都忘了自己想要的是什么，只要是别人在抢的东西，他们也冲上去争。到了最后，金枪鱼嘴巴里含着没有鱼饵的空钩子躺在甲板上挣扎，购物者提着大包小包的打折货回家，此时，他们脑袋里说不定有着同样的困惑：我到底是中了什么邪？

别以为竞争有限资源的狂热症只出现在金枪鱼或贪图小便宜的购物者这类头脑简单的生命形式上。来看看发生在美国广播公司副总裁、后来又执掌了派拉蒙电影公司和福克斯电视网的巴里·迪勒（Barry Diller）身上的一个小故事吧（见图7—5）！

1973 年，迪勒在 ABC（美国广播公司）负责黄金时段的节目，他作了一个非同凡响的采购决策：答应为电影《海神号历险记》（*The Poseidon Adventure*）支付 330 万美元的一次性电视播放费。这个数字大大超过了有史以来一次性电视播放费的最高纪录——《巴顿将军》的 200 万美元。事实上，这笔钱高得太过离谱，ABC 电视台估计要亏 100 万美元。

一个像迪勒这样经验丰富又老道的商人，怎么会做一笔铁定会亏 100 万美元的生意呢？答案恐怕藏在这笔交易的另一个值得注意的特点上：这是电影首次以公开拍卖的方式把播映权卖给电视广播公司，三大电视网从来没有这样被迫地争夺一项稀缺资源。

图7—5　巴里·迪勒

他作出的英明决策，曾让很多电视剧和电影获得空前成功。可即便是这样的"神奇大佬"，也不免要被竞争和短缺这套组合拳打得糊里糊涂。

拍卖这个新颖的点子，是《海神号历险记》浮夸的制片人欧文·艾伦（Irwin Allen）和20世纪福克斯公司的副总裁威廉·塞尔夫（William Self）想出来的。如此出人意料的结局，铁定叫他们大喜过望。但我们何以肯定，是拍卖的形式壮观而不是电影本身的质量带来了这惊人的成交价格呢？

一些拍卖参与者的言论为我们提供了有力的证据。首先夺下拍卖的巴里·迪勒为自家电视台订下规矩。他似乎是有点咬牙切齿地说："美国广播公司将来绝不再参与播映权的拍卖活动。"迪勒的对手，时任CBS电视台总裁的罗伯特·伍德的评论更是发人深省。在拍卖中，他几乎失去理智，开出比ABC和NBC电视台更高的价钱：

开始的时候，我们都很理性。我们先就电影能带给我们的利润订好了价格，再在这上面留出了一点转圜的余地。

269

之后拍卖开始了。ABC 开出了 200 万美元，我还以 240 万美元。ABC 提高到 280 万美元，这时候我们的脑袋都发起热来，我就像是失去了理智一样，不断开出高价投标。最后，我把价格抬到了 320 万美元。这时候，我内心冒出一个声音："老天爷！万一是我中了标，我该怎么办呀？"还好，ABC 的出价最终高过了我，我这才松了一口气。

这件事很有教育意义。

据采访记者鲍勃·麦肯齐（Bob MacKenzie）的观察，伍德在说"这件事很有教育意义"的时候，脸上挂着欣欣然的笑容。我们可以保证，ABC 的迪勒在发誓"绝不再参加拍卖活动"的时候，肯定是笑不出来的。两人显然都从"伟大的海神号拍卖"事件中汲取了教训。但之所以一个人能笑出来，另一个人笑不出来，是因为后者付出了 100 万美元的学费。幸运的是，我们也能从这里汲取宝贵却不昂贵的一点教训。请注意，笑到最后的人居然是那个从竞争中败下阵来的家伙。作为一条一般性的规律，倘若尘埃落定之后，输家看起来像是赢家，说起话来也像是赢家（反之亦然），我们就该对掀起尘埃的条件多留个心眼——在本例中，也就是对稀缺资源的公开竞争。正如电视台的高级管理者们所学到的，在碰到稀缺资源加竞争的魔鬼组合时，务必要小心谨慎。

如何拒绝

面对稀缺压力产生恰当的警觉还算容易，但根据警觉采取行动就难得多了。一部分问题在于，我们对稀缺的典型反应阻碍了我们的思考能力。一看到想要的东西要得不到了，我们的身体就亢奋起来。尤其是在涉及直接竞争的环境下，我们更是血脉贲张，眼光短浅，情绪激昂。这种内在的冲动一旦冒出，我们知性、理性的一面就后退了。处在此种亢奋状态，人很难平静下来思量对策。CBS 电视台总裁罗伯特·伍德在自己的"海神号历险"之后评论说："你完全陷入了狂热，你的逻辑早就飞到了爪哇国。"

既然这是我们的困境，那么了解稀缺压力的成因和运作原理，或许不足以保护我们，因为了解是一种认知行为，而认知过程是抵挡不了我们面对稀缺压力所产生的情绪性反应的。事实上，这恐怕就是稀缺战术卓有成效的原因所在。只要运用得当，我们防御蠢行的第一道防线——对形势加以深入分析就会溃不成军。

倘若因为糊涂虫钻进了脑瓜子，我们无法依靠对稀缺原理的知识来激发妥当谨慎的行为，我们又该怎么做呢？不妨还是用四两拨千斤的柔道手法，把情绪高涨本身当成重要线索吧！这样一来，我们可以把敌人的力量为自己所用。不靠对整个形势做深思熟虑的认知分析，而是倾听来自内心的警告信号。**一旦在顺从环境下体验到高涨的情绪，我们就可以提醒自己：说不定有人在玩弄稀缺手法，必须谨慎行事。**

不过，就算我们确实利用高涨的情绪信号，提醒自己平静下来，当心陷阱。接下来又该怎么办呢？还有没有其他信息能帮助我们在碰到稀缺的时候作出明智决定呢？毕竟，光是意识到自己应该谨慎行事，并不能说明下一步该往哪个方向走，它只是提供了一个必要的背景，让你多想想再拿主意。

好在的确有这么一种信息，能让我们据此对稀缺物品作出合理决定。它仍然是从巧克力饼干研究里得来的。研究人员在实验过程中发现了一件看似奇怪、但千真万确的事情：尽管人们明显更想要稀缺的饼干，却并不认为它比供应充足的饼干更美味。故此，哪怕渴望程度会随着稀缺而提高（评分人表示，他们将来想要更多稀缺的饼干，还愿意多出钱），它也并不能让饼干变得更好吃。这里隐藏着一点重要的洞见：喜悦并非来自对稀缺商品的体验，而来自对它的占有。我们千万不能把两者混为一谈。每当碰到某种稀缺压力，我们同时也会面对一个问题：我们到底想从这样东西里获得什么？如果答案是，占有这件稀缺的东西能让我们享受来自社会、经济或心理上的好处，那就去占有它吧！稀缺压力能相当准确地衡量我们愿意为它承担的价格——它越是难以得到，对我们也就越是宝贵。可更多时候，我们想要一样东西，并不是单纯地想要占有它。我们想要它，是因为它的实用价值：我们想看它、喝它、摸它、听它、开它，或者用各种的方式用它。在这样的情况下，**我们务必记住：稀缺的东西并不因为难以弄到手，就变得更好吃、更好听、更好看、更好用了。**

尽管这一点非常简单，但在经历对稀缺物品强烈的渴望感时，我们常常会忽视了它。我举个自己家里人的例子吧！我哥哥理查德就曾靠着大多数人的此种倾向，利用顺从技巧挣得学费。确切地说，他的策略管用得出奇，只需每个周末干上几个小时就能挣够钱，其他时间都可以拿来学习。

理查德干的是卖车，但并不是在经销处或者专营摊点上卖。他会按报纸上的消息，在这个周末私人买进几辆二手车，再把车子用肥皂和水洗洗干净，下个周末在报纸上打出广告卖掉，从中赚取可观的差价。要做这桩买卖，他得了解三件事情：

- 他必须对汽车有足够的知识，以便按蓝皮书上的价格底线买进车辆，同时在合法的范围内以较高的价格卖出；
- 一旦买下了车，他必须知道如何编写一则能刺激潜在买家兴趣的报纸广告；
- 等买家到了，他必须知道如何利用稀缺原理，刺激对方对汽车产生高于所值的欲望。

这三件事，理查德都很精通。不过，就本处讨论的目的而言，我们只需看看他在第三点上的高超技艺。

他会为自己前一个星期买下的车在星期天的报纸上登一则广告。因为广告写得特别高明，通常，星期天一早，他就能收到一大堆潜在买家打来的电话。他会安排一个时间，让每个想看车的人上门来——事实上，他让所有人都在同一个时间来。这也就是说，如果有 6 个人想看车，他会让这 6 个人全在当天下午两点来。这种时间安排上的小小技巧，为之后的顺从铺平了道路，因为它创造出了一种竞争有限资源的氛围。

一般而言，头一个到来的潜在客户会对车况做一番详细的检查，展开标准的买车程序，比如指出车有哪些缺陷或不足，问价钱还有没有商量的余地。可等第二个买家一来，整个环境的氛围马上就变了。因为对方的存在，第一和第二个买家把车买到手的可能性突然受到了限制。很多时候，较早来的那个会在无意间煽动竞争意识，宣称自己有先到先得的权利。"只要一分钟就好，我先来的。"如果他不这么说，理查德也会帮他说。他会对第二个买家解释说："真不好意思，但这位先生先来的。所以，麻烦你到对面去稍等几分钟，等他看完车再过来好吗？如果他决定不要，或是暂时拿不定主意，我就请你看车。"

理查德说，有时你能亲眼见到第一个买家脸上现出激动的神情。他本来悠闲地评估着车子的好坏，突然之间，这车就成了一项有人竞争的资源，他得分秒必争地作出决定。如果不按理查德的要价把车买下来，再过几分钟，他就有可能败在那个在一旁窥视的新到者手里。竞争和资源有限的组合，也同样搞得第二个买家十分激动。他会在路旁来回踱步，明显很紧张地想得到这坨突然变得紧俏起来的金属疙瘩。要是一号买家不买车，或是不能当场拿定主意，二号买家会立刻扑上前来。

倘若说光有这些条件还不够让买家立刻拿定主意，等三号买家赶到的时候，理查德的圈套就彻底收紧了。据他说，此时累积起来的竞争压力，往往让最先来的买家没法承受。他要么是答应理查德的要价，要么是立刻走人，以此结束压力。如果碰到后一种情况，二号买家会为前一位买家没把车买走而长出一口气，但同时也感觉到了在一旁窥视的三号买家带来的压力。

所有这些为我哥大学学费作了贡献的买家，都没有意识到他们下决心买车的一点基本事实：刺激他们出手买车的强烈欲望，跟车子自身的价值毫无关系。他们之所以没意识到这一点，原因有二：

- 理查德设计的买车环境让他们产生了情绪反应，买家的脑袋不清醒了；
- 出于前一个原因，他们从来没停下来想过——自己买车是为了使用，而不光是为了拥有它。理查德利用稀缺资源营造的竞争压力，只影响了他们对车的占有欲。而从买家买车的真正目的来看，这种压力并不会影响车子的实际价值。

如果我们发现自己在顺从环境中受到了稀缺压力的包围，那么，我们最好是采用一套两步应对法。一旦我们觉得自己在短缺影响下产生了高度的情绪波动，我们就应该把这种波动当成暂停的信号。要作出明智的决定，恐慌、狂热的反应是不合适的。我们需要冷静下来，重拾理性的眼光。只要做到了这一点，我们就可以转入第二个阶段：问问自己，为什么我们想要那件东西。如果答案是我们想要它主要是因为想拥有它，那么我们应当利用它的稀缺性来判断该为它出多少钱。倘若答案是我们想要它主要是为了它的功能（也即想要驾驶它、喝它或吃它），那么我们必须牢记一点：该物品不管是稀缺还是充足，其功能都是一样的。简而言之，**稀缺的饼干并没有变得更好吃**。

读者报告

来自弗吉尼亚州布莱克斯堡的一位女士

去年圣诞节，我碰到一个 27 岁的男人，那时我 19 岁。他其实并不是我喜欢的类型，但我还是跟他约会了——大概是因为跟年纪较大的男人约会显得很有面子吧！我本来对他没多大兴趣的，可我的家人却纷纷对他的年纪表示异议。结果他们越是插手我的私生活，我就越是爱他。这段关系只持续了 5 个月，可要是我的爸妈没说这说那的，能维持一个月就算好的了。

作者点评：罗密欧与朱丽叶虽然早就殉情离去了，但罗密欧与朱丽叶效应却延续至今，连在弗吉尼亚布莱克斯堡这样的地方都时不时地露个面。

每时每刻，我都变得更好了。

　　——法国心理学家
　　埃米尔·库埃

每时每刻，我都变得更忙了。

　　——罗伯特·西奥迪尼

尾声

Influence 即时的影响力

The Psychology of Persuasion

|自动化时代的原始顺从|

　　20 世纪 60 年代，有个叫乔·派因（Joe Pyne）的人主持过一档相当有名的脱口秀节目，整个加利福尼亚地区都可收看。这个节目独具一格的地方在于，派因总是用刻薄而又挑衅的态度对待嘉宾。绝大多数嘉宾都是渴望曝光的娱乐圈人士、快要成名的新人，以及各种边缘政治或社会组织的代表。主持人采用粗暴采访风格，是为了刺激嘉宾，怂恿他们展开争论，让他们在慌乱中承认自己做过的尴尬事儿。简单地说，就是要让嘉宾们显得一副蠢样。派因经常在介绍嘉宾的时候就马不停蹄地攻击对方的信仰、天赋或外貌。有些人说，派因尖酸刻薄的个人风格，一部分原因在于他截过一条腿，受了生活的磨难；另一些人则认为并非如此，派因只是天生牙尖嘴利罢了。

　　一天晚上，摇滚歌手弗兰克·扎帕（Frank Zappa）作了这个节目的嘉宾。那时候毕竟是 60 年代，男人留长发还不太常见，也引人争议。派因一介绍完扎帕，不等他落座，就开始了下面的对话：

派因：我猜，你的头发这么长，肯定是个姑娘。

扎帕：我猜，你有条木头腿，肯定是张桌子。

自动反应

派因和扎帕的这出唇枪舌剑里除了有我最喜欢的即兴发挥，亦例证了本书的一个基本主题：**很多时候，我们在对某人或某事做判断的时候，并没有用上所有可用的相关信息。相反，我们只用到了所有信息里最具代表性的一条。**虽说这条孤立的信息通常都能给我们正确的指导，但它也能让我们犯下显而易见的愚蠢错误。这样的错误，一旦遭到其他聪明人的利用，会让我们显得又笨又呆，还很恶劣。

另一方面，还有一个复杂的平行主题贯穿本书：**尽管只靠孤立数据容易作出愚蠢的决定，可现代生活的节奏又要求我们频繁使用这一捷径。**在第1章的开头部分，我们曾将这一捷径与低等动物的自动反应相比较，单独的一点刺激特征——如"叽叽"的叫声、一撮红色的胸羽或特定序列的闪光——就能触发一整套复杂的行为模式。这些低等动物必须频频依赖环境中的孤立刺激，原因在于它们的智能有限。它们的小脑袋瓜无法对环境中的所有相关信息进行登记和处理。因此这些物种对信息的某个方面进化出了极度的敏感性。正常而言，这类片面信息足以提示它们作出正确的反应，所以这套系统基本上是极为有效的：每当听到"叽叽"的声音，雌火鸡就会自动搬出一套恰当的机械化母性行为。这么做能让它节省自己有限的脑力，应对每天必须面对的其他环境和选择。

当然，在这方面，我们的大脑有着比雌火鸡或者其他任何动物都更为有效、复杂的机制。考虑多方相关信息并据此作出正确的决定，我们在这方面的能力是其他动物比不了的。事实上，人类成为地球上的支配物种，靠的就是这种信息处理上的优势。

不过，我们的能力也是有限的。况且为了追求效率，有时候我们也必须放弃耗时、复杂、整体把握的决策过程，转而使用更简单、原始、由单一特征触发的响应方式。例如，在判断是否答应请求者要求的时候，我们经常是只注意相关信息中的一条就作出决定。在前面的章节里，我们已经探讨了触发人作出顺从决定的几种最常用的单一信息。它们之所以最为常用，完全是因为它们的可靠性高，一般都能指引我们作出正确决定。这就是为什么我们会这么频繁地利用互惠、承诺和一致、社会认同、喜好、权威和稀缺等方面的因素自动作出顺从决定。究其本源，上述每一方面的因素都是极为可靠的线索，都能提示我们在何时说"是"要比说"不"更恰当。

在没有意愿、没有时间、没有精力，或没有认知资源对情况进行全面分析的时候，我们最容易使用这些孤立的线索。倘若我们正赶时间、压力大、不确定、不在乎、心烦意乱或心力憔悴，我们往往会把焦点放在一些片面的信息上。在这类环境下作决定，我们通常使用的都是原始而必要的"单一可靠证据"法。这一切带出了一个令人不安的结论：**靠着成熟而精密的大脑，我们建立了一个信息繁多的快节奏复杂世界，使得我们不得不越发依赖类似动物（我们早就超越了的动物！）的原始反应方式来应对它。**

英国经济学家、政治思想家、科学哲学家约翰·斯图亚特·穆勒（John Stuart Mill），离世大概有 135 年了。他的去世（1873 年）是一件历史大事，因为他是最后一个享有"掌握世上已知的一切知识"美誉的人。如今，这样的说法变得很可笑了。经过世世代代的逐步积累，人类的知识如同滚雪球一般，滚入了一个靠惯性驱动、成倍扩张的大爆炸时代。在我们现在生活的世界上，大部分信息的存在历史都不超过 15 年。在某些科学领域（如物理），据说知识的数量每 8 年就翻一倍。科学信息爆炸并非仅限于分子或量子物理化学等神秘领域，而是囊括了与我们日常生活息息相关的一切知识领域——健康、儿童发育、营养等等。更为重要的是，这种快速增长很可能会一直持续下去，因为研究人员还在源源不断地把最新的发现发布到全世界 40 多万份科学期刊上。

除了科学的迅猛进步，与普通人生活息息相关的东西也在飞速变化。盖洛普每年的民意调查显示，公众关心的事件越来越多元化，但关心的时间越来越短。另外，我们的出行更多、更快捷了；我们更频繁地搬迁到新的住宅，因为新住宅的兴建和拆迁也越来越快了；我们接触更多的人，但跟他们之间的联系却越发短暂；在超市、汽车展厅、购物中心，我们碰到各式各样的选择，看到前一年闻所未闻的产品，但到下一年，这些产品说不定就销声匿迹了。在论及当代文明的时候，最常用的描述词就是新颖、短暂、多元化、速度惊人。

排山倒海的信息和选择是由蓬勃发展的技术进步带来的。这当中最值得一提的要数我们收集、存储、检索和传递信息的能力。起初，享受这类进步成果的仅限于大型组织——如政府机关或大型企业。比如，花旗集团的前董事长沃尔特·瑞斯顿（Walter Wriston）就可以这样描述他的公司："我们已经把全世界的数据库连接起来，它能够把世界上任何时间发生的任何事情告诉任何一个人。"随着电子通信和计算机技术的发展，连单个的公民也能接触到数量惊人的信息了。有线和卫星系统的普及，成了信息进入普通家庭的一条渠道。

另一条主要渠道是个人电脑。1972 年，《经济学人》杂志的编辑，诺曼·麦克雷（Norman Macrae）对未来作了一番展望式的预想：

> 最终，我们将进入一个崭新的时代：任何人，只需坐在实验室、办公室、公共图书馆或自己家里的电脑终端前面，就能接入大规模的数据库，在难以想象的信息海洋里穿梭游弋。哪怕是爱因斯坦那样伟大的脑袋，也不敌电脑终端机械集中能力和计算能力的万分之一。

仅仅 10 年之后，《时代周刊》就把一台机器——个人电脑——评选为"年度人物"，宣告了麦克雷预言的未来时代正式到来。《时代周刊》的编辑引用消费者"蜂拥"购买小型电脑的现状为自己评出的榜单辩护，他们说："美国，甚至放眼到整个世界，跟过去再也不一样了。"麦克雷的预言一步步走向了现实。如今数以百万计的"普通人"坐在电脑面前，显示和分析着足以淹死爱因斯坦的数据（见图 e—1）。

图 e—1 新生和机器
达特茅斯学院刚入学的新生，就掌握了"足以淹死爱因斯坦"的力量。

捷径应受尊重

因为技术的进化速度远远快于我们，所以我们处理信息的天然能力将有可能越来越难于应对当代生活中繁多的变化、选择和挑战。我们越来越频繁地发现自己陷入了跟低等动物一样的处境之中：外界环境的错综复杂超出了我们心智器官的处理性能。当然，也有不同的地方——低等动物的认知能力从来就比较欠缺，而我们的问题却类似于作茧自缚：是我们自己创造了一个太过复杂的世界，最终搞得自己应付不了的。我们这种新产生的缺陷，跟动物长久以来的缺陷一样：在下决定的时候，我们越来越难于对整个局面加以全盘考虑了。为解决这种"分析瘫痪"问题，我们只好更多地把注意力放到环境中通常靠得住的单一特点上。

倘若这些单一特征确实可靠，那么依靠聚焦注意力、自动响应特定信息的快捷方法作决定并没有什么根本上的错误。问题在于，有些因素会让这些通常靠得住的线索误导我们，让我们作出错误的行为和糟糕的决定。正如我们所见，某些顺从专业人士所耍的手段就是误导因素之一。这些人利用我们不假思索的机械反应来获利。假如随着现代生活的节奏越来越快，复杂程度越来越高，我们利用快捷响应的频率也越来越多，那么可以肯定，别人对我们耍这类手腕的频率也会越来越多。

既然预料到我们的捷径系统可能遭到密集的攻击，那么我们该怎么做呢？我认为，光是回避是不管用的，还要进行有力的还击。但这里有一条重要的先决条件：**倘若顺从业者公平公正地利用我们的捷径响应方式，我们就不应该把他们看成是敌人，事实上，他们是我们的盟友，有了他们，我们能更方便地开展高效率、高适应度的生意往来。只有那些通过弄虚作假、伪造或歪曲证据误导我们快捷响应的人才是正确的还击目标。**

我们可以从最经常用到的捷径里举个例子。根据社会认同原理，我们往往会仿效跟自己类似的其他人的做法。这么做合情合理，因为大多数时候，一种行为能在特定环境下得到了众人的认同，就说明它管用，而且恰当。故此，广告商采用真实可靠的信息（而不是欺骗性的数据），告诉我们某个品牌的牙膏销量最大，的确能说明这种产品质量好，我们很可能会喜欢上它。假设我们正在市场上寻找优质牙膏，其实就可以依赖"使用人数"这一单一信息来判断是否要购买它。这种策略给我们指明正确方向的可能性高于出错的可能性，我们可以把认知精力节省下来，去应付生活里铺天盖地的其他信息，作出更合理的决定。在广告商的帮助下，我们有效地利用这一高效策略，所以他不是我们的敌人，而是我们的合作伙伴。

可要是顺从业者给我们虚假信号，试图刺激我们的捷径反应，那故事就完全不一样了。比方说，广告商拍摄了一系列现场"随机访谈"广告，让若干演员假扮普通市民盛赞该产品，试图营造出这种牙膏大受欢迎的虚假情况。那么这样的广告商就是我们的敌人。因为在此受欢迎的证据是伪造的，我们、社会认同原理、我们对它的捷径式反应都遭到了利用。在先前的章节中，我曾建议，凡是打虚假"随机访谈"广告的产品，我们都不要购买。不光如此，我们还要写信向制造商投诉，并建议他们撤换广告代理公司。同时我还建议，只要碰到顺从专业人士用这种方式滥用社会认同原理（或其他影响力武器），我们都应采取这一强硬立场。我们应该拒绝收看使用"罐头笑声"的电视节目；如果我们看到酒保在小费罐里先装上一两块钱，以诱使人给他小费，那么我们不应当给这个酒保一分钱的小费；如果我们看到夜总会门外排着长长的人龙，可走进去一看，里头还有大把的空位，外面的长队只是为了制造生意兴隆的假象来打动路人，那么我们应当立即离开，并把这么做的原因告知外面还在排队的人。简而言之，**我们要采取一切合理的方法——抵制、威胁、对峙、谴责、抗议来报复以刺激我们的捷径反应为目的的虚假信号。**

我并不认为自己是个天生好斗的人，但我却建议大家主动还击。这是因为从某种意义上来说，我已经跟那些剥削者宣战了。确切地说，我们人人都应宣战。然而，有必要认识到，我们采取对抗做法，并不是因为他们想赚钱。说到底，我们人人都想赚钱。关键在于，他们赚钱的方式威胁到了我们捷径的可靠性，是真正的背叛，这才是我们无法容忍的地方。我们必须依赖可靠而合理的捷径和首选规则来应对现代生活的繁忙节奏。这不是什么奢侈品，而是不折不扣的必需品。随着生活节奏的加快，它们还会变得越来越重要。这就是为什么碰到有人为谋求私利而误导这些规则，我们应当还以颜色的原因，我们希望这些规则尽可能地有效。倘若投机客习惯性地耍手段利用它，那我们只好对其弃之不用，这样一来，我们也就没法卓有成效地应对日常生活的繁多抉择了。我们实在不能对此种局面听之任之，必须奋力一战来捍卫这一宝贵的捷径。这一仗，胜败的赌注太高了。

如何阅读商业图书

商业图书与其他类型的图书，由于阅读目的和方式的不同，因此有其特定的阅读原则和阅读方法，先从一本书开始尝试，再熟练应用。

阅读原则1 二八原则

对商业图书来说，80%的精华价值可能仅占20%的页码。要根据自己的阅读能力，进行阅读时间的分配。

阅读原则2 集中优势精力原则

在一个特定的时间段内，集中突破20%的精华内容。也可以在一个时间段内，集中攻克一个主题的阅读。

阅读原则3 递进原则

高效率的阅读并不一定要按照页码顺序展开，可以挑选自己感兴趣的部分阅读，再从兴趣点扩展到其他部分。阅读商业图书切忌贪多，从一个小主题开始，先培养自己的阅读能力，了解文字风格、观点阐述以及案例描述的方法，目的在于对方法的掌握，这才是最重要的。

阅读原则4 好为人师原则

在朋友圈中主导、控制话题，引导话题向自己设计的方向去发展，可以让读书收获更加扎实、实用、有效。

阅读方法与阅读习惯的养成

（1）回想。阅读商业图书常常不会一口气读完，第二次拿起书时，至少用15分钟回想上次阅读的内容，不要翻看，实在想不起来再翻看。严格训练自己，一定要回想，坚持50次，会逐渐养成习惯。

（2）做笔记。不要试图让笔记具有很强的逻辑性和系统性，不需要有深刻的见解和思想，只要是文字，就是对大脑的锻炼。在空白处多写多画，随笔、符号、涂色、书签、便签、折页，甚至拆书都可以。

（3）读后感和PPT。坚持写读后感可以大幅度提高阅读能力，做PPT可以提高逻辑分析能力。从写读后感开始，写上5篇以后，再尝试做PPT。连续做上5个PPT，再重复写三次读后感。如此坚持，阅读能力将会大幅度提高。

（4）思想的超越。要养成上述阅读习惯，通常需要6个月的严格训练，至少完成4本书的阅读。你会慢慢发现，自己的思想开始跳脱出来，开始有了超越作者的感觉。比拟作者、超越作者、试图凌驾于作者之上思考问题，是阅读能力提高的必然结果。

好的方法其实很简单，难就难在执行。需要毅力、执著、长期的坚持，从而养成习惯。用心学习，就会得到心的改变、思想的改变。阅读，与思想有关。

[特别感谢：营销及销售行为专家 孙路弘 智慧支持！]

ℰ 我们出版的所有图书，封底和前勒口都有"湛庐文化"的标志

并归于两个品牌

ℰ 找"小红帽"

为了便于读者在浩如烟海的书架陈列中清楚地找到湛庐，我们在每本图书的封面左上角，以及书脊上部47mm处，以红色作为标记——称之为**"小红帽"**。同时，封面左上角标记**"湛庐文化Slogan"**，书脊上标记**"湛庐文化Logo"**，且下方标注图书所属品牌。

湛庐文化主力打造两个品牌：**财富汇**，致力于为商界人士提供国内外优秀的经济管理类图书；**心视界**，旨在通过心理学大师、心灵导师的专业指导为读者提供改善生活和心境的通路。

ℰ 阅读的最大成本

读者在选购图书的时候，往往把成本支出的焦点放在书价上，其实不然。

时间才是读者付出的最大阅读成本。

阅读的时间成本=选择花费的时间+阅读花费的时间+误读浪费的时间

湛庐希望成为一个"与思想有关"的组织，成为中国与世界思想交汇的聚集地。通过我们的工作和努力，潜移默化地改变中国人、商业组织的思维方式，与世界先进的理念接轨，帮助国内的企业和经理人，融入世界，这是我们的使命和价值。

我们知道，这项工作就像跑马拉松，是极其漫长和艰苦的。但是我们有决心和毅力去不断推动，在朝着我们目标前进的道路上，所有人都是同行者和推动者。希望更多的专家、学者、读者一起来加入我们的队伍，在当下改变未来。